# Norma Désir

## Les nuits de Deauville

Éditions J'ai Lu

GÉRARD NÉRY

# Norma Désir
## Les nuits de Deauville

# 1

## LE PONT SUR LA TOUQUES

Christine aurait voulu rester ainsi allongée tout habillée sur son lit, attendant que passe la nuit. Il devait être 1 heure du matin. Elle se leva et se planta devant la glace de l'armoire, meuble en loupe d'amboine incrustée de corbeilles de fleurs, savante mosaïque en coquilles d'œufs. Christine arborait encore sa tenue de tennis, tolérée au dîner familial : jupe plissée blanche qui s'arrêtait un peu au-dessous du genou, haut de jersey souple, bandeau assorti autour de la tête et foulard noué sur une épaule.

« Je n'irai pas là-bas cette nuit... Il m'attendra, jusqu'au matin. Il se posera des questions, il ne comprendra pas et moi, j'aurai eu la force de ne pas aller le rejoindre... »

Christine était convaincue qu'en agissant de la sorte elle était en mesure de rompre le sortilège, de s'évader du cercle magique où elle était prisonnière. Mais, en même temps, comme fascinée par sa propre image, elle défaisait sa jupe qui glissa sur le sol et se débarrassa du jersey. En combinaison de soie naturelle, Christine ressemblait aux petites femmes licencieuses du « Rire ». Elle enleva ses dessous. Elle avait le ventre plat, la poitrine un peu basse, mais très ferme, émouvante comme la rondeur encore enfantine du genou. Christine Decruze, dix-neuf ans. Rien ne l'avait préparée à ce qu'elle était en train de vivre, en ce bel été de l'année 1925, entre la villa familiale de Trouville, blanche à colombages bruns, et l'hôtel Normandy, à Deauville, où chaque nuit l'attendait son amant. Son premier amant. Rien ne l'avait préparée au mensonge, à la dissimulation face à des parents qu'elle aimait et qui ne se doutaient pas que leur fille, leur Christine, leur avait échappé peut-être définitivement, ayant pour ainsi dire changé de peau sous leurs yeux, à leur insu.

Comme si elle venait de prendre une décision subite, elle ouvrit la double porte de l'armoire-penderie, écarta la rangée de vêtements clairs, à l'image d'une jeune fille de la plaine Monceau, à Paris, passant ses vacances sur la côte normande. Dissimulé par les flanelles à boutons dorés, un fourreau lamé dont le seul bruissement évoquait le pétillement du champagne et le parfum de tabac d'Orient. Pailletée d'or et d'argent, cette robe, ou plutôt cette seconde peau, s'arrêtait au ras du cou, dénudant une épaule, retenue à l'autre par une bretelle étroite. Une cape de taffetas et de tulle, brodée de petites perles, la complétait.

Telle quelle, nue sous ce vêtement chatoyant, Christine n'était plus Christine, mais quelqu'un d'autre, une femme très jeune, très aguichante, malgré sa réserve naturelle et la douceur des lignes de son corps.

« Je suis folle, pensa Christine. Je suis intoxiquée. Ma drogue se nomme Serge. Je suis malade d'amour. Ma volonté me dicte une conduite que je suis incapable de suivre. Mon corps me commande. Mon corps et le corps brûlant de mon amant. Les mains de mon amant sur ma peau. La bouche de mon amant. Je suis à lui, totalement, et même lorsque moi, Christine, je me révolte contre cette possession abusive, je n'aspire qu'à une chose, une seule : le retrouver, subir son emprise, ses sarcasmes, ses silences, ses caresses et cette tendresse subite dont il se repent aussitôt comme si elle était infamante. »

Elle perdait pied. Elle se regardait dans la glace et ne se reconnaissait point. Elle était prête à quitter sa chambre, à se glisser le long du couloir désert, à regagner le hall, pieds nus, faisant en sorte de ne pas faire craquer sous ses pas les marches de l'escalier. Elle ouvrit la porte de sa chambre, tenant à la main ses escarpins à boucle de strass, au fin talon. Elle savait parfaitement ce qu'il y avait d'insensé, de fou dans son comportement; elle se regardait vivre et bouger, à la fois horrifiée et fascinée. De même qu'elle observait son corps dans les miroirs, elle regardait en elle-même, sans indulgence, mais incapable de revenir en arrière, de redevenir la Christine d'avant.

Sa sérénité, son intelligence, sa curiosité, les qualités de son esprit, sa vérité en tant qu'être humain, sensible et généreux, il n'en restait rien. Du moins, c'est ce qu'elle croyait. Au contact d'un homme, elle avait volé en éclats et il ne subsistait d'elle qu'un corps offert, une recherche insensée du plaisir et un désir éperdu d'absolu, d'abandon total de ce qu'elle était, de ce qu'elle représentait. Christine n'existait plus. Et son amant se réjouissait de cette mutation de personnalité, qui se mariait à merveille avec sa robe fourreau, sa nudité, ses yeux cernés d'un trait noir et cette étrange impudeur qu'elle découvrait progressivement.

A cette heure avancée de la nuit, c'était donc une étrangère qui se hâtait vers son rendez-vous d'amour de l'autre côté d'une rivière qui s'appelait la Touques et qui séparait Trouville de Deauville. Mais pour le moment, c'était encore Christine Decruze qui s'immobilisait subitement devant la porte de la chambre où dormaient ses parents. Elle avait cru déceler un bruit, et une terreur subite l'avait saisie, la rendant incapable d'avancer ou de reculer.

Combien de fois, alors qu'elle s'évadait de la villa endormie, n'avait-elle pas craint que son père, qui l'adorait, ne paraisse subitement dans l'encadrement de cette porte, la découvrant ainsi, méconnaissable, ses souliers du soir à la main, pareille à toutes celles qui déambulaient jusqu'à l'aube, ivres un peu, droguées parfois, et avides de saisir l'instant dans sa plénitude, ne retenant finalement sous leurs ongles peints que quelques grains de sable et le vague souvenir d'étreintes fugaces.

Aux yeux de son père, Christine incarnait la pureté et l'exigence. Il croyait la connaître; il avait en elle une confiance illimitée. Il n'était même pas frôlé par l'idée qu'elle pouvait avoir un amant. Le regard de Christine était fixé sur la poignée de la porte. Et elle restait là, figée sur place. Une maison au bord de la mer n'est jamais vraiment silencieuse. Elle grince et soupire comme un corps vivant.

Il ne se passa rien. La porte de la chambre des Decruze resta close. A l'étage supérieur dormaient les garçons, épuisés par leurs jeux de plage. Christine prit sa terreur subite comme un avertissement.

« Si je le pouvais, je rentrerais dans ma chambre, j'arracherais cette robe de clown, je me laverais la figure, je me coucherais dans mon lit et je m'abîmerais dans le sommeil, dans l'oubli. Si j'en avais la volonté, je m'amputerais de cet amour dément, de cet homme qui a su prendre sur moi un pouvoir tel que plus rien ne compte pour moi, sinon sa présence, cette terrible force qui nous jette dans les bras l'un de l'autre comme des amants, certes, mais aussi comme des ennemis, car je le hais autant que je l'adore, car il me répugne autant qu'il m'attire... »

Voilà ce que pensait Christine alors même que, comme dans un rêve ou dans un cauchemar, elle s'engageait dans l'escalier menant au rez-de-chaussée. Le hall était plongé dans l'obscurité, mais Christine connaissait tous les coins et recoins de la villa, un peu tarabiscotée, vestige d'une architecture dont raffolait le début de siècle. Tout au bout du hall, une large véranda donnait directement sur la plage ou plutôt sur une jetée en bois, les « planches ».

Christine marchait, pieds nus, dans le sable. La marée avait envahi la plus grande partie de la plage. Comme presque toutes les nuits, Christine longea, un peu plus tard, le bassin où étaient amarrés les bateaux de pêche; du moins ceux qui n'étaient pas sortis. Elle avait rechaussé ses escarpins. Le vent du large jouait dans ses cheveux coupés très court, à « la garçonne ». Sa démarche était un peu raide, une raideur pour ainsi dire morale, car Christine était très sportive. Elle nageait et jouait au tennis avec ses frères. Elle allait de la sorte au bout d'elle-même, se mordant les lèvres, partagée entre le mépris de soi et l'envie irrésistible de retrouver son amant, de se perdre, de s'avilir et d'être témoin de sa propre chute.

Elle emprunta le pont sur la Touques et s'engagea dans les rues obscures de Deauville, en direction de l'hôtel Normandy. Tout autour du palace édifié dans ce style pseudo-normand qui donnait aux Anglais l'illusion d'être chez eux, s'agglutinaient des automobiles aux carrosseries luisantes, des Rolls, des Hispano-Suiza et des Bugatti en forme de cigare ou de fusée. Au fur et à mesure qu'elle approchait de l'hôtel, l'excitation de Christine devenait une sorte de fièvre. Elle était ivre sans avoir rien absorbé. Elle se sentait prodigieusement légère, comme en dehors de sa peau, immatérielle et en même temps consciente de son corps, de chaque parcelle de son corps. C'était une sensation qu'elle adorait, mais qui ne cadrait guère avec le personnage de Christine.

Un valet s'était dressé, apercevant Christine, et, du bout des doigts, avait imprimé un mouvement de rotation à la porte tambour. Christine se trouva ainsi propulsée dans le hall du palace, immense, faiblement éclairé. Poissons rares ou exotiques de ce vivarium géant, les habitués, femelles aux écailles luisantes tenant au bout des doigts des fume-cigarettes démesurés; les mâles en smoking. Ils allaient et venaient sur des tapis épais comme des nuages. Au passage de Christine, les employés de la réception ne levèrent même pas la tête, tant ils étaient habitués au flux et reflux des belles de la nuit, entrant et sortant de là comme d'une volière. L'ascenseur emporta Christine jusqu'aux étages. Elle tremblait, elle avait à la fois froid et chaud à la pensée de retrouver son amant d'une seconde à l'autre dans la chambre ouverte sur la mer, dont les vagues semblaient parfois s'échouer juste au pied du lit. Christine tremblait d'impatience, mais en même temps, et c'était bien elle, en contradiction avec elle-même, en même temps il y avait cette voix en elle, cette voix raisonnable qui lui disait :

« Il est encore temps, Christine, il est encore temps de retourner d'où tu viens. Si tu ne le fais pas aujourd'hui, tu ne le feras pas demain. Les nuits s'enchaînent aux nuits et tu finiras, toi, Christine, par être enchaînée, à la merci de cet homme que tu n'arrives pas à déchiffrer, même dans l'amour... »

L'ascenseur s'arrêta, Christine hésita une fraction de seconde, puis elle s'engagea dans le long couloir faiblement éclairé sur lequel s'ouvraient les appartements. Elle s'arrêta devant une porte entrouverte et hésita de nouveau. Il était encore temps... Elle pouvait encore remporter cette grande victoire sur elle-même et rebrousser chemin.

« Si tu as le courage de le faire, Christine, murmurait la voix en elle, tu es sauvée ! »

Tout ce qu'il y avait de raisonnable et de réfléchi en elle la poussait à prendre de la sorte l'offensive. Rien ne la destinait à être l'esclave toujours consentante d'un homme qui avait l'apparence d'un ange, mais seulement l'apparence, et qu'elle savait méchant, sinon cruel et qui exigeait de sa jeune maîtresse une soumission qu'à sang-froid elle aurait jugée dégradante.

Elle était devant cette porte, sans oser même respirer, persuadée qu'il la savait là, qu'il l'attendait immobile dans la mi-obscurité de la chambre, ramassé sur lui-même, tirant sur sa cigarette...

Christine avait pris sa décision brusquement : elle poussa la porte et pénétra dans la chambre. Les rideaux n'étaient pas tirés. Il faisait presque froid.

— Chéri ?... Serge ?

Elle avança vers le lit double flanqué de tables de chevet surmontées d'inévitables lampes à abat-jour roses. La couverture était faite, tirée au cordeau, mais la chambre était vide. Christine était totalement désarçonnée. Cela n'était encore jamais arrivé. Elle ne comprenait pas. Elle alluma l'une des lampes, espérant vaguement un mot, une explication. Mais, hormis la porte entrouverte qui, en soi, était explicite puisqu'elle invitait à entrer, il n'y avait point d'autre message.

Si Christine avait été dans son état normal, elle serait sortie de la chambre, elle aurait refermé la porte et rebroussé chemin. Elle se croyait désirée, attendue, guettée. L'absence de Serge la blessa dans son amour-propre. Mais elle ne put se résoudre à partir. Dans cette chambre impersonnelle et qui paraissait presque inhabitée, il était là, lui, subtilement, et il la tenait prisonnière. Sur l'une des tablettes de nuit, un livre, « Ulysse » de James Joyce, édité par Adrienne Monnier. Christine le souleva, l'ouvrit à la page marquée d'un signet, un bristol gravé à en-tête du « privé » du casino de Deauville. Le carton était établi au nom du prince Alexis Solokoff. Un nom que Serge n'avait jamais prononcé devant sa maîtresse. Elle se tenait debout, près du lit. Un sanglot de rage impuissante l'étouffait. Elle avait quitté la villa de ses parents pieds nus, comme une pénitente; elle avait couru le long de la plage, sur le quai désert vers sa passion éperdue, comme inconsciente. Et voici la chambre, et voici le lit... Pourquoi n'était-il pas là ? Que lui arrivait-il ? Était-ce bien elle, Christine, qui se débarrassait fiévreusement de son fourreau pailleté, dénudant son corps avec une sorte de rage ? Était-ce bien Christine qui prenait possession de ce lit, froissant les draps trop bien tirés ? Elle ne savait plus ce qu'elle faisait. Elle savait seulement qu'elle n'était plus elle-même, une inconnue à ses propres yeux. Elle crut entendre un bruit dans le couloir et se dressa dans le lit, d'un bond. Mais rien ne se passa. Elle ne sut comment tromper son attente. Elle regarda autour d'elle. Et elle se dit, dans un éclair de lucidité, que cette chambre ne ressemblait guère à celui qui l'habitait. Rien ne traînait, aucun bagage, aucun objet personnel. S'il n'y avait eu cet épais roman sur la table de nuit, on aurait pu croire la chambre inhabitée.

Christine eut subitement envie de l'explorer. Elle rejeta les draps, posa un pied sur la moquette. Elle éprouva un plaisir assez trouble à se mouvoir ainsi, nue, et s'approcha de la commode dont elle ouvrit les tiroirs. Ils étaient vides. Puis elle alla vers les penderies de l'entrée lesquelles, ouvertes, s'éclairaient de l'intérieur : elles ne contenaient rien, absolument rien, sinon une rangée de cintres. Pensive, Christine pénétra dans la salle de bains. Elle savait fort bien ce qu'elle allait y trouver : quelques objets de toilette masculins, un rasoir mécanique dans son étui de vermeil, deux brosses à cheveux encastrées l'une dans l'autre. Elle retourna dans la chambre, reprit la traduction française du roman de Joyce, la reposa après l'avoir feuilletée, incapable de fixer son attention. Elle entrouvrit le tiroir de la table de chevet, mais un bruit derrière elle laissa son geste en suspens.

— Tu cherches quelque chose ?

Elle se retourna, effrayée, comme une voleuse prise la main dans le sac. Mais elle se reprit aussitôt.

— De l'aspirine. J'ai mal à la tête...

Il avança vers elle. Il avait bu, elle le savait, mais sa démarche ne le trahissait en rien. C'était sa voix qui prenait certaines intonations. Ce soupçon d'accent étranger devenait davantage perceptible lorsqu'il avait bu.

— Pas d'aspirine. Rien dans les mains, rien dans les poches, rien... plus rien ! En dehors de ceci !

De sa poche « revolver » il extirpa une fiasque très plate en argent, légèrement bombée, qu'il déboucha et porta à ses lèvres. Puis il la tendit à Christine.

— Brandy ?

Elle but à son tour. L'alcool la brûla, mais elle éprouva presque immédiatement une chaleur qui lui paraissait bienfaisante. Elle absorba une autre gorgée.

— C'est vrai, murmura Serge, j'ai aussi ma montre !

Une montre plate en platine au bout d'une chaîne qui dessinait une courbe élégante sur la cuisse du pantalon de smoking.

— J'aurais dû la leur proposer, à ces messieurs, ajouta-t-il.

Il jouait avec sa chaîne de montre, la faisant tournoyer autour de ses doigts, sans pour autant cesser de dévisager Christine. Celle-ci se garda bien de lui poser des questions, sachant à quel point il avait l'art de les éluder. Elle soutint son regard et une sorte de tendresse l'envahit, une émotion indicible. Plus rien n'importait, sinon le moment présent qui les réunissait. Elle dut faire un grand effort sur elle-même pour ne pas courir vers lui, se pendre à son cou, le couvrir de baisers. Il était grand, d'une minceur juvénile, presque frêle, avec un beau visage qui semblait taillé dans une roche inconnue; une figure d'archange blond, une fausse douceur répandue sur ce visage au front haut. Douceur que démentait l'éclat d'un regard impitoyable, gris-vert, constamment sur le qui-vive. La beauté pourtant mâle de cet homme avait quelque chose de trouble, comme s'il y avait quelque part une fissure. Christine en avait conscience mais elle avait été incapable jusqu'alors de la déceler. Mais il ne ressemblait à personne. Il semblait véritablement venir d'ailleurs, d'un autre monde. Apparemment d'origine nordique ou slave, il avait aussi une nonchalance presque orientale et une sensualité que reflétait une bouche aux lèvres pleines et arquées. Serge devait avoir une trentaine d'années. Peut-être un peu plus, peut-être un peu moins. Il avait des manières de grand seigneur qui ne reflétaient pas, cependant, ce qu'on appelait chez les Decruze une « bonne éducation ». En fait, l'amant de Christine savait être l'homme le plus grossier et le plus mal élevé de la terre.

— Couvre-toi ! dit-il brusquement. Tu as l'air de sortir d'un illustré pour vieux messieurs, c'est horrible... Il suffirait que tu enfiles une paire de bas de soie et des chaussures à talons pour ressembler à un Van Dongen ! Or, je crois te l'avoir déjà dit, je déteste la peinture de Van Dongen.

Christine se rebiffa. Il avait su, en quelques mots, chasser la tendresse qu'il avait peut-être lue dans les yeux de son amie. Elle ne dit rien, se détourna seulement. Elle saisit sa robe qu'elle avait abandonnée sur le dossier d'une chaise. Mais comme pour contredire ses paroles blessantes, Serge l'attira à lui, lui parla très doucement d'une voix un peu voilée par la fatigue et l'alcool. Et Christine se sentit glisser vers un bien-être indéfinissable, un apaisement que rien ne justifiait, car tout dans cet homme était tension.

— Tu sens bon la fille, tu sais... tu sens bon la décence, le confort bourgeois et il me semble que cette odeur a des relents d'encens et de citronnelle... Tu es une sainte, puisque tu me supportes...

Il but une rasade d'alcool et Christine en fit autant.

Sa main sèche se fermait sur le sein de la jeune fille, l'emprisonnant tel un oiseau et Christine se laissa aller de plus en plus. Engourdissement délicieux, chute progressive dans l'inconscient. Il lui semblait qu'elle était en train de passer d'un monde à un autre :

« Je l'adore, pensa-t-elle, je l'adore parce qu'il n'est

14

jamais le même. Et pourtant, c'est la même main, ce sont les mêmes gestes et c'est le même corps. Mais l'instant est unique. L'amour avec lui ne se répète jamais, ne devient ni habitude ni confort ou bien-être, mais voyage dans l'inconnu, chute, abandon de soi, danger... »

L'ivresse les gagnait progressivement.

— Je t'aime, dit-elle.

— Penses-tu. Personne n'aime personne.

Il serra contre lui ce jeune corps tendu, parfaitement lisse, irréel à force de perfection. Ils esquissèrent de la sorte un pas de danse, « shimmy » ou « charleston », cette belle jeune fille entièrement nue abandonnée à cet homme en smoking aile-de-corbeau. Lorsque Christine découvrit leur image dans la grande glace qui surmontait la cheminée, elle en reçut un choc, tant cela lui paraissait impudique et presque obscène. Elle se détacha de son amant.

— Pourquoi tu ne te déshabilles pas ?

Il ne dit rien. Mais il resta là, au milieu de la chambre. Alors elle libéra, une à une, les perles noires de son plastron, dans un geste ravissant, plein de tendresse, avec cette familiarité des couples enfermés dans une chambre. Il se laissa faire. Elle effleura des lèvres la toison dorée qui couvrait la poitrine maigre et hâlée de son amant. Elle avait l'impression qu'il était absent, ailleurs depuis l'instant où il avait pénétré dans la chambre, il n'avait cessé de réfléchir.

— Qu'est-ce qu'il y a, Serge ?

Comme il ne répondit rien, elle ajouta :

— Tu es allé jouer au casino ?

Il lui avait laissé entendre qu'il jouait davantage par nécessité que par plaisir, pour gagner sa vie. Un autre jour, en veine de confidences, il lui avait raconté qu'il était aussi marchand de tableaux « lorsqu'il ne pouvait pas faire autrement... ».

Au-delà de la double fenêtre le ciel s'éclaircissait.

— Nous avons fait un poker, entre amis, dit Serge.

Christine se rendait compte qu'elle ne connaissait rien de cet homme auquel elle se sentait pourtant intimement liée. Comme s'il était désireux de chasser les pensées qui l'assaillaient, il saisit de ses deux mains le visage de Christine, se pencha sur sa bouche et l'embrassa sauvagement, en lui mordillant les lèvres. Elle attendait ce baiser depuis un temps infini; elle attendait ses caresses, son brusque abandon, cette façon qu'il avait de procéder à l'amour comme à une cérémonie. Pour elle, la nuit allait éclater enfin comme un orage ou un feu d'artifice.

— Je t'aime... je t'aime, murmura-t-elle.

L'entendait-il seulement? Il l'avait saisie par ses cheveux, lui tirant la tête en arrière, ce qui la faisait se cambrer, se cabrer comme une pouliche. Et c'est ce qu'il voulait. Christine, arc-boutée sous la caresse, murmura encore :

— Tu es mon soleil...

Un soleil noir.

Les ondes parcoururent le corps de Christine, l'électrisèrent. Elle connaissait la partition, mais celle-ci se renouvelait nuit après nuit. Elle n'avait qu'à se soumettre à la montée lente, irrésistible du plaisir. Serge l'avait révélée à elle-même, arraché le rideau qui la cachait à ses propres yeux. Il l'avait rendue plus nue que nue, nue jusqu'à l'âme, car il savait, magicien de la chair, associer l'âme au corps.

Christine, sous ses caresses, devint une bête inconnue, une femme à la fois pudique et savante, offerte et refusée, une amoureuse très rare parce que sincère. Il l'affola, lui donna envie de crier, mais elle se retint, s'agrippant à lui, ses doigts labourant le dos de l'homme que rien ne pouvait distraire de sa ferveur. Avec une lenteur presque rituelle il investissait sa jeune maîtresse, la découvrant comme s'il ne la connaissait point, la maintenant avec fermeté lorsqu'elle essayait de se dérober. Christine avait tout appris de lui. Ce qu'il lui avait donné lui était devenu indispensable. Elle attendait la nuit durant ces longs jours d'été paresseux et faussement sereins. Elle savait que le moment allait arriver où les morceaux du puzzle seraient enfin assemblés; chaque caresse en appelait une autre et leur lutte se résoudrait enfin lorsque, soudés l'un à l'autre, ils deviendraient le même corps à deux têtes. C'est alors, au dernier instant, que Christine croyait voir la mort en face, cette mort dans le plaisir, cette fin qui n'était que le prélude à une nouvelle naissance à l'aube d'un jour nouveau. Elle se rappelait ces nuits où elle chuta dans le sommeil, de ces réveils sous le regard de Serge, sous cet œil clair qui la scrutait sans tendresse. Elle avait alors l'impression que l'homme qu'elle aimait, c'était la mort en personne rencontrée un soir à Deauville, l'été de l'an 1925; la mort jouant au poker et vendant des Picabia ou des Pascin à de riches collectionneurs américains...

— Prends-moi, mon amour. Prends-moi...

Il y avait comme un désaccord dans l'harmonie. Christine l'éprouvait brusquement. En même temps qu'un désappointement inconnu, qu'une frustation douloureuse. Que se passait-il donc? Il avait fait davantage que seulement éveiller son désir; il l'avait subtilement menée jusqu'au bord de la jouissance en prenant bien soin de la laisser tant soit peu sur sa faim... Il l'avait contrainte à cette supplication presque humiliante, à ces mots usés à force d'avoir été prononcés. Il savait que Christine aimait ses caresses, l'y invitait. Écartelée, les yeux clos, comme une gisante, elle attendait que le corps de l'homme vienne enfin s'abattre sur elle et que ce poids miraculeux, loin de l'étouffer, lui fît prendre son envol définitif. Elle avait hâte de souffrir, de s'anéantir, de s'oublier.

— Qu'est-ce que tu as ce soir, Serge?

Elle ne comprenait pas. Il s'était relevé à demi.

Appuyé sur son coude, il la dévisageait comme il avait si souvent coutume de le faire. De même que la mer se retirait au-delà de la fenêtre, la terrible tension qui rendait Christine sourde et aveugle se relâcha progressivement. Il subsista une déception cuisante et une douleur, indéfinissable, dans son dos, qui irradiait, et dans sa tête.

— Tu n'as pas envie de moi, Serge ?

Pourquoi ne parlait-il pas ? Était-ce un jeu ?

— J'ai toujours envie de toi et tu le sais bien, dit l'homme.

Elle lui tendit les bras dans un geste impulsif et beau : la femme invitant celui qu'elle aimait à venir s'allonger près d'elle, à lui faire l'amour, à lui conter la passion.

— Non, dit-il, immobile. Le comble du plaisir, c'est l'attente. La certitude rompt le charme. Est-ce que tu peux me comprendre ?

Christine ne répondit pas.

— Bien entendu, tu me comprends, ajouta Serge.

Elle était habituée à sa façon de soliloquer. Quand il le voulait, il parlait l'amour avec une ferveur telle qu'on avait l'impression qu'il le faisait mentalement. Et Christine aimait qu'il parlât de la sorte. Elle était certaine que Serge savait tout d'elle; par exemple que son corps n'était véritablement disposé pour l'amour que lorsque son imagination avait été excitée au préalable. Elle considérait cette exigence comme une tare secrète et n'en parlait jamais avec son amant.

— De toute manière, poursuivit Serge, l'entente physique entre un homme et une femme n'est rien s'il n'y a complicité sur d'autres plans. Rien n'est plus triste que l'amour bien fait qui débouche sur une cigarette...

Il se tenait à présent au pied du lit. Elle se couvrait du drap.

— Il y a des moments où je souffre de ne rien posséder, dit l'homme. Même pas toi...

— Pourquoi dis-tu cela ?

— Je le pense.

Il alluma une cigarette. Puis il porta de nouveau la flasque à ses lèvres et Christine, qui ne buvait pourtant jamais, l'imita lorsqu'il le lui proposa. Elle savait qu'elle était ivre, qu'elle n'était plus elle-même et c'est bien là ce qu'elle recherchait. Elle sortait cette fois de son propre corps, elle devenait quelqu'un d'autre. Tout devenait irréel, aussi bien la voix de son amant que les meubles de la chambre qui, aux yeux de Christine, flottaient entre sol et ciel. Il posa pour la deuxième fois la question qu'elle semblait ne pas avoir entendue :

— As-tu déjà visité un haras dans ce pays ?

— Bien sûr...

— Dans un haras, pour savoir si une poulinière est en chaleur, on a recours à un étalon sans pedigree, appelé le « boute-en-train ». Celui-ci vient exciter la pouliche, les naseaux fumants, mais cela ne va jamais plus loin, malgré les dispositions évidentes de l'étalon à saillir la femelle. Si celle-ci se montre consentante, on lui enlève aussitôt cet amant hypothétique et on la conduit auprès de l'étalon en titre qui, lui, la saillira. Le « boute-en-train », quant à lui, répète inlassablement sa démonstration de virilité auprès des autres poulinières du haras. Il approche toujours, il cajole, il excite, il mord, il embrasse, mais ça s'arrête là.

— Mais c'est affreux ! s'exclama Christine qui n'en savait pas autant sur les coutumes des pur-sang.

— Contrairement à ce que tu peux penser, je suis, moi aussi, de la race des boute-en-train. Je suis sans pedigree, comme eux, mais c'est un détail. Et moi, je possède le corps des femmes. Mais c'est accessoire. En fait, je n'en garde aucune. Je les prépare seulement, comme le boute-en-train dans les haras ; je les révèle parfois à elles-mêmes ; il m'arrive de leur apprendre ce qu'elles n'ont pas appris ailleurs ; je leur communique des petits secrets qui leur permettront ultérieurement d'attraper l'homme par où il est vulnérable. Et de le garder !

Cet étrange discours, Christine le perçut à travers les brumes de l'ivresse.

— Arrête-toi, chéri, murmura-t-elle et viens près de moi...

Il se pencha sur elle.

— Si tu me connaissais tel que je suis, tu ne serais pas dans ce lit. Tu me haïrais...

— Je te connais, Serge, et quelquefois tu me fais peur, c'est vrai.

— Bien, dit-il. Très bien. Tu m'aimes donc. Mais jusqu'où va-t-il cet amour ? Si nous sortions du jardin des délices pour nous enfoncer dans la boue, m'aimerais-tu encore ?

— Oui... je crois...

Mais elle ne comprenait pas où il voulait en venir.

— Et si je te mettais à l'épreuve ?

Son regard brillait d'excitation.

— Mets-moi à l'épreuve, dit Christine que l'alcool avait rendue inconsciente.

Elle surprit dans le regard de son amant une lueur de surprise. Peut-être ne s'attendait-il pas vraiment à tant de soumission.

— Soit. Il est indispensable de nous libérer l'un de l'autre, de nous défaire de tout un attirail de conventions et d'hypocrisies, d'accéder à une vérité absolue. Je crois connaître ta conception de l'amour et elle m'amuse infiniment. Si je te poussais tant soit peu, tu me serais fidèle et tu me parlerais de tes sentiments comme s'ils avaient la rareté du collier que Van Cleef expose actuellement dans sa boutique du casino. Mais nos sentiments, chérie, n'ont jamais l'importance ou la valeur que nous leur prêtons. Dans la plupart des cas, ils sont en strass, comme les boucles de tes souliers...

Il poussa sous le lit, de son pied nu, l'un des escarpins de Christine. Elle se demandait où il voulait en venir. Il s'installa au bord du lit. Il souleva le drap et caressa le ventre de sa maîtresse, distraitement, du bout des doigts. Christine ferma les yeux, puis les rouvrit.

— Tu es très belle et tu as le don de pureté, ce qui est très rare.

— Pourquoi souris-tu en disant cela ?

— Parce que je pensais au boute-en-train !

Elle écarta sa main avec fermeté.

— Alors, cette épreuve ?

Il approcha son visage tout près de celui de la jeune fille.

— Il y a un homme dans cet hôtel. Il habite au même étage. Il t'a vue avec moi. Il est fou de toi.

Pourquoi sa voix tremblait-elle d'excitation, alors qu'il prononçait ces paroles ?

— Comment sais-tu que cet homme est fou de moi ?

— Il me l'a dit.

— C'est un de tes amis ?

— Non. Mais je le connais. Il m'a posé des questions à ton sujet. Je lui ai dit que j'estimais que les femmes devaient, comme les hommes, pouvoir disposer de leur corps. Je lui ai dit aussi que tu ne croyais guère à cette liberté et que tu ne faisais l'amour que lorsque tu te croyais amoureuse. Et qu'alors tu étais fidèle.

— Je te connais bien, dit Christine. Et je suppose que tu joues avec l'idée de me présenter à ton ami avec le vague espoir qu'il se passera peut-être quelque chose entre nous... Je veux dire : entre nous trois !

Sa propre audace surprit Christine. Mais chaque fois qu'elle se trouvait avec Serge, elle se métamorphosait ainsi, agissant comme jamais elle n'avait agi, parlant comme jamais elle n'avait parlé. Serge éclata de rire. Un curieux rire sans gaieté.

— J'ai horreur des « partouzes », dit-il. Et toi aussi.

Christine n'avait jamais même imaginé ce que pouvait être une « partouze ». L'ivresse faisait que le sens des mots lui parvenait cependant, mais comme de très loin, perdu à jamais.

— Tu ne joues donc pas avec l'idée de me présenter à cet homme pour que j'en tombe amoureuse et te fasse beaucoup souffrir ? demanda-t-elle.

Et en même temps, elle pensait :

« Est-ce moi, est-ce bien moi qui prononce ces mots et qui prends ce ton un peu railleur ? Est-ce bien moi, Christine Decruze ? »

Serge la prit contre lui, l'embrassa doucement, presque tendrement, ce qui ne lui arrivait jamais.

— Ce que je voudrais, mon amour, dit-il à mi-voix, ce que je voudrais, c'est que tu ailles rejoindre cet homme, maintenant, à la minute même, et que tu te couches près de lui, et que tu éprouves avec lui de la volupté ou de la répulsion. Ensuite, tu le quitteras au moment qui te paraîtra propice et tu reviendras ici. Tu t'allongeras à mes côtés et, bien entendu, tu ne me diras rien de cette expérience. Rien, pas un mot. Mais à partir du moment où tu retrouveras le lit que voici, rien ne sera plus comme avant. Nous aurons alors parcouru un chemin difficile, celui qui mène les êtres à leur propre vérité. Les notions de fidélité, de jalousie ou d'amour-propre nous apparaîtront alors sous leur vrai jour. Et nous éprouverons enfin autre chose que des sentiments usés jusqu'à la corde.

Christine sentait contre son corps la chaleur de son amant et le désir qu'il avait d'elle était probant. Ce qu'il y avait de répugnant dans sa proposition était contredit avec éclat par son attitude amoureuse. Et Christine, dépossédée de sa volonté par tout l'alcool qu'elle avait bu, crut découvrir un sens caché à l'expérience qu'il voulait lui voir faire. Au lieu de crier son dégoût, au lieu d'être horrifiée par sa proposition qu'elle aurait dû trouver aberrante, elle se sentait gagnée par une étrange, une incompréhensible excitation, toute semblable à celle qui faisait briller les yeux de son amant, ces yeux gris-vert qui ne la quittaient pas, qui la poursuivaient.

— Tu reviendras à moi comme le fleuve revient à sa source, murmura Serge, et nous nous aimerons mieux que jamais, au-delà de la passion vulgaire.

Christine répondit aux caresses de son amant et une pensée incroyable se fit jour en elle : et si ce n'était pas de lui, de Serge, qu'elle avait tant envie ? Si c'était le plaisir seul qu'elle recherchait ?

« En ce moment, songea-t-elle, je pense à sa virilité, à son épée dressée, et si j'étais totalement franche avec moi-même peut-être m'avouerai-je que l'amour, en cette minute, me paraît plus important que l'amant ! »

— D'ailleurs, qui sait ? Peut-être n'est-ce pas vraiment de moi que tu as besoin cette nuit, mais plutôt d'un homme, n'importe lequel pourvu qu'il sache te faire mourir de plaisir ?

Christine le détestait d'avoir deviné ses pensées. Mais ce qu'elle éprouvait à son égard était si fort qu'elle s'en voulut aussitôt, se reprochant des pensées qui lui faisaient horreur, se disant qu'elle connaissait suffisamment son amant pour faire la part des choses. Il se plaisait à scandaliser Christine, à la mettre hors d'elle, pour la choquer, pour la désarçonner sans aucun doute. Il jouait avec des idées folles, tournant en dérision tout sentiment quel qu'il fût, se plaisant à décaper les idées reçues, se moquant des notions de morale ou de rectitude de caractère. Le monde, vu par Serge, était un gigantesque lupanar où chacun se livrait plus ou moins hypocritement à ses instincts les moins avouables, essayant de donner le change, de se draper dans un vêtement illusoire fait de probité.

— Mon amour, murmura-t-elle, mon amour, c'est toi... toi... J'ai envie de toi, c'est ça, la vérité...

Elle se lova contre lui et il l'entoura de ses bras dans un mouvement presque tendre qui ne lui était guère habituel.

— La vérité...

Il avait repris le mot qu'elle venait de prononcer et elle découvrit sur son visage une expression inconnue. Comme une grande lassitude, un abandon subit auquel il ne l'avait pas habituée.

— Elle est sans grandeur, ajouta-t-il. Je suis incapable de te faire l'amour parce que j'ai décidé d'en finir avec la vie, donc avec l'amour.

Elle le regarda sans comprendre. Était-il sincère ?

— Cet homme dont je te parle, je lui dois de l'argent. Pas mal d'argent. Il m'a proposé d'oublier cette dette si tu acceptais de coucher avec lui.

Christine était abasourdie. L'univers pourri où se mouvait Serge montrait son vrai visage. Mais Christine, qui était généreuse, ne voyait que la misère de l'homme qu'elle aimait et qui savait si bien cacher sa déchéance sous des dehors étincelants. Elle ne douta pas une seconde que Serge était capable de se suicider. Il lui avait montré à plusieurs reprises son mépris total de l'existence, usant et abusant de tous les plaisirs, indifférent au danger, comme s'il était absent de la vie, tout juste spectateur cynique et désabusé.

— Si tu le veux bien, chérie, nous resterons ainsi, côte à côte, sans parler. Dans un moment, le ciel s'éclaircira, tu retourneras dans ta famille et tu vivras comme si je n'avais jamais existé. Tu verras que c'est beaucoup plus facile qu'on le croit. Je sortirai de ta mémoire un jour ou l'autre. C'est mathématique.

— Non !

Elle savait que jamais elle ne l'oublierait. Il était le premier homme qu'elle eût connu, mais ce qu'elle avait vécu auprès de lui l'avait marquée à jamais. A cet instant elle aurait fait n'importe quoi pour le garder, n'importe quoi surtout pour qu'il redevienne le Serge des autres nuits, l'amant passionné, l'initiateur, le merveilleux compagnon. Sous l'emprise de cet homme, elle aurait traversé le feu, marché sur les flots ; elle se serait infligé des blessures sans ressentir de douleur. Tel était le pouvoir de son amant, alors même qu'il avait jeté le masque et se montrait sous un jour plutôt pitoyable. Passablement ivre, elle agit dès lors comme en état second avec la volonté farouche de le retrouver, lui, comme les autres nuits. Pour y parvenir, elle était capable de tout. Déjà elle avait sauté en bas du lit, saisi le fourreau pailleté. Ses gestes étaient fébriles.

Serge se méprit sur ses intentions.

— Étrange, dit-il en se levant, étrange vraiment... Dès qu'on cerne la vérité, les êtres sont saisis d'effroi. Pourtant, la vérité c'est la lumière. C'est la paix de l'esprit.

Christine finit d'attacher son vêtement.

— Tu es très fâchée ? Tu me quittes ?

— Non. Je vais me donner un coup de peigne.

La salle de bains. Le visage de Christine dans la glace ovale, comme dans un cadre. Serge était adossé au chambranle de la porte. Il l'observait.

— Qu'est-ce que tu vas faire ?

Elle le regarda dans la glace. Sa vision était trouble.

— Tu le sais très bien, répliqua-t-elle gravement.

Elle ne se reconnaissait plus. De même que l'image réfléchie par le miroir n'était pas vraiment son image, ses gestes n'étaient plus les siens. Elle se demandait si, cette nuit-là, elle n'avait pas quitté la maison familiale sans esprit de retour. Elle avait l'assurance que ses actes présents et à venir lui étaient commandés par son amant. Elle aurait dû être épouvantée. Elle ne l'était pas. Elle savait qu'elle pourrait sortir de la chambre, qu'elle était libre de le fuir, libre de sentir sur son visage la fraîcheur de la nuit. Elle ne le désirait point. Elle voulait le secourir, le sauver, l'arracher à son désespoir, et ce par orgueil. Cet orgueil fou camouflé à l'ombre de cette fameuse humilité chrétienne dont son père faisait si grand cas.

— Je suis prête, dit-elle. J'espère que je plairai...

— Son appartement est le cent quatorze, au bout du couloir, dit Serge, impavide.

Le pas de Christine était mal assuré.

Le couloir était éclairé de loin en loin par de discrètes appliques murales. Au ras des portes, des chaussures diverses attendaient le passage, au matin, d'un valet de chambre en tablier vert. Surgissant de l'ascenseur silencieux, comme dans un ballet, un homme en habit et une femme minuscule, habillée d'une robe « à l'égyptienne », esquissaient un pas de biguine tout en marchant. Ils étaient ivres et l'homme s'inclina en direction de Christine tout en jouant avec la grande clef de sa chambre. La femme riait; un rire étouffé par les tapis et les murs.

Christine s'arrêta devant le cent quatorze dont la porte était légèrement entrebâillée. Elle n'était pas dans son état normal; elle éprouvait une excitation inconnue, grisante, comme si elle avait réussi à sortir de sa propre peau pour devenir quelqu'un de différent, quelqu'un qui serait à l'opposé de Christine Decruze. L'ivresse qui l'avait gagnée était celle donnée par l'alcool, mais aussi une sensation de liberté totale, un détachement qui frôlait l'inconscience. A quelques mètres seulement, il y avait Serge. Peut-être souffrait-il abominablement et se complaisait-il dans la souffrance qu'il s'était infligée? Christine avait le sang à fleur de peau. Ainsi donc, on la désirait? Des inconnus rêvaient d'elle. Un inconnu, derrière cette porte entrebâillée...

Elle entra. Elle titubait. C'était un appartement, une « suite ». Christine se trouvait de plain-pied dans un salon tapissé en camaïeu. Une odeur âcre la saisit à la gorge. Pourtant, les baies étaient largement ouvertes. Une table de jeu avec des cendriers qui débordaient, des bouteilles de champagne et de whisky à demi pleines, des verres... Les chaises autour de la table se trouvaient dans cette position précise qui faisait croire qu'on venait tout juste de les repousser. Christine avança vers la table et contempla, un peu déconcertée, les cartes à jouer et les jetons de couleur en vrac.

— Je ne vous attendais plus...

Une voix forte, un peu vulgaire. Une voix d'homme de poids. Christine se retourna. Dans l'embrasure de la double porte conduisant dans la chambre voisine du salon se tenait un personnage drapé dans un kimono de soie brodé de dragons verts. Christine se figea sur place. L'individu avança dans sa direction. Il tenait à la main une serviette-éponge avec laquelle il s'essuyait le crâne où poussait une chevelure noire mêlée de fils d'argent, clairsemée au sommet, touffue et bouclée autour des oreilles. Au fur et à mesure que l'homme approchait une forte odeur de lavande anglaise vint s'ajouter à celle, écœurante, du cigare froid.

— Est-ce que je rêve ? dit l'homme. Est-ce bien vous, la lointaine, l'inaccessible ?

Mais il y avait comme de la raillerie dans sa voix. Il faisait face à Christine. Malgré son accoutrement, il n'était pas grotesque. Il avait un certain magnétisme, purement animal. Et Christine, en vraie femelle, ne s'y trompa pas. Des touffes de poils noirs et blancs jaillissaient de l'entre-croisement de son kimono.

Christine le trouvait affreux, mais bien planté sur ses jambes de lutteur. Il paraissait très sûr de lui. Visiblement, il jouait la surprise, mais l'irruption d'une jeune fille chez lui, à pareille heure, n'avait en soi rien de bien extraordinaire. Christine en avait la certitude.

« Je fais partie d'un jeu, se dit-elle, d'un jeu dont j'ignore les règles. Mais il existe une entente tacite entre Serge et cet individu. Et cette entente... cette entente... »

— Je vais te dire quelque chose...

Le tutoiement la fit sursauter. L'homme ne s'en aperçut point.

— Franchement, je n'y ai pas cru, poursuivit-il. Quand Serge m'a dit que ça pouvait s'arranger à condi-

27

tion d'y mettre le prix, j'ai cru qu'il plaisantait ! Mais puisque tu es là, c'est la preuve qu'il ne plaisantait pas.

Il désigna la chambre :

— C'est par là, chérie... (Il eut un regard vers la table de jeu et ajouta :) Ici, c'est l'oseille... Pour le sentiment, c'est à côté !

Christine resta où elle était, immobile, intérieurement glacée. Son ivresse se dissipa en elle parce que l'homme de l'appartement cent quatorze était terriblement réel. Terre à terre. Il était vrai dans son débraillé oriental, avec son odeur d'homme et son langage à ras du sol.

— Qu'est-ce que tu as, mon petit ?

L'immobilité et le mutisme de Christine avaient fini par l'ébranler quelque peu. Il avança d'un pas, la prit par le bras pour l'entraîner vers la chambre. Ce n'était pas un geste brutal, c'était tout simplement un geste de propriétaire. Il saisissait ce qu'il estimait lui appartenir.

Sentant cette masse de chair contre son flanc, cette main un peu moite sur son bras nu, Christine eut un mouvement de recul. Elle se dégagea avec brusquerie. L'homme ne s'y attendait guère. Il renifla.

— Écoute-moi. Il est assez tard et je quitte Deauville à la première heure, demain matin. Depuis ma première communion je ne fais plus de gringue aux filles. Alors, mets-y un peu du tien. J'en connais qui, pour cent louis, me baiseraient la main !

L'homme, subitement furieux, avait pénétré dans la chambre, plantant là Christine. Celle-ci, abasourdie par ce qu'elle venait d'apprendre, lui emboîta le pas, mais s'arrêta sur le seuil, interdite.

La chambre ressemblait à quelques détails près à celle qu'occupait Serge au même étage : grand lit, abat-jour roses, mobilier neutre. L'homme avait dénoué la ceinture de son kimono. Avec un sourire fat, il s'écria :

— Regarde l'effet que tu me fais...

Le décor connu, l'homme aux poils noirs et gris, les odeurs et la musique qui venait par bouffées du casino... Ce que ressentait Christine, c'était plus que du dégoût ou de l'écœurement. C'était un profond désespoir, mais aussi une rage froide, une détermination subite de démystifier, un désir éperdu de comprendre les véritables motifs qui faisaient agir Serge. Elle avait l'impression de revenir de très loin. Quelques minutes plus tôt, elle croyait avoir endossé la personnalité d'une autre et elle s'engageait avec une émotion trouble sur des chemins inconnus. L'individu au kimono de soie était en train de la ramener à une sordide réalité où il était question de plaisirs tarifés.

— Cent louis ? murmura Christine. Vous avez bien dit cent louis ?

L'homme fit le tour du lit sans se presser. Les pans de son ridicule vêtement chinois tournoyaient autour de lui comme des ailes de libellule.

— Ton ami me doit deux mille francs qu'il a perdus au poker ce soir, ici même. Alors, il m'a proposé un marché. Oui, ma belle, il t'estime à ce prix-là, ton Serge. Cent louis. C'est très au-dessus des prix pratiqués au Chabanais. Mais j'ai marché parce que... eh bien, parce que tu m'as tapé dans l'œil il y a une semaine, en bas, dans le hall ! Et ce que je veux, je l'obtiens toujours.

Sur l'une des tables de nuit, il y avait des billets de banque roulés et des pièces brillantes. L'homme en saisit une poignée qu'il jeta sur le lit.

— J'ajoute dix louis pour ton usage personnel ! En prime, si tu veux. Et qu'on ne vienne pas me dire après ça que dans le cinématographe on manque de savoir-vivre !

Chacun des mots prononcés atteignit Christine comme un coup de poignard au cœur. En même temps, elle imaginait les joueurs autour de la table, une heure plus tôt, la fumée des cigares, les billets changeant de main et Serge retournant ses poches...

Subitement l'homme était près d'elle, contre elle. Dans un geste qui devait lui être habituel, avec une agilité surprenante eu égard à sa corpulence, il lui enserrait la taille d'un bras, alors que, de sa main restée libre, il lui retroussa le bas de sa robe, glissant la main sous l'étoffe, sur la peau nue, comme il aurait fait d'une servante d'auberge, atteignant très vite le haut des cuisses, la saisissant à pleines mains, congestionné, rigolard, paillard, savourant l'instant comme il l'aurait fait d'un demi de bière. Il cherchait à s'assurer un avantage définitif en essayant de faire basculer Christine sur le lit. Mais elle résista avec vigueur. La colère, froide mais déterminée, décupla ses forces. Ce n'était plus la créature de celui qui avait su l'envoûter, qui se battait contre son agresseur, mais bien Christine Decruze. Elle savait que l'homme la violerait sans aucune hésitation, croyant peut-être que la résistance qu'elle lui opposait n'était qu'une feinte, une façon de mieux se faire désirer. Malgré sa graisse, il était très vigoureux, musclé, velu, membré, poilu. Il empoigna la jeune fille, décidé d'arriver au plus vite à l'essentiel. Il n'était pas dans le tempérament de Christine de provoquer un scandale en hurlant. L'homme, de son côté, de plus en plus excité, ne cessait de répéter :

— Ah! tu me plais... T'es garce, hein? J'aime ça... Serge m'avait dit que tu n'étais pas facile à avoir... Mais je t'aurai et tu ne le regretteras pas.

Les mots blessaient autant que les gestes. La rage de Christine devint fureur. Elle avait des frères, elle savait se battre. Dans la lutte qui l'opposait à Christine, l'homme avait laissé choir la serviette humide qu'il avait autour du cou, comme un boxeur avant le combat. Christine réussit à la ramasser et, comme un revers à la Suzanne Lenglen, au tennis, elle gifla l'individu, de toutes ses forces. Et cette façon de le frapper symbolisait bien l'essentiel de sa colère inspirée par le mépris, le désir qu'elle avait de ne point toucher une parcelle de cette peau qui la révulsait. La serviette claqua sur les joues de l'homme avec un bruit sec. L'autre hurla de rage, empoigna Christine de toutes ses forces, réussit à la coucher, à la trousser très haut, la dénudant entièrement.

Réunissant ses genoux, elle assena alors un terrible coup de pied dans la partie la plus vulnérable du Don Juan de l'appartement cent quatorze. Hurlant comme une bête blessée, l'homme lâcha prise et se recroquevilla à même le sol. Christine était déjà sur ses pieds. En trois enjambées elle gagna la porte. Sur la descente de lit, l'homme se tordait en gémissant, tel un ver monstrueux.

Le couloir. Désertique. Christine retrouva son souffle, non pas son calme. Ce qui venait de se passer avait éveillé en elle des démons inconnus, le goût du sang et de la vengeance. Elle avait été humiliée, atteinte au plus profond de sa personne. Et cette humiliation elle ne pouvait l'accepter. Elle s'était donnée à Serge avec une ferveur telle que la haine qu'elle éprouvait à son égard ne pouvait être que démesurée. Il avait été sa passion exclusive; elle le considérait présentement comme l'incarnation du mal. Elle l'avait aimé mieux qu'avec son corps. Il y avait eu entre eux un dialogue véritable, une certaine communion lorsqu'il s'agissait des choses et des gens; ils avaient parlé, discuté, échangé des idées; ils s'étaient heurtés pour mieux se réconcilier. Elle l'aimait pour son goût, son sens artistique inné, la passion, la fureur même de certaines de ses affirmations. Il était excessif, contradictoire, paradoxal ou hermétique. Elle l'avait aimé. Elle le haïssait à présent. Il était sa déchéance, peut-être sa mort. Il était sa honte. Elle accéléra le pas, courant le long du couloir désert, impatiente de le retrouver pour lui demander raison de ses actes. Pour l'ultime fois, elle allait franchir le seuil de leur chambre. Celle-ci était vaguement éclairée. Au loin, très loin le bruit de la mer. La brise gonflait les voilages des fenêtres. Il faisait presque froid.

— Serge !

Elle fut saisie par l'image qu'offrait son amant couché en travers du lit, profondément endormi. Le livre qu'il lisait lui avait échappé des mains : « Ulysse ». Son visage était serein. Il semblait ne point respirer. Son immobilité était presque effrayante. Mais Christine l'avait déjà vu dormir ainsi, abîmé dans le sommeil. Il était beau. Il y avait une harmonie entre ce corps long et souple et ce visage aux joues maigres. Il incarnait le mal avec une suprême élégance. Christine le contempla. Il l'avait vendue pour cent louis. Elle l'avait quitté pour rejoindre l'immonde créancier et il avait saisi un livre et s'y était plongé. Et comme il avait beaucoup bu et beaucoup joué, il s'était endormi. C'était le diable assoupi au masque impénétrable. Christine savait à présent ce qu'il était.

Elle se pencha au-dessus de lui, fascinée encore et malgré elle. Elle aurait voulu comprendre cet homme. Sciemment, avec une science consommée, il avait essayé de la détruire. Et pourtant, il l'aimait. Elle en avait la certitude. Elle se demandait si ce n'était pas précisément son amour qu'il avait voulu réduire en poussière comme un sentiment haïssable ou dangereux. Elle contemplait l'homme qui remplissait tous les instants de sa vie depuis de longues semaines et qu'elle ne voyait qu'aux heures avancées de la nuit. Elle se demandait comment elle allait s'y prendre pour l'effacer de sa vie... pour supprimer jusqu'à son souvenir. La haine la plus virulente et l'amour le plus fou faisaient que Christine sentait le sol se dérober sous ses pieds. Elle avait dans l'oreille la voix vulgaire de l'homme au kimono, elle sentait sur son corps les mains moites, investigatrices. Lorsqu'il l'avait couchée de force, elle avait senti le contact du métal froid : l'argent jeté sur les draps, la « prime » offerte...

A ce souvenir, Christine se tordait comme sous l'emprise d'une douleur insupportable. Elle pressa les poings contre ses oreilles pour ne plus entendre la voix de l'homme qui exigeait la contre-valeur de sa créance de cent louis. Il y avait tout près de la tête du dormeur, posé à même le drap, un cendrier où se consumait une cigarette mal éteinte. Christine se laissa tomber à genoux, posa sa tête près de celle de l'homme qui l'avait menée jusqu'à cette déchéance sans panache. Et voilà qu'elle crut découvrir autour de ses lèvres un sourire imperceptible. Sourire méprisant, un peu ironique. Endormi, inconscient, Serge trouvait encore moyen de narguer sa créature. Cela, Christine ne pouvait le supporter. La chambre d'hôtel devenait vaisseau de la folie aux blanches voiles gonflées. Il fallait s'en évader tout de suite, sinon il était trop tard et Christine serait happée par le mal qu'incarnait cet homme. C'était une question de vie ou de mort. Son sourire la narguait. Elle n'aurait pas voulu le regarder, mais il était impossible de lui échapper.

Comme en transes, comme si ce n'était pas elle qui agissait mais quelqu'un d'autre dont elle ne pouvait retenir le bras, elle saisit le cendrier. Il était en albâtre et pesait lourd dans sa main. Une curieuse pensée lui traversait l'esprit, une pensée de jeune fille d'un milieu aisé et qui avait voyagé : on reconnaissait les palaces à la qualité de leurs serviettes-éponges et à leurs cendriers. Christine n'était plus elle-même. Elle leva le bras. Le lourd objet s'abattit sur le crâne du dormeur avec un curieux bruit, bruit mou, affreux en vérité. Elle frappa encore, s'acharnant sur le criminel devenu victime de sa proie. Il incarnait le Mal et elle se demandait s'il avait vraiment existé, s'il n'avait pas fait semblant de vivre et d'aimer. Du sang perlait sur la tempe du dormeur qui, lentement, très lentement, roula de côté, frappé dans son sommeil, pris au piège de la mort par surprise.

Christine regarda ce corps sans vie, le cendrier où collaient les cheveux, un peu de chair et puis ce sang déjà caillé. Christine redevint Christine, regarda sa main. Elle lâcha l'objet. Elle fut prise de terreur, non pas devant ce corps sans vie, devant ce drap taché de rouge, mais devant l'enchaînement inévitable, la fatalité qui l'avait guidée jusque-là, pas à pas, comme en rêve. Comment avait-elle pu croire que cet homme, sur ce lit, était sa vie alors qu'il était sa déchéance? Christine comprit brusquement qu'elle ne serait plus jamais celle qu'elle avait été jusqu'alors, promise au bonheur comme un fruit est promis au soleil. Elle recula, ne pouvant détacher les yeux du tableau macabre; cette image de Serge, elle le savait, se superposerait désormais à toutes les autres. Il était là, endormi à jamais, anéanti. Elle ouvrit doucement la porte.

Le couloir. Le silence. Suffisait-il de refermer une porte derrière soi pour rentrer dans le quotidien? Elle ne ressentit ni terreur, ni remords. Elle était comme sous narcose, anesthésiée. Elle venait de tuer son amant et elle n'éprouvait rien d'autre qu'une atroce sensation de vide, comme si sa vie venait de s'arrêter. Elle respirait, elle marchait le long de ce couloir d'hôtel, en apparence un peu défaite par la nuit. Elle avait conscience de ressembler à ces hommes et à ces femmes qui surgissaient des lieux de plaisir comme autant de rescapés d'un cataclysme. Elle descendit le grand escalier et déboucha dans le hall. Et là, subitement, elle revint à elle. La peur lui serra la gorge. Une peur panique. Des gens, en tenue de soirée, incapables d'aller se coucher, rôdaient par là. Les employés étaient figés derrière leur comptoir de réception comme dans un cabinet de cire. Christine connaissait fort bien l'hôtel. Elle agit froidement, avec lucidité. Elle savait seulement qu'elle devait à tout prix s'échapper avant que le piège ne se refermât sur elle.

Elle emprunta le couloir désert qui conduisait vers la

grande salle à manger, vitrée comme une volière. Les tables étaient dressées pour le petit déjeuner, avec l'alignement du blanc damassé et l'argenterie pesante, cossue, un peu ternie, ce qui était voulu. Christine se glissa à travers les tables. La semaine précédente, elle avait déjeuné face à son père qui étudiait le menu, encadrée de ses frères pour une fois impeccables et de Mme Decruze en mousseline pastel. Leur table se trouvait devant la baie ouverte donnant sur le gazon entretenu avec amour au bout duquel les barrières blanches étaient flanquées de part et d'autre de deux curieuses guérites où se tenaient en permanence des valets en livrée, sans doute pour empêcher qu'on ne vienne troubler le repas de ces êtres privilégiés. Au delà des barrières, une petite rue, presque une ruelle, descendait tout droit à la plage, longeant une aile du casino dont la masse se dressait en face. En pleine nuit, la baie de la salle à manger était verrouillée mais il y avait une porte fermée à clef, celle-ci se trouvant dans la serrure, ce qui permit à Christine de s'évader de l'hôtel Normandy, de traverser la pelouse, de passer devant les guérites vides. Elle se glissa sous les barrières. Des bouffées de musique lui parvenaient : un saxophone psalmodiait sur ce « tempo » si particulier importé depuis peu de Harlem. Ce tempo avait balayé tous les autres rythmes, reléguant le tango au magasin des accessoires.

Elle marchait comme une somnambule. Sur le chemin conduisant au pont sur la Touques, elle ne rencontra personne. Elle essayait vainement de revenir à la réalité, aux heures qui allaient suivre, au jour qui allait poindre. Si elle avait croisé des passants, ceux-ci se seraient sans doute retournés sur cette silhouette, sur ce jeune et beau visage trop fardé, marqué d'une infinie lassitude, d'une fatigue qui allait au delà de la fatigue. Avec ses paillettes de clown blanc, elle était bien l'un de ces oiseaux de nuit que l'aube effrayait au point que la peur se lisait sur leurs visages peints. Mais à pareille heure, il n'y avait plus de promeneurs dans les rues de Deauville. On dormait ou l'on dansait. Le vent de la mer balayait les trottoirs. Il fallait une dizaine de minutes pour joindre le pont. La marche aurait dû faire du bien à Christine. Mais elle avançait comme un automate remonté, alors que son cerveau martyrisé charriait les images des moments qu'elle venait de vivre. Lorsque, frissonnante sous le vent aigrelet, elle atteignit le pont, elle s'arrêta comme s'il lui était impossible de poursuivre sa marche, comme si la petite rivière qui séparait Deauville de Trouville marquait une frontière qu'elle n'était plus en mesure de franchir. A marée haute, la Touques charriait des eaux tumultueuses lorsque le vent ou la tempête était de la partie. Immobile contre le parapet du pont, Christine était comme fascinée par l'élément liquide en contrebas; elle savait la rivière profonde. Et subitement, tout devint clair, évident dans son esprit. Christine se sentait enfin confrontée avec son crime. Il y eut en elle comme des réminiscences d'école du soir, des relents de sermons comme en prononçaient les pasteurs des temples réformés. La vérité, nue comme le ciel, cinglante comme le vent, immuable comme la mer. La vérité...

« Je n'ai pas vingt ans et j'ai tué un homme, songea Christine. C'est cela, ma vérité, et elle est insoutenable. Je ne veux pas, je ne peux pas la vivre. J'ai tué parce que je ne pouvais pas agir autrement, parce qu'il faut combattre le Malin, l'exterminer, l'anéantir. Mais le Malin avait forme humaine, il m'aimait peut-être comme je l'aimais. Je l'ai tué, mais je n'ai parcouru qu'une moitié du chemin. »

Elle se sentait prête, pour ainsi dire sereine. Une fois la voie tracée, elle n'avait plus qu'à accomplir son geste. Elle se hissa sur le parapet sans effort et s'y accroupit au-dessus du vide. Au loin un bruit de moteur se rapprochait, devenant fracas qui déchirait le silence de la nuit. Des phares trouaient l'obscurité, isolant Christine, la submergeant de lumière comme si elle s'était trouvée sur la scène d'un théâtre. Elle entendit le crissement des freins, la portière qui claquait fort, la course folle... Elle allait se jeter dans le fleuve, mais deux bras l'enserraient, la tiraient vers l'arrière. Elle se débattait, prise d'une rage insensée, mais celui qui la tenait était d'une grande force.

— Laissez-moi ! hurla-t-elle, mais laissez-moi donc !

Elle fit des efforts désespérés pour se dégager, se servant de ses poings, de ses pieds, la fureur décuplant ses forces. Tant et si bien que l'homme qui voulait l'empêcher d'accomplir son acte, désireux certainement de la calmer, ne trouva d'autre solution que celle qui consistait, la tenant d'une main, à la gifler énergiquement de l'autre, ce qui eut pour effet de déclencher chez Christine une crise de larmes. Sa fureur l'abandonna, les sanglots l'étouffèrent. Elle pleura contre la poitrine de l'inconnu qui l'emporta dans ses bras jusqu'à sa torpédo arrêté au milieu du pont.

— Eh bien, voilà... C'est beaucoup mieux... pleurez un bon coup, mon petit.

Il avait une voix profonde, vibrante, et Christine, malgré son état, se rendait compte qu'il se dégageait de l'inconnu une sorte de puissance tranquille qui eut le don de l'apaiser un peu. Il l'avait posée à terre, contre le capot de son bolide qu'enserrait une large courroie de cuir. Il la dominait de sa haute taille, de sa silhouette massive, un peu lourde même. Il la tenait par les épaules que les sanglots secouaient encore.

— Voyons, dit-il, voyons... C'est formidable, la vie ! Tout le monde le dit, alors ça doit être vrai.

Elle dévisageait l'homme : la quarantaine, le teint basané avec des rides autour des yeux et un air de boucanier avec sa crinière très noire où s'entremêlaient quelques fils d'argent. Un corsaire descendu en smoking de son bateau ancré au large, avec un foulard blanc noué autour du cou et peut-être au fond de ses poches les bijoux dérobés à quelque maharanée de passage à Deauville.

Il se passa une chose tout à fait étrange : la densité de cet homme était telle, sa présence s'imposait de manière si évidente, que Christine se sentit comme dégrisée, comme de retour d'« ailleurs », comme si la vie avait de nouveau des droits sur elle, la vie avec ses hasards et ses rencontres, la vie qui s'incarnait en cet instant dans cet inconnu aux yeux pétillants d'intelligence et d'humour qui refusait manifestement de se plier aux lois de la tragédie.

— Est-ce que je peux vous aider ?

Elle fit « non » de la tête. Elle respira profondément, essayant de se reprendre. Elle se redressa, arrangea vaguement ses cheveux courts et sa robe, avec des gestes qu'elle aurait voulu naturels et qui ne l'étaient guère.

— Laissez-moi m'en aller, murmura-t-elle. De toute façon, ne craignez rien; je ne recommencerai pas !

Ce qu'elle venait de dire, elle le pensait réellement. Quelques instants auparavant, elle était prête à affronter la mort. Elle avait atteint l'extrême pointe du désespoir; pour elle, il n'y avait de solution possible que la mort. Elle avait largué les amarres, tourné le dos à la vie, effacé de sa mémoire les liens affectifs, le goût qu'elle avait de tout et de tous. Elle avait alors hâte de s'évader de la nuit, de sa nuit à elle, et de trouver une autre lumière, une autre sérénité qui se situait de l'autre côté de la vie. L'homme qui l'avait retenue, avec sa force d'homme, et qui s'était imposé à elle, brutalement, l'obligeait par sa seule présence d'assumer son destin. A présent, elle savait qu'elle serait incapable de recommencer. L'inconnu jaillissant de son automobile, braquant sur elle ses phares blancs, lui avait rendu le goût de vivre, de lutter. La vie triomphait de la mort et Christine, en une vision fulgurante, crut voir flotter entre les eaux de la Touques un corps, son propre corps, cadavre gonflé, ballonné, que l'on repêcherait à l'aube... ou jamais. Elle tourna la tête, dégoûtée, un goût amer dans la bouche. L'homme la tenait toujours par les épaules, fermement.

— Vous... vous n'êtes pas dans votre état normal. Je vais vous raccompagner.

Christine se sentait infiniment lasse. Pour rejoindre la villa familiale de Trouville, il lui faudrait emprunter le quai jusqu'à l'établissement thermal, puis longer le boulevard du front de mer pendant cinq cents mètres... Le ciel s'éclaircissait.

« Il faut que je sois rentrée avant qu'il ne fasse jour », songea-t-elle.

— Je ne vous fais pas peur au moins ?

Christine secoua la tête. Non, cet homme ne lui inspirait aucune crainte. Bien au contraire. Il avait ouvert la portière.

— Je vais à Honfleur, mais je vous laisserai où vous voulez...

Très doucement, avec une vraie gentillesse, il l'installa sur le siège où elle se recroquevilla. Les cadrans du tableau de bord irradiaient une lueur verdâtre.

— Alors ? questionna le chauffeur.

— Arrêtez-moi à la sortie de Trouville, sur la route de Honfleur.

La voiture bondit en avant. En quelques instants, ils dépassèrent l'établissement thermal et sortirent de la petite ville.

— Par ici, dit Christine.

Il ralentit.

— Vous habitez bien quelque part ? Vous ne voulez pas que je vous dépose à votre porte ?

Christine comprit qu'il n'était pas certain qu'elle eût été sincère lorsqu'elle lui avait affirmé qu'elle ne recommencerait pas. Elle avait le sentiment qu'il ne l'abandonnerait jamais ainsi dans cet endroit désert à proximité de la plage. La fraîcheur humide se faisait insinuante dans l'automobile entièrement découverte. L'homme dénoua son écharpe et la disposa autour du cou de la jeune fille. Le geste était presque paternel, excluant toute équivoque. Christine tourna la tête et le regarda, comme si elle le découvrait seulement, ce singulier chevalier du petit jour.

— Pourquoi faites-vous ça ?

L'homme lui sourit.

— Vous avez peut-être voulu mourir, mais je suppose que vous n'avez pas envie de vous enrhumer !

Il avait opté pour le ton plaisant, mais il redevint sérieux aussitôt.

— Je ne sais pas qui vous êtes, vous ne savez pas qui je suis. Je me sens incapable de vous laisser ainsi : « Adieu, bon vent »... Incapable ! J'ai l'impression que vous avez besoin... de ne pas être livrée à vous-même. (Il hésita avant de poursuivre :) Vous allez me trouver très indiscret, mais je suppose que si vous avez voulu mourir, c'est...

— ... pour un homme ?

Elle avait achevé la phrase à sa place, le regard absent. Elle fut tentée un instant de lui lancer au visage :

« Il y a moins d'une heure, j'ai tué mon amant ! » mais elle n'en fit rien. Au lieu de quoi, elle répliqua à voix basse :

— Vous n'êtes pas si loin de la vérité.

Elle resta prostrée près de cet homme.

— Si vous avez envie ou besoin de parler, faites-le, dit celui-ci. Dans certaines circonstances, il est beaucoup plus facile de dialoguer avec un inconnu.

« Il a raison », pensa Christine. Elle ne savait rien de lui et sans doute ne le reverrait-elle jamais. Et sa présence avait un pouvoir rassurant.

— Je crois, dit-il, qu'il n'existe pas un homme au monde qui vaille la peine qu'on se tue pour lui. Pas un seul. Et j'ai du mérite de parler ainsi. Après tout, ça me plairait assez qu'une fille aussi belle que vous se jette à l'eau pour moi !

Christine comprit qu'il faisait des efforts un peu maladroits pour la ramener à la réalité et elle lui en fut reconnaissante. C'est à elle-même qu'elle s'adressa plutôt qu'à lui :

— C'est vrai, murmura-t-elle, je l'aimais follement.

— Et vous ne l'aimez plus ?

Elle ignora son intervention.

— Je n'ai jamais vraiment été amoureuse avant cet été, expliqua-t-elle. J'ai eu des flirts, bien entendu. Je fais une licence de lettres à la Sorbonne, alors, forcément... Mais jamais rien de sérieux. On s'embrasse, on se caresse, en camarades. Vous comprenez ?

— Très bien, dit l'homme au volant. Je comprends très bien.

— Lui, je l'ai rencontré ici, ou plutôt à Deauville, il y a un mois à peine, lors du vernissage de l'exposition Ozenfant...

— Ozenfant, peintre cubiste et grand prêtre du « purisme ».

Christine lui lança un rapide coup d'œil. Son interlocuteur semblait très au fait des mouvements de la peinture d'avant-garde.

— Je m'étais arrêtée devant un tableau et le jeune homme qui se tenait derrière moi me demanda si j'aimais cette toile intitulée « Nacres ». J'ai cru d'abord qu'il était peintre lui-même, mais je compris rapidement qu'il n'était qu'un amateur d'art passionné et passionnant. Je n'avais encore jamais rencontré un tel être. Il ne ressemblait à aucun des hommes que j'avais connus jusqu'alors. Il semblait venir d'ailleurs, du néant ; il était violemment hostile à tout ce qui de près ou de loin ressemblait à un ordre établi, obéissait à des lois ou à des traditions. Jusqu'à son comportement qui bravait ouvertement toutes les convenances. Je crois qu'en sortant à ses côtés de la galerie où exposait Ozenfant, je savais déjà ce qui allait se passer. D'ailleurs, il se comportait avec moi comme s'il me connaissait depuis toujours. Sans me demander mon avis, il m'entraîna dans un bar et ne cessa de parler. D'art, de politique, de littérature... Il était éblouissant et déconcertant. A 7 heures du soir, j'étais toujours là, assise en face de lui, ayant oublié le temps qui passait, mes obligations, ma famille qui m'attendait pour dîner... Je me levai brusquement, lui tendant la main, bredouillant je ne sais quelle explication. Alors très vite, ayant posé ses mains sur mes épaules, il me parla de moi, des sentiments que je lui avais inspirés dès qu'il m'avait vue devant ce tableau. Jamais personne ne m'avait parlé ainsi de mon coprs, de mon odeur... Il ne m'avait pas demandé mon nom, j'ignorais le sien, alors qu'il me disait que nous allions être très heureux ensemble, que c'était inéluctable, évident, criant. Et cela me parut, à moi, dont on disait que j'étais l'équilibre personnifié, cela me parut la chose la plus naturelle du monde : je ne pouvais pas ne pas aimer cet être à l'intelligence fascinante et dont le charme physique me bouleversait.

» Il me dit avec le plus grand sérieux qu'il m'attendrait dès minuit dans sa chambre d'hôtel, qu'il m'y attendrait le temps qu'il faudrait : une nuit, un jour, une semaine, un mois...

— Et combien de temps vous a-t-il attendue ?

La réponse vint, nette, précise :

— Deux heures. Je suis allée le rejoindre comme il me l'avait demandé, trouvant pour mes parents, moi qui étais incapable de mentir, une raison plausible de retourner à Deauville, la dernière bouchée avalée.

— C'est assez extraordinaire, reconnut l'homme. Je pensais que vous apparteniez à cette catégorie de jeunes filles qu'il faut courtiser longuement, savamment, avec une patience infinie et la certitude constante de ne jamais être certain de rien.

— Vous vous trompez à mon sujet, comme je me

suis trompée sur moi-même, murmura Christine. J'avais une prédilection pour le Moyen Age, les mœurs chevaleresques des cours d'amour; j'étais un peu mystique, terriblement littéraire et je me croyais proche de la nature, c'est-à-dire du naturel. Il m'a suffi de suivre dans un bar de Deauville un inconnu pour n'être plus rien qu'un vague bas-bleu doué d'une multitude d'appétits que j'ignorais, affligée d'un corps des plus exigeants et accessoirement d'une âme tourmentée qui avait trouvé son tourmenteur! Je me suis allongée près de cet homme et, en le quittant, j'étais devenue autre... C'est à la fois très simple et très mystérieux. Car il faut que vous compreniez bien que dès cette nuit-là le comportement de mon amant me parut abominable, révoltant...

L'homme était en train d'allumer une cigarette, malgré le vent qui soufflait avec une certaine vigueur. Il releva la tête, surpris.

— Ah! dit-il, nous y voilà!

— Il avait une façon de m'aimer qui me choquait profondément, murmura Christine, ignorant son intervention. Dès notre première nuit, il me traita comme une fille, un simple objet sexuel, sans respect aucun, faisant semblant d'ignorer ma pudeur tout en m'avouant qu'il raffolait de mes réticences qu'il s'employait à vaincre. Je fis ainsi, nuit après nuit, la découverte de mon propre corps. Dans la journée, séparée de lui, me trouvant avec ma famille, je m'aperçus qu'il me manquait cruellement. Je savais qu'il avait une vie en dehors de moi, une existence dont je ne savais rien et des maîtresses sans doute...

L'homme à ses côtés remua, comme s'il devait faire un effort sur lui-même pour ne pas intervenir. Elle l'ignora, ou essaya de l'ignorer, découvrant avec surprise que ses propres paroles avaient sur elle un pouvoir d'apaisement certain. Mais l'homme ne semblait pas vouloir se cantonner dans son rôle de confident anonyme. Subitement, il éclata.

— C'est trop stupide à la fin! C'est aberrant, désolant... Une fille comme vous... Écoutez...

Il se pencha sur elle, ayant jeté sa cigarette.

— Vous êtes quelqu'un de... de rare, comprenez-vous? Et ce type qui, sans aucun doute, vous faisait bien l'amour, c'était... c'était un bonhomme et rien de plus. Un amant, un amoureux, un petit mâle. Parfait. Il a des maîtresses? Bon. Vous êtes trop jeune pour que je vous dise des vérités désabusées comme celle-ci: on fait bien mieux l'amour avec les gens qu'on n'aime pas! Vous croyez aimer cet homme ou vous l'aimez réellement. Je veux bien. Mais on ne meurt pas pour ça! A vous écouter, on comprend très vite que vous aimez la vie, que vous l'adorez; que vous aimez les gens, les bons petits plats peut-être, l'air du temps et... et... il vous reste tout à découvrir, tout à vivre, à expérimenter. Ce type est votre premier amant; il vous trompe et hop! vous sautez dans la Touques! Ne réalisez-vous pas à quel point ce comportement est indigne de vous, qu'il est bête alors que vous êtes intelligente?

Il l'avait prise par les épaules, comme tout à l'heure, et la secouait vigoureusement. Il l'avait piquée au vif. Elle se dégagea avec une sorte de rage. Elle chercha son regard, pour la première fois, et elle put y lire un intérêt sincère, passionné. Mais il y avait entre eux un malentendu qu'elle n'était pas en mesure de dissiper. Il croyait qu'elle avait voulu se tuer parce qu'elle vivait un amour malheureux, parce qu'elle était déçue, désespérée. Pendant une seconde, elle éprouva l'immense envie de tout lui raconter, sans omettre un seul détail; pendant une seconde, elle eut la tentation de lui dire qu'il était dans l'ordre des choses qu'elle mourût puisqu'elle venait de tuer un homme. Cette pensée qu'elle venait d'avoir lui révéla une vérité qu'elle avait voulu ignorer jusqu'à cet instant: en réalité, elle voulait en finir avec la vie parce qu'elle savait bien que sa situation était sans issue, que la police allait découvrir son crime incessamment et qu'il se passerait un temps très bref avant que le piège ne se referme sur elle : tôt ou tard on découvrirait qu'elle avait tué Serge! Christine éprouva un sentiment de honte devant cette prise de conscience. Comment l'homme avait-il interprété l'attitude de Christine? Que lisait-il dans ses yeux? Désarroi? Désespoir?

— Il faut vous en sortir, dit-il. Il le faut à tout prix. Et je me sens comme... comme un peu responsable de vous après... après ce qui vient de se passer. En vous parlant comme je le fais, je suis tout à fait sincère. Je voudrais vous aider, faire quelque chose pour vous...

Elle eut un pâle sourire. L'homme était des plus attachants. Sa voix vibrait d'émotion contenue. Elle comprit qu'il appartenait à cette catégorie privilégiée de gens qui s'intéressaient avec passion aux autres. Qui pouvait-il bien être? Et que faisait-il dans l'existence? Ce n'était guère le genre d'homme que l'on rencontrait à Deauville... Seules, son automobile et sa tenue de soirée révélaient son appartenance à un milieu social où l'argent n'était pas un problème. Par ailleurs, c'était un homme. Un vrai.

— Vous ne pouvez pas m'aider, monsieur, dit-elle d'une voix infiniment lasse. Personne ne peut m'aider...

Alors il lui prit la main, très doucement, très gentiment. Il l'enferma entre ses deux mains, très longues et vigoureuses, comme s'il voulait la tenir prisonnière. Un courant passa entre eux. Christine sentit sa chaleur et cette bonté à fleur de peau qui rendait cet homme, cet inconnu, si familier. Elle eut l'impression qu'elle pouvait tout lui dire, qu'il la comprendrait, que peut-être même il détenait le pouvoir de trouver une solution.

— Je me trouve dans une situation sans issue, dit-elle dans un souffle, et je ne vois pas comment... je ne vois pas qui...

Elle s'arrêta, ne trouvant plus ses mots. Il la regardait en silence.

— Ce qui est arrivé cette nuit me semble maintenant comme... comme...

Elle s'arrêta de nouveau, prise cette fois de panique.

« Mais je suis folle. Je suis en train de me perdre tout à fait. Si je lui dis la vérité, il va me donner un conseil, le seul conseil raisonnable : d'aller à la police et de tout raconter ! Et ça... ça... »

Elle retira brutalement sa main prisonnière, ouvrit la portière, bondit hors de la voiture et se mit à courir vers l'une des petites rues tortueuses conduisant vers le bord de mer. Elle courut comme si elle voulait échapper à un danger qui la menaçait. Elle entendit la voix de l'homme qui criait quelque chose dans son dos qu'elle ne comprenait pas. Déjà elle avait tourné le coin d'une rue qui aboutissait aux abords de la plage. Quelques minutes plus tard, elle réintégra la villa où elle pénétra sans bruit, monta l'escalier, s'immobilisa près de la porte des parents et retrouva enfin le décor de sa chambre et la glace ovale qui lui renvoyait son image pailletée. Et elle se rendit compte alors qu'elle avait gardé, nouée autour du cou, l'écharpe blanche de l'inconnu à la voiture de sport.

Elle se regarda, longuement. Elle regarda autour d'elle, prêtant l'oreille aux chuchotements de la nuit, à peine perceptibles. Elle ne voyait aucune issue au cauchemar, elle savait que dès l'aube les événements, inexorables, allaient suivre leur cours. Mais elle se rendait compte aussi qu'elle n'avait plus le courage de mourir. Épouvantée, elle se laissa tomber sur son lit, étouffa sa tête dans les oreillers. Des sanglots nerveux secouèrent tout son corps. Puis, peu à peu, elle se calma, gagnée par la torpeur, une sorte de paralysie des membres et de l'esprit. Elle s'endormit.

# 2

## LE MONTREUR D'OMBRES

Christine s'était abîmée dans le sommeil comme au fond d'un gouffre. Les événements de la nuit s'effacèrent miraculeusement. Ce fut l'anéantissement.

Les garçons, comme chaque matin, dévalèrent les escaliers vers 8 heures. Au passage, sans l'ombre de ménagement, ils tambourinèrent des poings à la porte de la sœur aînée en proférant d'extravagantes menaces. Christine se réveilla en sursaut, alors qu'elle avait à peine dormi quatre heures. Elle fut incapable de se rendormir. Allongée, les yeux ouverts, elle essayait froidement d'inventorier la somme des catastrophes qui, durant les prochaines heures, allaient s'abattre sur les Decruze. Le mot « scandale » fut le leitmotiv de ses spéculations. Car il y avait de fortes chances pour que très rapidement l'on identifiât l'assassin de l'hôtel Normandy. Christine n'y était guère connue, car elle n'y venait qu'au cœur de la nuit et on ne lui avait jamais rien demandé. Mais Serge avait des amis, à commencer par l'horrible individu de la chambre cent quatorze. Ils la connaissaient à son insu; ce qu'elle avait vécu dans le courant de la nuit le prouvait amplement. D'ailleurs, le seul témoignage de l'homme du cent quatorze se révélerait accablant pour elle.

D'autre part, elle n'avait pas pris la moindre précaution pour effacer les traces de son forfait. Ses empreintes devaient traîner partout dans la chambre, à commencer par l'arme du crime, le cendrier.

N'importe quel policier, en partant des renseignements qu'on lui fournirait, serait en mesure de retrouver la maîtresse de Serge Massey... Et puis, n'y avait-il pas eu cet homme qui l'avait empêchée de se jeter dans la Touques, cet homme auquel elle s'était confiée ? Et qui savait, lui, qu'elle habitait dans sa famille à Trouville. Son témoignage serait déterminant. A présent, elle regrettait amèrement de s'être confiée à cet inconnu. Comment avait-elle pu se laisser aller à ce point ? Mais ces raisonnements, elle ne les suivait guère avec une froide logique. Ayant l'esprit de synthèse, Christine ne pouvait pas ne pas remonter à la source des événements de cette nuit, événements qui la marqueraient sans doute pour la vie entière. Elle avait trop d'affection pour les siens pour ne pas penser d'abord à l'effroyable gâchis dont elle allait être la cause. Et cela la faisait souffrir comme une plaie ouverte. Mais la réalité lui échappait sans cesse. La mort de Serge lui paraissait tout aussi irréelle que la brève période où, nuit après nuit, elle avait couché près de lui.

Christine, comme envoûtée, se débattait dans un univers qui n'était semblable qu'en apparence à celui qu'elle avait toujours connu. En tuant Serge, elle n'avait en rien aboli le mur invisible qui s'était dressé entre elle et la vraie vie. Elle était incapable de penser à son amant comme à un être disparu. Et, curieusement, elle ne pensa pas un instant à suivre une conduite que son éducation aurait dû lui imposer : tout dire à son père ; se faire conduire à la police, se livrer à la justice, assumer sa faute, expier.

Immobile dans son lit étroit de jeune fille, elle envisagea le proche avenir, les heures qui allaient suivre comme si elle avait été spectatrice de sa propre vie. Elle se regardait se lever, se préparer avec application, faisant sa toilette longuement, avec minutie, se coiffant, essayant de faire disparaître de son visage les traces de la nuit et y parvenir fort bien. Christine avait dix-neuf ans; elle était lisse d'apparence. Mais, au-dedans d'elle-même, elle se sentait cassée, ne sachant plus comment vivre, comment s'assumer. L'épouvante l'avait saisie et elle avait le sentiment que rien, ni personne ne serait en mesure de lui rendre sa sérénité. C'est dans ces dispositions d'esprit qu'elle alla rejoindre les siens autour de la table du petit déjeuner. Il était plus de 10 heures.

Pendant les vacances, le petit déjeuner familial prenait des allures de cérémonie, puisqu'il réunissait enfants et parents, ce qui, à Paris, était plutôt rare, sinon exceptionnel. On le prenait sur la véranda vitrée qui dominait la plage. Par mauvais temps, la pluie ruisselait le long des vitres et Christine aimait bien cette sensation de se trouver dans un phare avec, tout autour, les éléments déchaînés. Cet été-là était plutôt beau, même très chaud, ce qui était inhabituel sur la côte normande. Et tous les petits déjeuners étaient des repas de soleil. Mme Claudine Decruze présidait la tablée avec l'aide invisible d'une Antoinette sans âge qui suivait la famille en toute saison et ce depuis vingt ans. M. Decruze parcourait *L'Écho de Paris,* mais leva la tête lorsque parut Christine.

— Bien dormi, chérie? demanda-t-il.

Christine était descendue de sa chambre, paniquée. Il lui semblait que la nuit devait être inscrite sur sa figure; il lui semblait qu'elle était méconnaissable, défigurée, et elle redoutait plus que tout cette façon qu'avait son père de la regarder comme s'il l'étudiait. En fait, il admirait sa fille et elle le savait mieux que quiconque. Elle s'entendit répondre de sa voix habituelle :

— Très bien, merci.

Elle prit place à table, comme chaque matin, et le

benjamin des garçons lui coulait un regard de côté en marmonnant :

— T'as l'air de sortir d'une boîte, Cri-Cri.

Il faisait exprès de l'appeler « Cri-Cri », sachant qu'elle avait horreur de ce surnom. Mais elle ne réagit guère, se contentant de murmurer :

— Tout le monde ne peut pas sortir d'une poubelle !

M. Decruze sourit et se replongea dans sa lecture.

— Moi, la nuit, dit Mme Decruze, j'entends des bruits dans cette maison, des bruits insolites !

— Des fantômes, maman ! s'écria Éric, l'aîné, et il se mit aussitôt à faire le fantôme, imité par son frère, avec des hululements de chouette et d'effroyables grimaces.

— Assez ! fit Mme Decruze en se prenant la tête entre les mains, car elle souffrait de migraines.

Elle se tourna vers Christine :

— Veux-tu qu'on te refasse des toasts ? Les garçons ont tout dévoré avant que tu ne descendes.

— Non, c'est très bien, maman. Je n'ai pas faim ce matin.

M. Decruze releva la tête :

— Tiens, dit-il. Généralement, tu sors vainqueur de tous les tournois de tartines ! Qu'est-ce qui se passe ?

— Vous avez tort d'encourager Christine, dit sa mère. Rien ne fait davantage grossir que le pain !

Mme Decruze, comme beaucoup de femmes de sa génération, avait la hantise de grossir. On pouvait difficilement lui en vouloir à une époque où toutes les femmes cherchaient à ressembler à de « petits télégraphistes sous-alimentés » comme disait, non sans dépit, le couturier Paul Poiret que l'ascension fantastique de Coco Chanel avait relégué au second plan. Christine, qui avait toujours faim et qui dévorait sans jamais prendre un gramme, avait assisté cent fois à ce dialogue entre son père et sa mère. Elle se beurra une tranche de pain grillé à la perfection, ni trop ni pas assez. Elle croyait ne rien pouvoir avaler, mais elle redoutait la tendre curiosité de son père qui aurait fini par poser *L'Écho de Paris* pour élucider le tout petit mystère que pouvait présenter à ses yeux l'absence d'appétit chez sa fille.

A sa grande surprise, Christine trouva du goût au pain et à la confiture d'oranges amères. Elle but avec plaisir le thé que préparait Antoinette avec un mélange de chez Hédiard. Elle n'en revenait pas d'avoir sur ses lèvres le goût de ce qu'elle aimait et d'y trouver du plaisir alors que quelques heures plus tôt elle avait assassiné l'être qu'elle adorait et abhorrait le plus au monde. Et elle pensa subitement que jamais elle n'avait partagé un véritable repas avec cet homme, Serge, et que jamais elle n'en partagerait, que tout était définitif, définitivement trop tard. Et elle dut fermer les yeux pour chasser des images et des mots et pour combattre une irrésistible envie de hurler. Et puis tout se calma, car elle sentait sur elle le regard de son père.

— Tu n'es pas dans ton assiette, chérie ?

— Mais si, papa.

L'entrée d'Antoinette fit diversion.

— Quelqu'un, dit-elle.

Son laconisme avait toujours ravi Christine. Mais cette fois elle cessa de respirer. Elle était persuadée que c'était la police qui venait la chercher afin de l'interroger sur les circonstances de la mort d'un certain Serge Massey.

Devant le regard interrogatif de M. Decruze, Antoinette consentit tout de même à ajouter :

— Un monsieur pour Madame... ou pour Monsieur.

Les Decruze se regardèrent. Les visites, autres que celles des fournisseurs, étaient très rares le matin. Le cœur de Christine battait la chamade.

« Voilà ! se dit-elle voilà ! les choses vont bien plus vite que je ne pensais. Dans quelques minutes, ils sauront tout. Dans quelques minutes leur vie sera bouleversée, balayée par un fantastique ouragan. »

Elle les regardait tous comme si elle les voyait pour

la dernière fois. Ils étaient beaux et racés. La maison était à leur image. Claudine, qui avait l'âme artiste, avait su mettre dans ce décor normand une touche de modernisme avec une moquette tête-de-nègre, quelques éléments en tubes d'acier et, suprême audace, deux projecteurs à éclairage indirect lesquels, la nuit venue, répandaient une lumière un peu froide dans la grande pièce de séjour aux poutres apparentes peintes en blanc. C'était Paris sur la côte normande, c'était la décence, le bon goût. Ils connaissaient des problèmes, ils faisaient partie d'une minorité extrêmement puissante, mais tout de même une minorité, un clan. Les protestants. A leur manière, ils étaient un peu des aristocrates, même si l'arrière-grand-père, celui qui était venu de l'Est, avait été bottier. Bottier d'art, rue d'Anjou.

« Dans une minute, songea Christine glacée des pieds à la tête, un homme entrera, un policier se plantera devant eux, me désignera, demandera à parler avec mon père avant de m'emmener. Si j'avais le courage de me lever, de prendre les devants... »

Trop tard.

— Je vais aller voir, dit M. Decruze déjà debout, essuyant sa moustache poivre et sel, très britannique, avec sa serviette.

Il descendit les trois marches qui séparaient la véranda du living qui donnait sur le hall de la maison.

— Maman... murmura Christine. Écoute, maman...

On entendait les voix dans le hall. La voix de M. Decruze et celle de son interlocuteur. Impossible de saisir le sens des mots. Les garçons avaient profité de l'intermède pour se précipiter sur les restes de brioche. Claudine Decruze sereine, jetait un regard distrait sur la page féminine de *L'Écho de Paris.* Christine se tenait très droite, le regard fixe, tendue comme jamais, essayant de rassembler tout son courage, toute son énergie, mais sachant bien qu'elle avait en l'espace de quelques heures, brisé cette harmonie, cette rigueur, cette entité nommée famille. Peu lui importait son sort si seulement il existait un moyen de préserver ce navire blanc ancré sur la plage, cette villa et ses habitants qu'elle aimait tendrement, quoique, depuis quelques semaines, elle se fût éloignée d'eux sans qu'ils s'en rendissent compte.

— Christine !

Elle se dressa. Son père précéda le visiteur.

— Nous en étions encore au petit déjeuner, précisa-t-il.

L'homme qui s'avança n'était autre que celui qui avait empêché Christine de se suicider ! Elle en resta hébétée, abasourdie, essayant de comprendre, redoutant ce qui allait suivre, se raidissant d'avance, prête à faire face. Que venait faire là cet homme ? Et comment s'y était-il pris pour la retrouver ? Il paraissait fort soucieux, mais son visage s'éclaira en découvrant Christine en robe de tennis, un bandeau sage dans les cheveux et apparemment en bonne santé.

— Nous nous connaissons, je crois, mademoiselle.

Le personnage, par sa stature et son extraordinaire présence, remplit la pièce. Dans la tête de Christine les pensées les plus insensées se chevauchaient. Elle rassembla tout son courage, fit appel à toute sa volonté pour rester impassible. L'homme, sans détacher les yeux de Christine, ajouta à l'intention des parents :

— Nous nous sommes rencontrés au tennis, à Deauville.

Il s'inclina devant Mme Decruze et se présenta :

— François-Paul Lamiran.

— Il me semble que ce nom ne m'est pas inconnu, dit Claudine en plissant le front.

— Je pense bien, dit son époux. Nous avons vu ensemble, au casino, la semaine dernière, *La Femme Fleur,* le film que M. Lamiran a réalisé avec Pola Negri !

Christine avait l'impression que les paroles échangées

lui parvenaient à travers un brouillard épais. En d'autres circonstances, le fait que l'homme qui se tenait devant elle était un metteur en scène célèbre de cinéma l'aurait excitée au plus haut point. Elle avait une passion pour ce mode d'expression et ses créateurs. Le nom de François-Paul Lamiran lui était familier; elle l'associait à plusieurs œuvres de valeur qui mettaient leur auteur au rang des cinéastes les plus intéressants de son époque. Mais, présentement, obsédée par les événements tragiques de la nuit, hantée par le crime qu'elle avait commis, tout ce qui était en train de se dire autour d'elle lui paraissait grotesque, incongru, déplacé.

« J'ai voulu mourir il y a quelques heures à peine, cet homme m'en a empêchée! Alors que fait-il là, dans notre intimité familiale, sous le regard admiratif de ma mère, à échanger des politesses avec mon père. Que va-t-il arriver? Car quelque chose va arriver... quelque chose de terrible... »

— Café ou thé, cher monsieur? minauda Claudine.

Les garçons se tenaient à peu près tranquilles, impressionnés par ce mot magique : cinéma! Dans leur esprit, Lamiran, grand, large, basané comme un brigand gentilhomme, était l'égal des Douglas Fairbanks ou des William Hart, capable, comme eux, des plus invraisemblables prouesses à cheval, se battant à l'épée, au pistolet ou les poings nus...

Christine le dévisagea, essayant désespérément de comprendre la raison de sa présence et n'y arrivant pas.

— J'ai pris mon petit déjeuner, chère madame, et je vous dois mille excuses de venir ainsi vous déranger le matin, en famille.

M. Decruze, courtois, mais comme toujours fort réservé, s'adressa à sa fille. Celle-ci savait qu'il était perplexe, peut-être même un peu contrarié. Mais il fallait très bien le connaître pour s'en rendre compte.

— En fait, dit-il, c'est pour toi, Christine, que M. Lamiran est venu nous voir ce matin.

Elle se figea. Elle sentit comme un froid mortel l'envahir. L'homme de cette nuit, qui lui avait paru si rassurant, lui inspirait à présent de la crainte. Son urbanité recélait, aux yeux de Christine, une espèce d'ironie. Elle se demandait s'il n'était pas maître chanteur, décidé à exploiter ce qu'il savait d'elle, de cette vie secrète dont les Decruze ignoraient tout et dont elle avait eu la faiblesse, la folie de lui révéler les détails les plus intimes.

— C'est exact, dit le metteur en scène. Si j'ai tenu absolument à... à revoir Mlle votre fille avant de rentrer à Paris, c'est parce que, voyez-vous, j'ai une proposition à lui faire. (En disant cela il n'avait pas quitté des yeux Christine. A présent, il se tourna vers les parents.) Et j'estime que cela vous concerne autant que l'intéressée elle-même.

Christine se mordit les lèvres. Ces préambules la torturaient. Pourquoi jouait-il ainsi avec elle au chat et à la souris ? Mais quel but poursuivait-il donc ?

— Nous autres cinéastes, poursuivit Lamiran, nous nous exprimons par le truchement de l'image. L'image muette. Nous sommes exactement à l'opposé du théâtre. Le verbe ne nous concerne en rien. Tout cela pour vous dire l'importance que nous attachons aux interprètes des personnages que nous inventons, à ces êtres mythiques qui doivent savoir tout exprimer par la seule expression de leur visage et qu'on appelle les acteurs de cinéma !

Les Decruze se regardèrent, interdits. Christine perdait pied. Elle dut se raisonner pour ne pas éclater, pour ne pas crier à cet homme :

« Mais à quoi tout cela rime-t-il ? Mais que voulez-vous vraiment de moi ? »

Lui, préoccupé, conscient de l'atmosphère inconfortable qu'il avait créée, ne se laissa pas démonter pour autant.

— Dans la vie tout n'est que rencontres. J'ai rencontré votre fille et... et j'ai très vite compris qu'elle correspondait d'une façon hallucinante à... à un personnage important, très important, du film que je dois entreprendre lorsque j'aurai terminé celui que je suis en train de tourner. Voilà.

Il s'était expliqué posément, prenant soin de dire un maximum de choses avec un minimum de mots, se doutant de l'effet que ses paroles allaient produire. Christine s'attendait à tout, mais pas à cela.

Il se passa une chose étrange; elle perdit pied au point qu'elle dut s'agripper au dossier d'une chaise. Elle sentait que si elle se laissait aller tant soit peu, elle tomberait comme une masse, évanouie. Elle s'accrochait, priant le ciel que ses parents ne s'alarment point. Mais elle savait que Lamiran l'observait de cet œil aigu auquel rien n'échappait jamais. Il s'adressait à elle, comme s'il désirait, par la seule magie de sa voix, la ramener au moment présent.

— Vous n'avez sans doute jamais pensé à faire du cinéma, mademoiselle, mais cela peut être pour vous une expérience passionnante... Le cinéma, c'est le dépaysement, c'est... c'est une autre vie, en marge de la vraie vie.

Pour la seconde fois, l'homme de la nuit récupéra Christine. Elle lâcha le dossier de la chaise, se redressa. A travers ce que Lamiran lui disait et qui ne pouvait en aucun cas éveiller la suspicion des Decruze, Christine reçut le vrai message. Elle lui avait dit, cette nuit, que personne ne pouvait l'aider. La sentant désespérée, il venait lui faire, en plein jour, cette proposition ahurissante pour l'empêcher de se suicider! Christine, comprenant cela, en fut bouleversée. Elle réalisa pourquoi elle s'était laissée aller devant cet inconnu et que François-Paul Lamiran était singulièrement généreux. Elle eut envie de pleurer, mais elle sut retenir ses larmes. Il ne le fallait à aucun prix. Se tenir droite, faire semblant d'être partie intégrante du décor, de la famille, alors qu'en vérité elle était détachée d'eux et de leur vie comme un voilier démâté livré à la tempête.

— Tout ceci est extrêmement flatteur, dit M. Decruze, visiblement ennuyé, mais je vois mal Christine devenir star de cinéma. D'ailleurs, elle prépare une licence en Sorbonne et...

Claudine l'interrompit, ce qui n'était guère son habitude.

— Eh bien, moi je trouve l'idée de M. Lamiran tout simplement fascinante!

Son époux la contempla avec une certaine indulgence.

— Ma femme voulait être chanteuse d'opéra à l'âge de Christine, expliqua-t-il. Mais je trouve la principale intéressée bien muette pour une fois. Qu'en penses-tu, chérie?

Christine sursauta. Le dialogue qui venait de s'échanger lui paraissait d'une macabre cocasserie. Elle se dit que dans quelques semaines elle passerait aux assises, qu'elle se trouverait au banc des accusés, entre deux gendarmes et que ses parents étaient en train de discuter de son avenir de star! Et elle pensa aussi que la proposition du metteur en scène, en d'autres temps, aurait éveillé en elle des démons familiers, car elle avait toujours adoré jouer la comédie, se déguiser et, tout comme sa mère, elle était fascinée par les milieux du spectacle... Mais pour elle, cette Christine-là n'existait plus. Il lui semblait qu'entre les bras de Serge elle était devenue quelqu'un d'autre et, à présent, alors qu'elle avait tué son amant, sa vie était bel et bien achevée avant même d'être vraiment commencée. Elle regarda Lamiran, son père, sa mère. Elle était déjà séparée d'eux par une barrière infranchissable, un mur de prison.

— Non, dit-elle d'une voix tout à fait impersonnelle, non, monsieur, cela ne m'intéresse absolument pas!

Elle sentait que même son père, qui aurait dû être ravi par la fermeté de sa réponse, était déconcerté. Elle ne pouvait pas leur crier au visage que, dans la situation qui était la sienne, le cinéma, qu'elle aimait tant, lui apparaissait comme un monde de fantômes dérisoires. Elle était à bout de forces. Pourquoi cet homme ne partait-il pas? Il devait se rendre compte à quel point sa présence dans cette maison était incongrue.

« Qu'il s'en aille donc! »

Lamirán avait dû entendre la supplication muette de Christine. Il haussa les épaules et sourit un peu tristement.

— Dommage! murmura-t-il. Mon film y perdra beaucoup et vous aussi, je crois... Mais réfléchissez tout de même. Qui sait? Vous changerez peut-être d'avis.

Il prit congé de la famille.

— Je vous raccompagne, dit Christine.

Il était tout de même indispensable que M. Lamiran lui fournisse quelques explications supplémentaires sur le sens de la démarche qu'il venait d'accomplir.

La torpédo stationnait devant la villa, plus impressionnante encore de jour que de nuit. Lamiran fit le tour de l'engin pour se hisser sur le siège du chauffeur. Christine se tenait de l'autre côté, au bord du trottoir.

— Pourquoi êtes-vous venu ici ce matin? Pourquoi?

Il y avait de l'angoisse dans sa voix. Elle se sentait observée. Aussi ajouta-t-elle à mi-voix :

— Ayez l'air naturel. Mes frères ont le nez collé à la vitre, dévorant des yeux votre voiture... Comment m'avez-vous retrouvée?

Lamiran s'installa au volant. Christine s'accouda à la portière.

— Comprenez-moi, dit le metteur en scène en tournant la clef de contact, quand vous m'avez quittée cette nuit, en courant comme une folle, comme si l'on vous poursuivait, j'ai été un peu pris de panique. Mettez-vous à ma place, bon sang! J'étais affreusement inquiet.

J'étais persuadé que vous alliez recommencer, vous fiche à l'eau ou faire n'importe quelle autre connerie ! Je ne pouvais pas me désintéresser de vous... vous abandonner à... Bon Dieu, Christine ! Je suis comme je suis ! On ne se refait pas. Au lieu de partir, je vous ai suivie... C'est une technique qui m'est familière... vous pensez : j'ai tourné au moins cinquante films policiers !

Elle ne put s'empêcher de sourire. Comment s'y prenait-il pour désamorcer de façon aussi adroite les situations dramatiques ?

— Je vous ai vue vous arrêter devant la villa, puis disparaître derrière une petite porte. Bon. Ce matin il m'a suffi de lire la plaque sur votre boîte aux lettres. Alors j'ai sonné. Voilà. Je m'étais creusé la cervelle pour vous tirer de... de là où vous êtes. Je croyais avoir trouvé. C'est raté, n'en parlons plus. Mais il faut que je vous dise aussi le fond de ma pensée : Christine, vous n'êtes pas le genre de fille à vous tuer pour un homme ! Il y a autre chose... Est-ce que je me trompe ?

Christine ne se déroba pas à son regard qui savait si bien aller au fond des choses et des êtres. La tentation de se confier à cet homme était grande. Mais elle estima que cela ne l'avancerait à rien. Il était trop tard. Elle devait aller seule jusqu'au bout. On ne pouvait plus rien pour elle. Personne. Elle avait rencontré en François-Paul Lamiran un homme exceptionnel, le contraire du personnage insaisissable de Serge, aussi clair que Serge était obscur, aussi bon que Serge était mauvais. Mais tout cela n'avait plus d'importance. Les dés étaient jetés. Lamiran fit hurler les cent chevaux de son moteur. Christine baissa la poignée de la portière.

— Pourriez-vous me déposer près du port ?

— Bien entendu.

— Vous ne nous emmenez pas ? hurlèrent les garçons agglutinés à la fenêtre du salon.

Voyant que Lamiran hésitait, Christine posa la main sur son bras :

— Démarrez pour l'amour du ciel !

L'Isotta fit un bond en avant. Christine leva la tête vers la façade de la villa et aperçut la silhouette de son père se dressant derrière les garçons. Elle agita la main pour un salut à leur intention qu'elle voulait décontracté, dans le style « vacances ». Mais elle savait très bien que le visage de M. Decruze était soucieux et qu'il se mordait les lèvres exactement comme sa fille lorsque les événements prenaient une tournure qui lui déplaisait. Et il lui déplaisait que cet homme, ce Lamiran, s'intéressât à Christine. Et il n'aimait pas les voir côte à côte dans cette automobile voyante.

Ils atteignirent en peu de temps l'établissement thermal de Trouville autour duquel se déployait toute la vie de la station. Il y avait le marché aux poissons, le long du quai où s'amarraient les chalutiers. Il y avait les boutiques et les terrasses de cafés où s'égosillait le vendeur de journaux avec sa casquette où s'inscrivait en lettres d'or : PARIS-MIDI.

— Arrêtez-vous...

Il obtempéra. Avait-il décelé comme de l'angoisse dans la voix de Christine ? Il arrêta sa voiture au bord du trottoir. Elle lui tendit la main.

— Au revoir...

Ils se regardèrent.

— En ce qui concerne l'écharpe, murmura Christine, dites-moi où je peux vous la déposer.

— Je vous la donne ; chaque fois que vous penserez à cette nuit pas comme les autres.

— J'aimerais pouvoir l'oublier, cette nuit « pas comme les autres », dit-elle, avec ce sens de l'humour très particulier qui lui permettait parfois de faire face aux pires situations.

— En ce qui me concerne, je pense que j'aurai beaucoup de mal à l'oublier.

Christine se mit à rire. Un rire bizarre pour ne pas

dire pénible; en tout cas, un rire sans joie. L'homme ne s'y trompa point.

— Qu'est-ce qui vous prend?

— Peut-être qu'un jour vous comprendrez pourquoi je trouve tout ceci d'une cocasserie irrésistible... Peut-être bien, avec le recul, en tirerez-vous une scène pour l'un de vos films. Vous savez bien : l'une de ces scènes à double sens où les héros agissent d'une certaine façon, alors que les sous-titres vous expliquent qu'ils pensent tout le contraire. Par exemple, le héros embrasse l'héroïne, mais il n'en a aucune envie.

— Ma chère, dit le cinéaste, personne n'a jamais essayé d'être aussi subtil dans l'industrie du cinématographe!

— Dommage! murmura la jeune fille, c'est bien dommage.

Et elle traversa la chaussée pour aller vers le vendeur de journaux. Elle essaya de paraître calme, mais ses mains tremblaient. En première page, il n'y avait rien. Elle parcourut les titres, page par page, mais il n'y avait pas l'ombre d'allusion au « crime de l'hôtel Normandy » qui aurait dû faire les choux gras des reporters qui se battaient généralement les flancs à l'époque des vacances. Elle replia le journal. Elle éprouvait une sorte de soulagement et en même temps s'ébauchait dans son esprit le plan de la suite des opérations qu'elle devait mener à bien, quoi qu'il puisse lui en coûter.

« Maintenant, se dit-elle, je dois retourner là-bas, à l'hôtel Normandy. Il le faut absolument. Même si la police est sur place, même si je devais m'y faire arrêter. Et, d'ailleurs ne serait-ce pas la meilleure solution? Je préfère mille fois me trouver face à face avec les policiers au « Normandy » que chez mes parents, à Trouville... Oui, bien sûr. Comment n'y ai-je pas pensé plus tôt? » Et la question lancinante qu'elle ne cessait de se poser depuis le matin la torturait : « Avait-on découvert le cadavre de Serge? Le cadavre de Serge... Le... »

*Paris-Midi* à la main, Christine, tout éclaboussée de soleil, belle au point d'être irréelle, se tenait immobile au bord du trottoir. Elle venait de quitter Lamiran, elle avait acheté ce journal et elle prenait conscience qu'elle était vivante et que Serge était mort. La réalité lui avait été cachée constamment depuis l'instant où elle avait saisi cet objet si lourd et qu'elle avait frappé, frappé de toutes ses forces.

« La nuit travestit les choses et les gens, pensa-t-elle. Au jour, on croit que les événements de la nuit ont été effacés comme sur une ardoise. Mais c'est faux. Tout est réel, puisque l'homme de la nuit est réel, avec son automobile étincelante; mes mensonges sont une réalité; je croyais avoir agi en état second et je n'étais certainement pas moi-même quand j'ai tué Serge et quand j'ai quitté la chambre sans me soucier de rien. Mais ensuite? Ensuite... »

Il lui semblait que son crime était moins horrible puisqu'elle n'avait rien fait pour le maquiller. Rien. La peur revenait. Les quelques instants passés avec cet homme, François-Paul Lamiran, l'avaient comme endormie, éloignée des faits. Badinage. Le foulard... Elle eut une pensée qu'elle se reprocha aussitôt : ce serait bon de courir vers lui. Toujours au volant, il n'avait pas bougé, l'observant de loin comme s'il ne pouvait se décider à partir. Pourquoi ne s'en allait-il pas? Et si elle lui disait la vérité, à lui, à cet inconnu? Jamais! D'ailleurs, il la connaîtra, la vérité. Et très vite. Pour Christine, ce n'était qu'une question d'heures. Peut-être le cadavre de Serge n'avait-il pas encore été découvert? Les clients du « Normandy » se couchaient à l'aube et se levaient à l'heure du déjeuner. Mais oui. Voilà l'explication. Et devant Christine surgissait l'image cruelle de la chambre où gisait Serge. Les draps tachés de sang. La blessure, le sang caillé, le corps, le livre par terre, le cendrier... Et les heures qui passaient. A un moment donné, une femme de chambre ou un valet frapperait à la porte. Pas de réponse. La porte n'est pas fermée à clef. Ils entreraient. Et, à partir de ce moment, tout irait très vite, selon une logique implacable, logique qui conduirait l'investigateur vers la maîtresse de la victime... Fin du film, monsieur Lamiran. Même pas besoin de sous-titres. Les images parleront d'elles-mêmes...

— Alors, Gastounet (1) n'est pas d'accord avec le Cartel des Gauches et le bouillant Édouard Herriot ?

Lamiran avait traversé la chaussée et venait de surgir devant Christine, l'arrachant brusquement au défilé impitoyable des images qui l'obsédaient. Elle le regardait sans vraiment le voir. Ce regard absent impressionna François-Paul, qui, doucement, presque avec timidité, lui prit le bras.

— Ça ne va pas, hein ?

Elle se laissa conduire avec une docilité surprenante. Il voulait la faire asseoir à la terrasse du café le plus proche où une famille entière s'expliquait avec un énorme plat de moules.

— Non, murmura-t-elle.

— Voulez-vous que je vous ramène à la villa ?

Elle secoua la tête.

— Conduisez-moi à l'hôtel Normandy.

Elle aurait été incapable de dire pourquoi elle voulait retourner là-bas. « Peut-être se dit-elle parce que les assassins éprouvent toujours le besoin de revenir sur les lieux où ». Elle savait que François-Paul obéirait à tous ses caprices sans poser de questions. Elle l'avait compris depuis quelque temps. Elle était surprise de ce pouvoir qu'elle détenait sur les hommes et dont elle n'avait jamais usé auparavant. Si, avec son père.

Lamiran avait froncé les sourcils.

(1) Gaston Doumergue, président de le République, était pour la France entière « Gastounet ».

— Vous... vous voulez vraiment revoir votre amant?

Malentendu monstrueux et qui, comme le précédent, déclenchait un curieux processus comique. D'ailleurs, la réflexion de Lamiran était conforme à la vérité. Et Christine, malgré elle, répliqua par une autre question, laquelle, à peine posée, lui parut monstrueuse :

— Seriez-vous jaloux, monsieur Lamiran?

Ils avaient regagné la voiture. Le regard de l'homme ne se déroba pas. Sa main se crispa sur le bras nu de la jeune fille et elle en éprouva une douleur fulgurante.

Ce « oui » de François-Paul laissa la jeune fille sans voix. Ils roulèrent en silence, passèrent le pont sur la Touques et se frayèrent un chemin à travers l'animation qui régnait dans Deauville envahie par les véhicules de toutes sortes au milieu desquels flânait la foule des estivants colorée et bruyante.

Lamiran gara son bolide près de l'entrée de l'hôtel. Les flâneurs passaient au loin. D'une limousine, en forme de cercueil, descendait une femme à poitrine d'éphèbe, le dos entièrement nu, poudré, osseux avec, nouée autour des hanches inexistantes, une ceinture à boucle de strass qui n'en finissait pas de chuter. La tête recouverte d'un chapeau-cloche, elle s'engouffrait à l'intérieur du palace, ignorant les courbettes des valets empressés.

Christine et son chevalier servant lui emboîtèrent le pas. De jour, le hall de l'hôtel bourdonnait d'une animation intense, on y parlait à voix haute et il y avait même quelque part, dans un salon, un fanatique de la « Revue Nègre » qui jouait au piano un air syncopé par à-coups, un peu comme un élève doué passant de Debussy à Sidney Bechet. Un homme chauve, bedonnant, transpirant, tout en alpaga blanc, avec une rose à la boutonnière, lança un jovial :

— Salut, Lamiran!

En même temps, il détaillait sans aucune gêne la

jeune fille qui accompagnait le cinéaste. Puis ce fut au tour d'une grande fille, presque nue sous une robe chemise en voile, à la chevelure plate et calamistrée, avec des accroche-cœur.

— A Deauville, François-Paul? Je te croyais en plein tournage!

Elle aussi regarda avec insistance Christine. Mais l'homme qui l'accompagnait, un vieillard tellement bronzé qu'il ressemblait à un dieu hindou, l'entraînait vers la porte-tambour.

— Quelle humanité! soupira Lamiran.

Christine trouva sa compagnie bien trop voyante. Peut-être l'avait-il senti?

— C'est donc ici que nos chemins se séparent, dit-il, lâchant le bras de Christine.

Celle-ci leva vers lui un regard indéchiffrable.

— Attendez-moi au bar. Je... je n'en ai pas pour longtemps.

Au milieu de la foule jacassante et où l'anglais dominait, ils restèrent un instant immobile face à face, se regardant avec gravité.

— D'accord, dit François-Paul.

Il ne posa aucune question et Christine lui en sut gré. Elle était décidée à se rendre là-haut, dans la chambre... Il se dirigea vers le bar sans se retourner une seule fois.

Christine s'approcha de la réception. Hormis le concierge aux clefs d'or brodées sur les revers de sa redingote bleu de nuit, les employés étaient en queue-de-pie, gilet tourterelle, col empesé, comme à un mariage. Au jour, l'hôtel avait un autre visage et un personnel différent. Jusqu'à la clientèle, désireuse de paraître sportive et qui, à l'aube, se métamorphosait en un troupeau blafard, les yeux rouges.

« Les joueurs, pensa Christine, ne sortent de leur terrier qu'à la nuit tombée... »

— Vous désirez, mademoiselle?

La phrase lui vint tout naturellement aux lèvres sans

qu'elle sût la raison réelle qui l'avait poussée à venir là, à provoquer le destin.

— Est-ce que M. Massey est encore dans sa chambre?

— ...

— M. Serge Massey.

Le concierge se pencha sur son registre, puis releva la tête :

— Nous n'avons pas de clients de ce nom à l'hôtel !

Christine resta sans voix. Elle regarda l'employé, stupéfaite, désemparée. Elle réussit à formuler péniblement.

— Vous... vous en êtes sûr?

— Absolument sûr, mademoiselle. Je connais tous mes clients.

C'était vrai. Il était connu dans le monde entier pour sa mémoire infaillible.

— Allez voir au *Golf*, suggéra-t-il.

— Oui... bien sûr... merci.

Un Anglais couleur écrevisse accapara l'attention du concierge. Apparemment, aucun policier, aucune effervescence insolite. Le personnel paraissait affable et détendu comme à l'accoutumée. Avait-il été chapitré par la direction?

Christine regardait autour d'elle, essayant de se raccrocher à l'idée que tout ceci était réel et que ces gens qui parlaient fort, qui riaient, étaient bien vivants; quel était donc le nom de ce parfum entêtant, très à la mode et dont l'odeur l'incommodait presque? « Mitsouko »...

C'était elle, cette femme au dos nu, poudrée, l'œil cerné de bleu marine, sous son chapeau-cloche, un long fume-cigarettes au bout des doigts; c'était elle, aperçue alors qu'elle descendait de voiture, qui traînait dans son sillage comme une queue de météore cette bouffée de « Mitsouko »... Tout était vrai, au grand jour, au grand soleil, et pourtant Christine avait l'impression qu'elle déraisonnait, qu'elle se mouvait dans un rêve. Il ne pouvait en être autrement puisque cette nuit, dans une chambre de cet hôtel, elle avait assassiné un homme et que cet homme se nommait Serge Massey et lui faisait l'amour ici même, nuit après nuit, dans la même chambre, dans le même lit dont les draps... les draps ensanglantés...

Christine vacillait comme si elle avait reçu un coup. Elle aurait voulu se persuader que Serge n'existait pas, qu'il n'avait jamais existé, que cette passion, elle l'avait rêvée. Et pourtant, un million de détails lui rappelaient la réalité de son aventure : tous les mots prononcés, toutes les caresses données et reçues. Son corps et son esprit portaient l'empreinte de Serge. Mais pour le concierge de l'hôtel Normandy, il n'existait pas, il n'avait jamais existé.

Et soudain, Christine comprit ce qui était l'évidence même, d'une simplicité telle qu'elle n'y avait pas pensé : Serge avait un autre nom ! Et une image s'imposa à son esprit, fulgurante, à peine apparue déjà effacée; l'image d'un carton gravé s'échappant d'un livre. Un livre épais. Un roman. « Ulysse » de James Joyce... Une carte d'accès au « privé » du casino de Deauville. Et la carte était au nom... au nom... Si seulement elle pouvait se concentrer sur ce bristol et sur le nom qui s'y trouvait porté... Sur le moment, elle s'en souvenait parfaitement, elle avait été surprise. Surprise de quoi ?

Christine revint à la minute présente grâce au rire complice et respectueux du concierge, provoqué par une plaisanterie de son client anglais. La jeune fille observait à la dérobée le personnel de direction affable et surmené, derrière le comptoir.

« Je suis stupide, songea-t-elle. Il est hors de doute qu'on a trouvé le cadavre de Serge ce matin. Mais ils ont dû l'enlever de la chambre en secret, s'entourant de toutes les précautions afin d'éviter le scandale. Et le concierge, rouage essentiel de la machine hôtelière, a prétendu froidement ne point connaître ce... comment dites-vous, Serge Massey? Comme si mon amant était le genre d'homme à passer inaperçu, à devenir ecto-plasme, client fantôme des palaces! »

Le doute la torturait. Elle dévisageait les gens, se demandant si tel ou tel individu n'était pas un policier déguisé en estivant. Et elle se croyait observée, guettée, surveillée, s'attendant au pire à chaque instant, l'espé-rant et le redoutant à la fois, désireuse de sortir du cauchemar et de retrouver la réalité, si horrible fût-elle.

— Vous montez, mademoiselle?

Elle se fit déposer à l'étage, longea le couloir, très animé à cette heure-ci, avec des portes qui livraient pas-sage à toutes sortes de gens et d'autres portes large-ment ouvertes sur de somptueux appartements où s'af-fairait une troupe de femmes de chambre et de valets. La vie du palace. Elle s'immobilisa, comme elle l'avait fait tant de fois, devant la chambre, sa chambre, leur chambre d'amour. Le navire aux voiles gonflées, le vais-seau fantôme de la nuit. Il lui suffirait de tourner la poignée, puisque la porte était ouverte, qu'elle l'avait laissée ouverte en partant cette nuit. Elle jeta un coup d'œil dans le couloir. C'était le moment ou jamais. On entendait des voix, mais personne ne s'occupait de cette belle jeune fille immobilisée devant ce qui était sans doute son appartement. Elle tourna la poignée. Mais la chambre était fermée à clef. Christine n'eut guère le temps de tirer une déduction, car des aboiements furieux avaient répondu à sa tentative. Un roquet ulcéré manifestait sa présence de l'autre côté de la porte. Pourtant, c'était bien la chambre de Serge. Et Serge n'avait jamais possédé de chien...

Christine voulut rebrousser chemin, mais trop tard. On avait tourné la clef, de l'intérieur. Dans l'encadre-ment de la porte, retenant d'une main un pékinois aux longs poils beiges, qu'elle souleva par la peau du cou alors qu'il se débattait avec rage, apparut une silhouette de femme découpée audacieusement dans un pyjama d'intérieur ou de plage ondoyant autour des hanches. Elle leva un sourcil surpris et épilé, redessiné au crayon, et darda sur Christine un regard froid, aigu, un regard de rapace. C'était une belle femme, soignée au point de n'avoir point d'âge, s'il n'y avait eu ces épaules un peu trop grasses, s'il n'y avait eu ces bras un peu trop forts.

— ...*Well?* dit-elle seulement, un peu irritée par le mutisme de Christine, serrant contre elle le pékinois comme elle aurait fait d'un coussin.

Christine aperçut la chambre avec sa fenêtre grande ouverte sur la mer, sur le soleil, sur la plage. Des bagages « Vuitton » étaient disséminés dans la pièce : une malle-cabine d'où s'échappait un flot de robes aux couleurs folles tango et violine... Le lit. Le lit était impeccable, intouché, avec son dessus en soie lourde de la même couleur vieux rose que les doubles rideaux aux fenêtres. Les tables de chevet. Les lampes à abat-jour. Les bagages pas encore défaits... Mais c'était la chambre de Serge, il n'y avait pas de confusion possible. Et il sautait aux yeux que l'Américaine, car cette femme était certainement américaine, venait seulement d'arriver, qu'elle était en train de s'installer. Et Christine n'arrivait pas à concilier cette évidence avec les événements de la nuit, les événements horribles qui s'étaient déroulés là, sur ce lit, dans ce décor impersonnel où tout était à sa place, un client chassant l'autre. Mais les morts ? L'homme nu, sa blessure, le sang...

— *What's the matter, darling?* (Qu'y a-t-il, chérie?)

C'était bien une Américaine.

— Je... Je me suis trompée de chambre... désolée... *Sorry...*

Poursuivie par les aboiements hystériques du pékinois, Christine courait dans le couloir, se précipitant vers le grand escalier de marbre, ne pensant qu'à fuir cette réalité incompréhensible. Elle déboucha dans une oasis de fraîcheur agrémentée de plantes vertes; elle ne savait plus où elle se trouvait. Mais si : le couloir menant à la salle à manger... Elle fut frôlée par l'idée de s'échapper encore une fois par là, mais elle se rappela à point nommé qu'à cette heure-ci tout le personnel était sur pied, préparant le lunch. Elle ne savait plus de quel côté se diriger, comme si elle était traquée par un invisible ennemi.

— Christine !

Elle se figea sur place.

— Voyons, Christine... c'est ici, le bar... Je commençais à m'inquiéter un peu. Je me demandais si vous ne m'aviez pas posé un lapin.

François-Paul Lamiran, sa silhouette rassurante, un peu lourde, avec ses yeux chaleureux et sa présence. Il se tenait au seuil du « Bar-Room ». Il l'entraîna doucement vers l'ombre et la fraîcheur du lieu. Elle s'assit à ses côtés, l'air égaré. Il poussa vers elle le verre contenant un liquide doré et des cubes de glace. Elle le porta à ses lèvres. C'était du cognac. Elle fut surprise, puis ressentit une sensation bienfaisante, apaisante. Et c'est alors qu'elle leva les yeux vers cet homme patient.

— Pourquoi êtes-vous là ? Êtes-vous amoureux de moi ?

Il soutint son regard extraordinairement vivace, aigu, dépourvu de toute sentimentalité. Elle étreignait le verre où elle venait de boire comme si elle avait besoin de ce contact glacé. Très doucement, l'homme posa sa main sur celle de Christine qui ne broncha pas.

— Évidemment, je suis amoureux de vous. Vous le savez bien, puisque vous venez de boire dans mon verre et que vous connaissez toutes mes pensées...

Il était impossible de savoir si Christine l'avait seulement entendu. Sa figure était vide de toute expression.

— Voulez-vous être seule ? Voulez-vous que je m'en aille ?

Son visage s'anima; c'était comme si la vie y revenait, comme si le sang se remettait à circuler. Elle le regarda

70

autrement, avec une vague sympathie et elle bougea ses lèvres, essayant de sourire.

— Restez, je vous en prie, murmura-t-elle. Je crois, je crois que vous me faites du bien.

Lamiran la ramena à Trouville. En cours de route, il ne posa aucune question. Lorsqu'ils furent en vue du casino, elle toucha de la main le bras de son compagnon.

— Laissez-moi là. Je ferai le reste du chemin à pied.

Il s'arrêta. Elle descendit de voiture. Autour d'eux, il y avait la longue procession des familles se rendant à la plage, chargées d'objets : ballons multicolores, serviettes-éponges, enfants en grappes. C'était l'heure de la marée et les cris des baigneurs leur parvenaient, atténués.

— Au revoir, Christine. Dans quelques heures je serai de nouveau à transpirer sous le feu des lampes à arc, devant mes acteurs au maquillage dégoulinant, en train de leur crier : « partez ! » Pensez à moi, Christine... Paris au mois d'août, c'est tout juste bon pour les touristes et les gens de cinéma...

— Vous n'êtes venu en Normandie que pour une journée ? s'étonna Christine.

— Pour une soirée. J'avais rendez-vous hier soir à Deauville avec Mérignac, le producteur de mon prochain film. Je le soupçonne d'essayer de gagner au baccara de quoi financer la production.

Il redevint sérieux. A peine sérieux.

— Quand vous reverrai-je ? Une fois qu'on a pris l'habitude d'empêcher les jeunes fille de se jeter à l'eau, on ne peut plus s'en passer... Ça crée des liens, vous ne croyez pas ?

Elle le regarda gravement.

— Oui, je le crois.

— Alors quand ?

Ce qu'elle lut dans ses yeux, ce n'était plus cette ironie légère qu'il affectionnait. Non, c'était autre chose. Christine s'en étonna. Elle ressentit aussi un léger effroi.

— Je ne sais pas quand nous nous reverrons, dit-elle très vite. Nous sommes ici jusqu'à la fin des vacances...

Elle pensa qu'elle ne le reverrait jamais. Elle avait la conviction que les jours suivants seraient les plus durs à vivre pour elle et pour les siens. Il n'était pas pensable qu'en ce moment même, quelque part, des policiers zélés n'eussent pas ajouté les morceaux du puzzle, reconstitué la vie nocturne de Serge. A présent, elle était presque déçue de n'être pas aux mains de la justice. Elle se demandait si, en son absence, on n'était pas venu questionner ses parents... Elle avait hâte de rentrer. Elle tendit la main à François-Paul. Puis elle s'élança en direction de la plage.

La matinée était fort avancée. Les frères turbulents étaient partis se baigner avec leur père. Christine alla dans sa chambre. Elle avait un poste de radio à galènes dont elle appliqua les écouteurs contre ses oreilles, espérant vaguement surprendre une voix pompeuse de speaker interrompant le programme de musique légère pour annoncer qu'un crime avait été commis dans un palace de Deauville et qu'on était sur le point d'arrêter le meurtrier... ou la meurtrière ! Bien entendu, à l'heure des nouvelles, il ne fut question, avec l'emphase chère aux gens de la T.S.F., que du vieil Hindenburg qui présidait aux destinées du Reich qui n'était plus l'ennemi héréditaire et dont Briand préparait l'entrée solennelle à la Société des Nations garante de paix éternelle...

Christine, comme beaucoup d'étudiantes, s'intéressait aux événements du monde, mais avec un certain détachement du fait que lesdits événements étaient le domaine réservé aux vieillards illustres marqués par le dernier conflit mondial dont ils étaient les rescapés. Or, en 1918, Christine avait douze ans, et si elle se souvenait admirablement du retour de son père, le capitaine Decruze, elle n'avait, au fond de sa mémoire, qu'une collection d'images d'Épinal que sa génération avait reléguée au magasin des souvenirs, farces et attrapes.

Elle reposa les écouteurs, débrancha l'appareil, soulagée d'être seule, alors que le tohu-bohu de la plage montait jusqu'à elle par la fenêtre ouverte. Elle distinguait là-bas le grand parasol orangé à l'ombre duquel M. Decruze en flanelle blanche finissait la lecture des journaux du matin que l'irruption de François-Paul Lamiran avait interrompue au petit déjeuner. Christine se remémora ce qu'elle venait de vivre à l'hôtel Normandy et elle était plus convaincue que jamais que la direction de l'établissement avait fait disparaître le corps de Serge Massey, ourdissant une conspiration du silence autour du crime, avec l'accord tacite des autorités désireuses de ne troubler en rien la saison de Deauville qui revêtait cette année un éclat exceptionnel.

La porte s'ouvrit. Elle se retourna, tressaillant malgré elle. Claudine Decruze, revêtue d'un déshabillé en crêpe de Chine qui, subtilement, laissait deviner sans rien dévoiler, chaussée de mules de soie à hauts talons, entra dans la chambre de sa fille.

— Je t'ai fait peur, chérie?

Claudine était légèrement parfumée, mais comment ne pas reconnaître cette odeur caractéristique? C'était « Shalimar ».

— Tu ne descends pas à la plage?

— Mais si, maman. Dans un moment...

Au même instant, elle prit conscience de l'impossibilité dans laquelle elle se trouvait de parler à cœur ouvert avec sa mère. Elle serait incapable de prononcer ces simples phrases : « Depuis un mois, je suis la maîtresse d'un homme. Il est mort cette nuit. Je l'ai tué. »

Au lieu de quoi elle ajouta :

— L'eau doit être bonne ce matin. Tu ne viens pas te baigner?

Christine regarda sa mère comme s'il se fût agi d'une inconnue. C'était une très jolie femme de quarante ans, mais avec la cruauté de son âge Christine reconnaissait au premier coup d'œil certaines rides au menton et au cou et une certaine lassitude de l'épiderme que rien ne parvenait à dissimuler et qui causait à Claudine les tourments les plus cruels, car elle avait eu jusqu'à trente ans et bien au-delà une peau admirable, irréelle, satinée; la peau de sa fille Christine qui était là, devant elle, lointaine et comme inaccessible.

— Ton père... disait-elle, puis elle s'arrêta, car le regard interrogatif de Christine la mettait mal à l'aise.

Pour se donner une contenance, elle s'installa au bord du lit de sa fille.

— Tu aurais pu emmener tes frères dans le bolide de ce M. Lamiran...

Christine ne disait toujours rien.

— Il est d'ailleurs très bien, ce garçon... Un peu original, sans doute, mais je suppose que cela va de pair avec son métier de cinéaste. Inutile de te dire que ton père t'a vue partir tout à l'heure avec des sentiments mitigés. Après tout, on ne sait pas d'où il sort...

— Papa? On ne sait pas d'où sort papa? Tu m'étonnes... Tous les Decruze sortent de la cuisse de Jupiter, c'est bien connu!

— Christine, tu n'es pas drôle.

Mais elle ne put s'empêcher de rire. Christine se félicitait d'avoir de la sorte écarté cette gêne qui s'établissait parfois entre sa mère et elle, surtout depuis cet été. Mais elle savait que jamais elle ne serait en mesure de partager avec Claudine le secret des semaines qu'elle venait de vivre. Elle resterait seule jusqu'au bout du chemin. Elle en conçut un désespoir fulgurant, comme une douleur atroce. Ensuite, elle se reprit et elle réussit à paraître presque naturelle ou, du moins, quotidienne. Il était certain que François-Paul avait produit une certaine impression sur Claudine Decruze. Elle essaya d'en savoir un peu plus sur l'auteur de *La Femme Fleur,* mais devant les réticences de sa fille, elle finit par se lasser et alla se préparer pour le déjeuner.

Christine, ce jour-là, n'alla pas rejoindre ses frères sur la plage. Elle savait qu'elle devait les affronter au repas. Elle ne pouvait se débarrasser de cette pensée obsédante : c'étaient là peut-être les derniers jours ou les dernières heures de vie familiale paisible. Après... Christine préférait ne pas penser à ce que serait la vie de chaque jour chez les Decruze avec leur fille et leur sœur accusée de meurtre, son nom et sa photographie s'étalant aux premières pages des quotidiens.

Par un effort de volonté des plus respectables, Christine réussit à donner le change jusqu'au soir. Elle tomba, épuisée, sur son lit et s'endormit aussitôt. Il n'était pas 11 heures. Elle se réveilla dix heures plus tard, le corps reposé, mais l'esprit torturé dès qu'elle eut repris conscience, émergeant du sommeil comme d'un vaisseau qui l'aurait emportée, l'espace d'une nuit, dans un autre monde. L'attente recommença. Chaque coup de sonnette la faisait sursauter. Chaque passant anonyme aux abords de la villa était, à ses yeux, un policier en civil. Mais elle retourna sur la plage, nagea avec ses frères et les suivit jusqu'au tennis où François-Paul Lamiran l'avait prétendument « découverte ».

Le cinéaste était devenu un sujet de conversation. A table où son nom revenait assez souvent, prononcé surtout par Claudine. L'indifférence apparente de Christine rassurait cependant M. Decruze qui devait trouver sa femme plus enfantine que sa fille ou, du moins, plus romanesque. Pour la première fois, Christine se posa des questions au sujet du couple que formaient ses parents. Elle savait que son père était tombé amoureux fou de Claudine qui n'était pas « de son milieu », pas même protestante, et qu'il n'avait pu l'épouser que grâce au faible qu'avait pour lui le grand-père Decruze dont l'autorité était telle que personne n'osait jamais le contredire alors qu'il avait quatre-vingts ans et perdait quelque peu le sens des réalités. Pour la première fois. Christine comprit ce qu'il pouvait y avoir de futile dans le personnage de sa mère, par ailleurs dotée de vertus solides, alors que son père était un homme à l'intelligence assez brillante, au caractère complexe, assailli maintes fois de doutes d'origine métaphysique.

« Qu'ont-ils eu à se dire pendant vingt ans ? » se demanda Christine, troublée par cette découverte. Elle avait mûri, ces derniers temps; elle était devenue autre. Elle crut comprendre que l'amour de son père pour sa femme était de nature essentiellement charnelle et qu'il devait, depuis vingt ans, souffrir de cet état de choses, jugeant cette attirance comme une tare secrète. Christine, au contraire, arrivait à cette conclusion que le grand charme, la séduction même qu'exerçait son père sur une partie de son entourage provenaient de ce mélange de puritanisme apparent et de sexualité tenue secrète. Ces réflexions lui permirent de s'évader de ses obsessions et du drame qu'elle avait vécu et qui la tenait, heure pour heure, dans un état de tension extrême qui l'épuisait à la longue. Sa mine défaite fut heureusement attribuée aux faiblesses originelles de l'organisme féminin. Avec terreur, Christine se rendit compte qu'elle aurait pu être enceinte de l'homme qu'elle avait tué !

Ainsi passèrent les jours, une semaine entière durant laquelle rien ne vint troubler la vie des Decruze en vacances : mer, soleil, tennis, promenades, lectures. Christine faisait de son mieux pour ne pas heurter ses parents, regrettant d'avoir voulu les juger, se refusant à admettre qu'elle s'était détachée d'eux dans un certain sens. Elle évitait les contacts avec les camarades de son âge, enfants de familles amies, et dont l'exubérance la blessait comme une lumière trop vive. Mais elle supportait sans rechigner les sarcasmes et les brutalités sans méchanceté de ses frères qui usaient sur leur sœur aînée leurs dents de futurs loups, lui pinçant les fesses et essayant sur elle des grossièretés de potaches dans l'espoir toujours déçu de la faire rougir!

En fin de semaine, fidèle à la tradition, la famille se retrouvait autour de la table du petit déjeuner, alors qu'une pluie très fine noyait le ciel, la mer, la plage dans une grisaille dorée, car le soleil était caché quelque part derrière ce rideau d'argent, comme une diva attendant de faire son entrée sur la scène des vacances. La pile de journaux s'entassait près du couvert de M. Decruze qui parcourait *Le Matin,* tenant d'une main sa tasse de café fumant qu'il sirotait par petites gorgées pressées, alors que l'autre main tenait fermement le journal déployé sur toute sa hauteur.

Les garçons arboraient des chandails de couleur vive car il faisait frisquet. Et Claudine était enveloppée dans une vaste robe de chambre en poil de chameau.

Christine, toujours un peu en retard sur l'horaire, un peu par négligence, un peu par non-conformisme, venait de s'asseoir à table lorsque son regard fut arrêté par les gros titres du *Matin* : « CRIME DANS UN PALACE ». Elle se figea, ferma les yeux, contrôlant sa respiration, ses mains, saisie, essayant vainement de réaliser l'absurdité du cauchemar qu'elle vivait depuis huit jours, s'étant mise en quête d'un mort escamoté et qui surgissait après ce laps de temps comme si un chef d'orchestre invisible dirigeait une opération dont le sens échappait à Christine. Pourquoi avait-on attendu une semaine entière pour prévenir la presse?

Christine aurait voulu saisir le journal, mais elle se domina, ne voulant à aucun prix révéler à sa famille l'état de surexcitation maladive dans lequel elle se trouvait et qui n'aurait pas manqué d'alerter ses parents.

— Christine!

Elle se tourna vers sa mère.

— Tu veux bien me passer une biscotte, ma chérie.

Christine obtempéra. Sa main tremblait légèrement.

Mais ce fut d'une voix presque naturelle qu'elle demanda à sa mère *L'Écho de Paris* que celle-ci venait de parcourir.

— Encore une révolution en perspective ! soupira Claudine. Il paraît que cet hiver toutes les femmes seront en jersey. C'est Mlle Chanel qui en a décidé ainsi...

Dans *L'Écho de Paris,* en première page, l'on titrait : « MORT MYSTÉRIEUSE DANS UN GRAND HOTEL ».

— On ne lit pas à table ! dit le cadet des garçons.

Les caractères d'imprimerie dansaient devant les yeux de Christine. Il fallait à tout prix les domestiquer :

« Baignant dans son sang, couché au travers d'un lit à deux places, dans une chambre donnant sur la mer, on a découvert le corps entièrement dévêtu d'un inconnu, à l'hôtel Ruhl, un palace de la Promenade des Anglais, à Nice... »

Christine baissa le journal. Elle était abasourdie; une fois de plus l'événement se moquait d'elle; il y avait comme une pointe d'humour sinistre qui saupoudrait le drame dont elle avait été l'instigatrice. On avait découvert un homme nu et mort dans une chambre de palace, mais cela se passait à l'autre bout de la France, au bord d'une autre mer, sous un autre soleil. Elle reprit sa lecture, imitant en cela ses parents absorbés l'un dans la politique étrangère de Briand, l'autre dans les révolutions de Mlle Chanel.

« ... Crime passionnel ? Crime crapuleux ? Les enquêteurs se montrent peu loquaces pour le moment. Jusqu'à l'identité de la victime qui est tenue secrète. Un nouveau scandale en perspective sur cette Côte d'Azur qui fait généralement peu parler d'elle durant les mois d'été, fort calmes, puisqu'on y rencontre surtout quelques Américains excentriques et des habitués épris de solitude. »

Christine reposa le journal, le regard absent.

« Voyons, se dit-elle il y a là quelque chose de stupéfiant. En quoi le mort de l'hôtel Ruhl se différencie-t-il du mort de l'hôtel Normandy ? Pourquoi a-t-on découvert le cadavre de l'un et escamoté celui de l'autre ? Il faut que je raisonne à sang-froid, il le faut à tout prix. Toute cette mise en scène du Normandy, les affirmations du concierge pour qui Serge Massey était un inconnu, cette Américaine tapageuse qui venait seulement de prendre possession d'une chambre où, quelques heures plus tôt, j'avais abandonné un homme inconscient, couvert de sang... Il y a une explication à ces contradictions, à moi de la trouver. J'ai besoin de savoir. Ma vie en dépend. Je ne puis continuer à vivre ainsi dans cette attente insupportable. J'ai le choix entre deux solutions : me livrer aux policiers ou découvrir moi-même ce qu'il est advenu du corps de mon amant. »

Tout en réfléchissant, Christine avait déjà fixé son choix.

« Cette nuit, je reviendrai au Normandy, quoi qu'il doive m'en coûter. Je reviendrai là-bas et je trouverai des gens qui auront connu Serge, les gens de la nuit agglutinés jusqu'à l'aube autour des tables de baccara, les gens de la nuit, toujours en quête d'un dernier verre, d'une dernière histoire, d'une dernière fille à séduire... »

Dans sa chambre, au fond d'une boîte laquée pseudo-chinoise, elle trouva plusieurs coupures de cent francs qu'elle glissa dans le sac pailleté qui allait avec sa robe, cette défroque que huit jours plus tard elle avait jetée au fond de son armoire, ne pensant plus jamais la mettre. Elle aurait été bien incapable de dire pourquoi elle la revêtait une fois encore, ce soir, alors qu'elle éprouva du dégoût et qu'elle crut y déceler des traces de sang coagulé, ce qui ne correspondait en rien à la réalité. Et, de toute manière, les paillettes empêchaient d'y distinguer autre chose qu'un scintillement bleu argent.

Du moins, vêtue de la sorte, avait-elle la certitude d'être reconnue par ceux qui l'avaient aperçue au côté de Serge dans le hall de l'hôtel ou dans un ascenseur.

Cette longue semaine l'avait tellement familiarisée avec l'idée d'être interpellée par la police qu'elle n'en éprouva plus aucune appréhension. Au contraire. Et elle se demandait si elle ne serait pas soulagée lorsqu'enfin un homme se dresserait devant elle, lorsqu'enfin une voix impersonnelle lui intimerait l'ordre de le suivre sans poser de questions. Elle était de ces êtres qui ne supportaient pas l'idée d'avoir contracté une dette et de ne point l'acquitter... Cette nuit-là, lorsqu'elle ouvrit la porte de sa chambre pour se glisser dans le couloir obscur, il lui fallut beaucoup de courage et de présence d'esprit pour refaire les mêmes pas, pour accomplir les mêmes gestes, guetter les bruits de la maison, la respiration des dormeurs. Comment ne pas être assaillie par le souvenir de toutes ces nuits vécues dans une exaltation indescriptible, cette sorte de folie qui menait aux pires extravagances? Comment ne pas sentir sa raison chavirer alors que, tant de fois, elle avait couru vers l'amour fou, la passion irraisonnée, et que ce soir, déguisée comme pour un gala, elle partait à la recherche d'un corps désarticulé, à la quête d'un homme auquel elle avait fendu le crâne dans un accès de folie furieuse qui lui faisait horreur quelle qu'ait pu être la conduite de cet amant insaisissable, démon au visage pur qu'elle avait tant aimé et qui l'avait entraînée si loin.

Christine gagna les abords de la plage par la petite porte habituelle, celle-là même qu'on empruntait au jour à l'heure de la baignade. Le ciel était dégagé, mais des traînées de nuages cachaient la lune. Christine se hâta le long du canal où dormaient les chalutiers. Cette route trop connue, tant de fois empruntée, elle paraissait cette nuit-là comme un calvaire, une démarche interminable, torturante et cependant nécessaire. Christine se dit que jamais elle ne retournerait à Trouville. Et cette pensée la fit sourire. Comme s'il dépendait d'elle ce qu'elle ferait de son avenir...

Elle marchait depuis une demi-heure; le trajet lui était si familier que le temps s'était rétréci et qu'elle se croyait partie de Trouville quelques instants plus tôt. Elle avait fait exprès de se rendre au Normandy à l'heure habituelle, l'heure de Serge, entre 1 heure et 2 heures du matin. Elle avait ainsi la quasi-certitude de trouver à la réception le personnel habituel, l'équipe de nuit. Mais l'heure, la couleur du temps, les personnages fantomatiques du grand hall, les chuchotements, les rires étouffés, les relents de saxophone parvenant du Casino, tout blessait Christine, lui entaillait le cœur.

Elle s'approcha de la réception. Elle était fardée avec soin, elle ressemblait à tant d'autres voyageuses scintillantes qui vivaient la nuit et dormaient le jour. Et l'homme de la réception la reconnut vaguement pour l'avoir vue traverser ce hall tant de fois, avec ou sans Serge. Christine n'avait en rien préparé sa démarche. Le désir de connaître la vérité vivait en elle avec une intensité telle qu'il ne lui était même pas venu à l'esprit que son entreprise pouvait présenter une difficulté, buter sur un obstacle autre qu'un représentant de la justice dissimulé dans le hall et qui lui mettrait la main au collet.

— Bonsoir, dit-elle à l'adresse du concierge de nuit, vêtu comme celui du jour, mais très pâle, alors que l'autre était tout rose, mais tout mutisme, alors que l'autre était débonnaire et expansif.

— Bonsoir, madame.

L'inspiration lui dicta sa conduite. Elle se pencha vers l'homme, le regard vague de celles qui ont bu ou fumé de l'herbe défendue. Elle les avait vues, observées, ces lianes de l'électricité, ces étranges créatures au maquillage pâle. Aussi Christine, jouant à merveille une certaine ivresse élégante, nullement rebutante, tanguait-elle légèrement face au portier de nuit qui les connaissait si bien et depuis tant d'années.

— Je sais que ce n'est pas l'usage, murmura Christine, donnant à sa voix cet enrouement léger qui affectait si souvent la gorge des belles de l'aube, mais je voudrais néanmoins que vous me répondiez à une question un peu indiscrète...

En même temps, elle ouvrit son réticule, prit un ou deux billets et les glissa dans la main du concierge, s'attardant une seconde comme si elle avait envie de saisir sa main. Personne ne lui avait appris ce jeu qu'elle inventait au fur et à mesure et elle se savait criante de vérité.

— Si je peux être utile à Madame, marmonna le concierge, s'accoudant sur son comptoir dans un geste de familiarité de bon ton qui était l'apanage des hommes de son étrange condition, à la fois si loin et si proche des riches et des puissants.

— Et ne me dites surtout pas que vous ne le connaissez pas, poursuivit Christine avec un sourire désabusé, constatant que sa phrase sibylline avait éveillé l'intérêt du portier de nuit.

Elle approcha sa bouche de l'oreille de ce dernier et lui parla sur un ton confidentiel que prennent les gens ivres, saisis de mélancolie.

— ... Ne me dites surtout pas que vous n'avez jamais vu M. Massey, M. Serge Massey qui occupait l'appartement cent quatre-vingt-sept pendant plus d'un mois jusqu'à...

Elle fit semblant de réfléchir :

— ... jusqu'à la semaine dernière, si je ne me trompe... Est-ce que je me trompe ?

Elle plongea son regard dans celui du concierge; un regard émouvant au possible, savamment mis en valeur par un trait bleu qui cernait l'œil. Elle constata que l'homme était un peu troublé, ne sachant pas exactement quoi répondre. Mais nulle panique apparente, juste une petite gêne fugace, comme s'il avait été pris en faute.

— Vous n'avez rien à craindre, chuchota Christine, je suis la discrétion même...

La complicité de la nuit jouait même avec cet homme à principes. Et Christine savait d'instinct éveiller chez ses interlocuteurs, quels qu'ils fussent, le désir de lui venir en aide.

— En principe, je ne suis censé que connaître nos clients, murmura le concierge, adoptant par mimétisme le même ton que Christine.

— Vous voulez dire par là que M. Massey n'était pas un client de l'hôtel ? demanda Christine, les nerfs à vif, tendue à l'extrême, mais sans pour autant abandonner son personnage de déesse imbibée de liqueurs fortes.

— Allons, madame, dit le concierge, paternel, légèrement protecteur, vous savez bien que le prince Alexis a retenu le cent quatre-vingt-sept pour toute la saison, comme chaque année, et que si nous fermons les yeux sur les libertés que Son Altesse prend avec les... heu... les règlements hôteliers en vigueur, c'est parce que... eh bien, mon Dieu, c'est parce que nous tenons beaucoup à une certaine clientèle qui fait, depuis toujours, la réputation de Deauville !

La mémoire de Christine, qui enregistrait si bien les détails et ne la trahissait que très exceptionnellement, vint à la rescousse. Elle revit avec une netteté parfaite ce livre ouvert sur le lit de Serge, ce très gros roman, « Ulysse », et le carton gravé marquant la page où il avait interrompu sa lecture, bristol donnant accès au privé du Casino et libellé au nom du prince Alexis Solokoff ! Un coin du voile se souleva, le personnage de Serge Massey sortait de sa pénombre; la chambre qu'il occupait à l'hôtel Normandy n'était pas la sienne, mais celle de ce « prince Alexis » !

— Mon cher, dit Christine, imitant avec un art consommé une jeune femme du monde conversant avec ces confidents professionnels que sont pour les alcooliques les barmen et les portiers de palaces, mon cher, je refuse de croire que vous ne connaissez pas M. Massey, même si vous ne le considériez pas de la même manière que son ami le prince Alexis Solokoff!

— Bien entendu, je connais fort bien monsieur Serge, concéda l'homme et je suis désolé de ce qui lui est arrivé... Vraiment désolé.

Cette fois, Christine dut s'accrocher réellement au comptoir, car elle sentait le sol se dérober sous ses pieds. Le concierge avait une façon bien légère d'évoquer les événements dramatiques qui s'étaient déroulés dans l'appartement cent quatre-vingt-sept. Elle ne cessait de l'observer, se demandant si réellement cet homme calme parlait du crime qui avait été commis cette nuit-là sur la personne de l'ami du prince Alexis. Comment pouvait-il être « désolé » de ce qui était arrivé à Serge? Et s'il y avait une conspiration du silence, était-il possible qu'un personnage aussi important que le concierge de nuit le rompît moyennant un mince pourboire? Et en admettant, ce qui était plus que probable, qu'il eût reconnu en la personne de Christine la compagne de Serge, n'aurait-il pas dû avoir une tout autre attitude face à celle que la police devait considérer comme le témoin numéro un de cette affaire?

Elle ne trouvait aucune réponse valable à cette cascade de questions. Mais il lui fallait à tout prix, d'une manière ou d'une autre, suivre le fil d'Ariane, sortir du labyrinthe, démêler l'écheveau des énigmes et des contradictions.

— Mon Dieu! chuchota-t-elle avec une émotion qui n'était que partiellement feinte, il est donc arrivé quelque chose à Serge?

Elle posa une main sur sa poitrine comme si elle voulait empêcher son cœur de battre aussi fort. En même temps, elle se jugea avec sévérité, trouva sa comédie lamentable, voire méprisable.

Le concierge murmura :

— Vous n'étiez donc pas au courant ? Figurez-vous que monsieur Serge a eu un accident d'automobile !

Christine ferma les yeux, puis les rouvrit.

— Un accident d'automobile ? répéta-t-elle d'une voix que l'émotion rendait à peine audible. Et cette fois l'enrouement était involontaire.

— Il y a bien huit jours de ça... Il devait être 3 ou 4 heures du matin lorsque monsieur Serge sortit de l'ascenseur assez mal assuré sur ses jambes, plutôt débraillé, un pansement de fortune autour de la tête. Un peu affolé, j'ai voulu faire appeler un médecin, mais monsieur Serge s'y est opposé. Il était aussi blanc que la serviette tachée de sang, qui lui entourait le crâne. Il a fait appeler un taxi et quand je lui ai demandé ce qui était arrivé, il m'a dit qu'il avait eu un accident avec la Daimler d'un ami. Le taxi est arrivé très vite et monsieur Serge est parti en titubant... Nous ne l'avons pas revu depuis. J'aurais peut-être dû insister pour le médecin, mais comprenez-moi : monsieur Serge n'était pas un client...

Il y eut un moment de silence durant lequel Christine essayait de réaliser la portée de ce qu'elle venait d'apprendre. Malgré sa blessure, Serge, revenu à lui, avait réussi à se lever, à s'habiller, à improviser un pansement et à quitter l'hôtel ! Il était donc vivant !

— Et depuis ? demanda-t-elle. Il n'a pas donné de ses nouvelles ?

— C'est une question que vous auriez dû poser à Mrs Pollock qui est arrivée le lendemain de Monte-Carlo.

— Je ne connais pas Mrs Pollock, murmura Christine.

— Pourtant, tout le monde connaît la future princesse Solokoff, s'étonna le portier. Malheureusement, elle nous a quittés hier après avoir laissé plus de deux cent mille francs à la table du tout-va.

— Maintenant, je vois de qui vous voulez parler, dit Christine qui se souvenait de l'Américaine au pékinois qui lui avait ouvert la porte de la chambre cent quatre-vingt-sept au lendemain du « crime ».

— Mrs Pollock est liée avec tous les amis de son fiancé, mais elle est partie pour New York sur l'*Ile-de-France,* furieuse de ses pertes ici et à Monte-Carlo...

A cet instant on l'appela du fond de la réception où se tenaient deux autres employés engoncés dans leurs faux cols glacés.

— Si Madame veut bien m'excuser...

Christine resta un instant clouée sur place, incapable de bouger. Ce qu'elle venait d'apprendre la bouleversait à un point tel qu'elle se sentait comme étrangère à son propre corps. Et la comédie qu'elle venait de jouer l'avait épuisée. Serge était vivant... Christine avait vécu huit jours en enfer, face à son « crime ». Or, il n'y avait pas eu crime. Serge vivant, Christine revivait. Elle renaissait. Les phantasmes qui l'obsédaient depuis des jours et des jours se diluèrent, se dissipèrent comme les nuages après un orage d'été. Elle se sentit légère. Elle pensa subitement que si François-Paul était là, près d'elle, elle aurait voulu boire avec lui, boire jusqu'à plus soif, gaiement et non pas avec cette rage destructrice qui animait Serge lorsqu'il débouchait le flacon d'argent qui ne le quittait jamais.

« Est-ce que je l'aime toujours ? » Comment aurait-elle pu répondre à cette question ? Et de quoi était-il donc fait, cet amour dément ?

Pendant un bref instant, pressentant les tourments qui allaient à nouveau la déchirer, Christine se demanda très sérieusement s'il n'aurait pas mieux valu le tuer. Ne savait-elle pas à présent qui était vraiment Serge ? Mais, en même temps, elle avait tout à fait conscience qu'elle était capable d'aimer un homme tout en le sachant indigne de cet amour.

Christine était toujours là, immobile dans le hall, comme foudroyée. Serge vivant... Elle se sentait observée par le concierge, qui venait de remettre leur clef à un couple que Christine reconnut pour l'avoir rencontré dans les couloirs : une femme minuscule au bras d'un homme en habit, immense. Elle se serrait contre lui, cachant sa tête dans sa poitrine, essayant d'étouffer un fou rire inextinguible, nerveux, alors que son compagnon lui tapotait l'épaule comme si elle avait le hoquet. Ils étaient, comme de coutume, ivres morts. Et c'était avec une raideur excessive qu'ils se dirigeaient vers les ascenseurs... Le préposé à la porte tambour se leva à son approche.

— Appelez-moi un taxi, lui dit Christine.

Elle sortit sous le porche de l'hôtel. Il pleuvait à nouveau. Christine frissonna. Au bout de quelques instants une limousine noire d'un modèle suranné vint se ranger; le valet était assis à côté du chauffeur et déploya un parapluie rouge à l'intention de Christine. Celle-ci, installée sur la banquette glacée, donna l'adresse de Trouville. Quand ils s'approchèrent du pont sur la Touques, Christine se pencha vers la glace de séparation que le chauffeur avait fermée. Elle l'ouvrit.

— Vous ne devez pas beaucoup travailler à ces heures-là ?

— Mais si, dit l'homme en la regardant dans son rétroviseur. Je ne fais que la nuit et je ne m'en plains pas. C'est payant.

— Auriez-vous, par hasard, chargé un client il y a de cela une semaine, à cette heure-ci ou même plus tard encore, un client du *Normandy,* un homme dont vous vous souvenez peut-être : il portait autour de la tête un pansement.

L'homme la regarda. Elle entrouvrit sa main qui serrait un billet de banque.

— Je me souviens parfaitement, dit le chauffeur.

Il pénétrait dans Trouville et tourna sur sa gauche,

vers la mer. La pluie claquait contre son pare-brise; la buée se formait.

— Vous permettez, madame?

Il baissa la vitre de sa porte. L'air froid s'engouffra dans la voiture.

— Et où avez-vous conduit ce monsieur? Rassurez-vous, je ne suis pas une indicatrice de police.

— A la gare. Je l'ai laissé à la gare de Deauville.

Le chauffeur ne laissa guère de temps à Christine qui voulut dire quelque chose :

— Je me souviens avoir demandé à mon client s'il ne préférait pas que je le dépose chez un toubib, parce que, après tout, il avait l'air plutôt sonné, si vous voyez ce que je veux dire.

— Je vois très bien, murmura la jeune fille. Mais il était peut-être pressé de prendre son train...

— L'express pour Paris ne part qu'à 7 heures du matin; et, avant, il n'y a que des omnibus pour Lisieux ou Évreux.

Il se rangea aux abords de la plage, comme Christine le lui avait demandé. Ayant gratifié le chauffeur d'un pourboire digne du « prince Alexis », elle courut jusqu'à la petite porte donnant sur les planches. En une dizaine de mètres, elle eut le temps d'être trempée. Elle ne s'en rendit même pas compte. De même qu'elle ne pensa pas aux traces humides qu'elle laissait derrière elle, à l'intérieur de la villa.

Arrivée dans sa chambre, elle se débarrassa de sa robe qu'elle roula en boule comme s'il se fût agi d'un vieux chiffon. Recroquevillée sur son lit, sa robe de chambre en lainage chaud serrée autour de son corps fourbu, elle se mit à réfléchir. C'était l'aube. De la rue montaient les bruits du petit matin : une automobile qui passait, une porte d'entrée qui claquait, des pas pressés...

« Il était évident, songea Christine, que Serge avait voulu prendre un train pour Paris. Mais l'avait-il pris?

Ou avait-il pu le prendre? » La blessure qu'elle avait infligée à son amant n'était peut-être pas mortelle, mais suffisamment profonde pour nécessiter des soins. Qui les lui avait prodigués? Et où? Et quand? Tous ces points d'interrogation lui martyrisaient la cervelle. Elle était incapable de chasser de son esprit l'image de Serge, blessé mais vivant. Sa fatigue la rendait plus lucide. C'était comme si la lumière naissante du jour éclairait en elle les recoins les plus obscurs de sa conscience. Aimait-elle encore Serge? Son corps l'aimait-il encore? Elle admettait enfin l'évidence : il fallait qu'elle le revoie pour la dernière fois peut-être. Passant en revue tout ce qu'elle avait appris au cours de ces dernières heures, elle comprit qu'il existait un homme susceptible de lui permettre de retrouver la trace de Serge. Cet homme, c'était le prince Alexis Solokoff.

En se répétant ce nom sans visage, elle s'endormit enfin, se croyant toujours éveillée, tourmentée par des cauchemars que rythmaient les sifflets des locomotives; et ce bruit lancinant devenait une obsession, comme lorsqu'on se trouve en chemin de fer et que l'on a le malheur de prêter l'oreille à la musique monotone du rail.

Lorsqu'elle ouvrit les yeux, la chambre était inondée de soleil. Il devait être tard dans la matinée. Ses frères, impatients de retrouver leurs jeux de plein air, avaient négligé de tourmenter cette Cri-Cri trop capricieuse, comme le sont trop souvent les filles, et qui dormait au lieu de se bronzer. Ils avaient dû, à peine leurs tartines englouties, se ruer sur la plage, car la maison était presque silencieuse. Les bruits de l'activité domestique parvenaient, très atténués, du rez-de-chaussée.

Christine réalisa qu'elle n'avait plus à craindre le cataclysme qu'elle redoutait depuis la nuit du « crime ». Les vacances des Decruze ne connaîtraient d'autres émotions que celles, coutumières, des bêtises faites par les garçons, les problèmes posés par la bonne et les quelques obligations des parents, dîners ou soirées qui permettaient à Claudine d'arborer ses bijoux et imposaient à M. Decruze smoking et escarpins vernis.

Christine savait où trouver sa mère. En effet, Mme Decruze allait et venait dans sa salle de bains, mettant un temps infini à se coiffer, à se farder, hésitant entre diverses tenues. Ainsi passaient les matinées de Claudine, interrompues seulement par les apparitions d'Antoinette qui venait parler des menus, de la cherté de la vie et de la sottise de la petite bonne. Aucun membre de la famille, par une sorte d'accord tacite, ne venait troubler les matins de Claudine. Celle-ci fut donc plutôt surprise en voyant débarquer dans sa salle de bains une Christine encore mal réveillée qui s'assit sur le rebord de la baignoire, observant sa mère en train de brosser sa longue chevelure châtain où s'entremêlaient des fils argentés qu'elle avait la coquetterie de mettre en évidence, comme un défi qui donnait du poids à sa maturité encore très désirable.

— Que t'arrive-t-il, chérie ? demanda Mme Decruze.

— J'ai besoin d'un coup de pouce, maman.

Claudine se retourna. Elle était sidérée, mais n'en laissa rien paraître. En même temps, elle était très heureuse, car elle trouvait, depuis quelque temps, que le fossé entre elle et sa fille se creusait sans qu'elle sût comment s'y prendre pour le combler.

— Un problème d'argent, chérie ?

Christine sourit. C'était bien dans une certaine ligne des Decruze où l'on ne parlait jamais d'argent, mais où, tout de même, on y pensait beaucoup.

— Non, maman. Je voudrais rentrer à Paris...

— Oh !...

Claudine posa sa brosse sur l'étagère en marbre qui surplombait le double lavabo conjugal. Sa fille eut la conviction que ce désir de revenir à Paris en pleine période estivale ne pouvait avoir, aux yeux de sa mère, qu'une raison sentimentale. Et elle savait qu'il aurait été adroit de le lui laisser croire. Mais le procédé répugnait à Christine.

— J'ai des raisons dont je ne peux pas te parler en ce moment, maman. Il ne s'agit pas d'enfantillages ni de... Enfin, j'aimerais rentrer sans que papa le prenne mal ou me l'interdise. Peux-tu m'aider dans ce sens?

— Bien sûr... murmura Claudine. Mais j'espère que tu sais ce que tu fais? De toute façon, ton père s'y opposera tout d'abord, à moins que nous ne trouvions une raison valable à ses yeux.

— J'y ai pensé, maman.

— Ah! bon.

— Tu te souviens d'Amy?

— La petite Anglaise à Lausanne?

— Exactement. Elle a quitté la pension en même temps que moi et elle aurait dû venir cet été à Paris... En vérité, je n'ai pas de nouvelles, mais elle aurait pu m'en donner et j'aurais pu vous demander l'autorisation de la loger quelques jours rue Alphonse-de-Neuville et de lui montrer Paris...

Mme Decruze se dit une fois de plus qu'elle ne se retrouvait pas dans sa fille; jusqu'à la façon de mentir. Mais elle ne pouvait qu'admirer le procédé grâce auquel Christine cherchait à faire d'elle sa complice, devinant sans doute qu'en agissant de la sorte elle faisait plaisir à sa mère.

— Je comprendrais fort bien que tu puisses avoir horreur de ce subterfuge, dit Christine. Dans ce cas, je te demanderai d'oublier notre conversation. De toute façon, il faut que j'aille à Paris.

Claudine avait repris sa brosse. Tournée vers son miroir, elle répliqua :

— Je m'arrangerai avec ton père, c'est promis. Quand veux-tu partir?

— Aujourd'hui. Demain au plus tard.

— Tu avoueras que j'ai du mérite à ne pas te poser de questions.

— Beaucoup de mérite, fit Christine en se levant.

Elle alla vers la porte, vaguement consciente qu'elle aurait dû montrer un peu plus de chaleur, mais elle ne sut comment s'y prendre. Sur le seuil, elle resta immobile un moment, regardant Claudine qui noua ses cheveux en chignon, ce qui dégageait son visage aux lignes pures et son cou long et gracile, celui de sa fille.

— Cette coiffure te va merveilleusement, murmura celle-ci.

Et elle sortit rapidement, comme si elle avait honte de ce qu'elle venait de dire.

Claudine renifla, honteuse, elle aussi, de son émotion, tout en fixant son chignon avec des épingles.


A la surprise de Christine, ce n'était pas tant son départ plutôt précipité qui semblait soulever des problèmes, mais l'aspect pratique de ce retour dans un appartement parisien aux volets clos, aux meubles couverts de housses. Antoinette paraissait bouleversée à l'idée que Christine allait devoir se colleter avec les draps et les taies d'oreiller et confectionner elle-même son petit déjeuner dans une cuisine aussi hostile, sinon plus, que le reste de l'appartement.

— Que va penser votre amie anglaise? se lamentait la brave femme. Surtout que ces gens-là sont très gâtés rapport au thé et aux confitures. Et si elle vous demande le matin du poisson ou des saucisses?

Christine coupa court aux inquiétudes ménagères d'Antoinette en assurant que son amie n'était pas une vieille fille maniaque, mais une demoiselle très à la page, professant, par surcroît, des idées avancées et affublée d'un cousin inscrit au parti travailliste! Elle était surprise elle-même de voir avec quelle aisance elle arrivait à accréditer le mobile de son voyage.

M. Decruze ne manifesta, en apparence du moins,

rien de plus qu'un léger agacement. Claudine avait dû dire ce qu'il fallait pour qu'il ne s'opposât pas ouvertement à ce qu'il considérait comme une manifestation d'indépendance chez sa fille. Il l'accompagna à la gare au volant de la Delage bleue qu'il conduisait exceptionnellement, ayant accordé un congé à son chauffeur. Il avait passé son bras sous celui de Christine et il avait insisté pour qu'elle accepte une brassée de revues et d'illustrés qu'elle n'aurait jamais le temps de lire entre Deauville et Paris-Saint-Lazare.

— Je peux te parler franchement?

— Mais oui, papa.

Il lâcha son bras.

— J'ai l'impression que quelque chose ne va pas.

Cela devait arriver.

— Quelle idée! Tout va très bien, je t'assure.

Il avait l'air embarrassé.

— Tu devrais me parler comme... comme si je n'étais pas ton père...

Heureusement, un couple s'approcha d'eux, faisant, comme il était courant à Deauville, dans le genre « décontracté snob », lui déguisé en amiral d'opérette et elle couverte de chaînes, les cheveux teints et rasés dans la nuque. Le père et la fille supportaient mal cette espèce de gens. M. Decruze, à les voir, se trouvait vieux et Christine était désolée de sentir le malaise de son père qu'aggravait encore l'inévitable plaisanterie de l'amiral qui était administrateur de sociétés :

— Vous ne devinerez jamais, mon cher, ce que je viens de dire à ma femme en vous voyant de loin : Voilà Decruze, lui ai-je dit, faisons semblant de ne pas le voir, il est avec une petite amie!...

On annonça l'express de Paris. Christine frôla de ses lèvres la joue de son père et se hâta vers le quai. Elle se retourna une fois et lui fit signe de la main. Il était malheureux, aux prises avec le couple dont il n'arrivait pas à se défaire, et lui fit signe, lui aussi, faussement décontracté. Christine eut un curieux sentiment. Cette séparation lui parut subitement comme plus réelle qu'il ne paraissait. Elle était basée sur un mensonge et c'était la première fois que Christine usait de cette arme vis-à-vis de lui. Et puis, circonstance aggravante, elle savait dans son for intérieur qu'elle ne retournerait pas à Trouville, alors que son père s'attendait à la revoir dans peu de jours, après le passage de cette amie anglaise qu'elle était censée retrouver à Paris.

Alors que le train s'ébranlait, Christine découvrait qu'en quelques semaines les rapports qu'elle entretenait avec les siens avaient été bouleversés. C'était l'œuvre de Serge. Il lui avait fait couper les amarres afin de l'entraîner dans un inconnu terrible et fascinant. Sa famille, qui avait été jusque-là son univers, lui paraissait comme rapetissée, comme figée, associée à son enfance, évidemment, mais l'intimité n'était plus qu'une apparence. Christine était enfermée dans ses secrets comme dans une chambre où les siens n'avaient point accès. En disant au revoir à son père, il lui semblait qu'elle disait adieu à un chapitre de sa vie.

Elle feuilleta les illustrés sans pouvoir fixer son esprit sur leur contenu. Il y était avant tout question de l'exposition des arts décoratifs, des péniches du couturier Poiret, amarrées sur les quais de la Seine et décorées de toiles de Raoul Dufy, peintre que Serge estimait mineur. Christine éprouva un peu d'agacement à cette pensée.

« Il faut absolument que j'arrive à faire abstraction de Serge dès qu'il est question d'art ou de littérature », se dit-elle.

Elle essaya de fixer son esprit sur les pages de cinéma, y trouva une caricature de Charlot dans son dernier film, *La ruée vers l'or*, qui allait sortir en France. Elle découvrit aussi un article sur François-Paul Lamiran qui terminait à Paris, aux studios de Joinville, les prises de vues de *La châtelaine*, tirée d'un roman à succès avant d'entreprendre *La Femme-Fauve*, dont on ne savait pas grand-chose, sinon que l'interprète principale en serait Pola Negri, à condition que celle-ci puisse revenir d'Hollywood où elle était retenue par des chaînes d'or et par son metteur en scène favori, Ernst Lubitsch.

Le train s'arrêta à Lisieux. Christine se leva pour baisser la vitre, car il faisait chaud dans le compartiment. Il y avait peu de monde sur le quai. Le rapide était presque vide. Un homme longeait les wagons au pas de charge : Lamiran !

— Descendez ! lui cria-t-il de loin.

Elle se pencha :

— Qu'est-ce qui se passe ? D'où sortez-vous ?

— Venez, Christine... Je vous ramène à Paris en voiture !

Tout ceci était extravagant, incompréhensible : comment savait-il qu'elle était dans ce train ? Mais Christine comprenait qu'elle avait pensé à lui fort souvent pendant toutes ces journées fertiles en rebondissements.

— Descendez, voyons... Le train va repartir...

Il se tenait en contrebas, la tête levée vers elle. Il ne semblait pas douter une seconde qu'elle pouvait ne pas obtempérer. Elle saisit son sac de voyage qui ne contenait pas grand-chose (cela avait contribué à rassurer M. Decruze) et sauta sur le quai. Un coup de sifflet, un panache de fumée au-dessus de la locomotive : le train s'ébranla.

François-Paul s'était emparé de son sac.

— Je vous ai vue avec votre papa, à la gare de Deauville, expliqua-t-il.

Il avait passé son bras sous celui de Christine dans un geste d'affectueuse intimité. Elle n'en éprouva aucune gêne.

— J'avais passé la soirée à Deauville. Toujours pour mon prochain film... Toujours pour parler argent ! Je rentrais à Paris pour reprendre *La châtelaine* dès demain matin, je m'arrête à la gare pour acheter les journaux, je vous vois prendre congé de M. Decruze, vous diriger vers le train de Paris... J'ai passé huit jours à essayer de ne penser qu'à mon film alors que je n'ai cessé de penser à vous! Qu'est-ce qu'on fait dans ce cas-là?

— Dans ce cas-là, répliqua Christine, on se met au volant de sa puissante automobile et on fonce vers Lisieux avec l'espoir d'y arriver avant le rapide de Paris! Et là, comme un vrai héros de cinéma, on force l'héritière à descendre du train pour l'enlever jusqu'en Chine!

Lamiran s'arrêta, posa le sac à terre et prit Christine par les épaules. Elle était toute rose sous son hâle.

— Jamais vous n'avez été plus belle... Vous êtes radieuse... Je parierais que vous ne broyez plus de noir, que la vie a repris ses droits...

Elle hésita un tout petit peu. Puis :

— C'est vrai, dit-elle enfin. Et je suis très heureuse de vous revoir... Et très heureuse de rentrer avec vous à Paris... ou en Chine !

Ils rirent tous les deux.

— Fantastique! s'écria le metteur en scène. Vous êtes ressuscitée!

Christine était elle-même surprise. Depuis des semaines, elle ne s'était sentie comme aujourd'hui. Elle savait que c'était une journée importante de sa vie. Elle en avait conscience, gravement, et elle retrouvait l'homme qui l'avait empêchée d'accomplir le geste irrémédiable. Il y avait là une coïncidence troublante.

La torpédo du cinéaste attendait sur le terre-plein, comme toujours, entièrement découverte, le pare-brise baissé. Quelques instants plus tard, ils filaient sur la route en direction de Paris, dépassant des charrettes et des paysans affairés.

— Vous n'avez pas faim? hurla François-Paul.

Le bruit du vent et l'absence de pare-brise empêchaient toute conversation suivie.

— Qu'est-ce que vous dites ?

— Faim ?

Christine fit « oui » de la tête. Il y avait sur cette
route des nids-de-poule en quantité, mais le compteur
dépassait les cent kilomètres/heure. Le cinéaste quitta
la Nationale, emprunta une route tortueuse qui les
mena aux abords d'un bourg aux toits de chaume pen-
chés, avec des murs à colombages. Sur la place, un
marché couvert qui ressemblait à une carcasse de
navire et une auberge qui faisait l'angle, avec un
homme sur le pas de la porte, les bras croisés. Il rentra
précipitamment, puis il reparut flanqué d'une femme
toute ronde qui s'essuyait les mains à son tablier en
s'écriant :

— M'sieur François ! M'sieur François !

Il l'embrassa sur la joue droite, sur la joue gauche et
encore une fois sur la droite, à la normande.

— Ici, déclara-t-il, tout est à la crème, même la
patronne !

— Mademoiselle est une star de cinéma ? demanda
celle-ci.

— Oh non ! ma grande... Christine, c'est mieux, beaucoup mieux !

Que voulait-il dire par là ? Depuis leurs retrouvailles,
Christine s'était demandé si François-Paul allait renou-
veler la proposition faite certain matin chez les
Decruze... Elle l'aurait voulu de toutes ses forces. Ce
qu'il venait de dire la déconcerta quelque peu. La petite
salle était déserte. L'endroit était d'une simplicité raffi-
née. Linge de table immaculé, vaisselle ravissante, petites lampes sur les tables...

— Vous avez dû entraîner dans ce lieu discret un
certain nombre de vos conquêtes, murmura Christine.

Il la regarda sans sourire.

— C'est vrai, concéda-t-il. Avec la différence qu'en

arrivant ici, je connaissais déjà d'avance le déroulement du scénario. Avec vous, par contre, c'est l'inconnu. Vous êtes une page blanche.

Il changea subitement de ton.

— Est-ce que je vous ennuie ?

— Non.

Elle soutint son regard. Sa façon de lui faire la cour ne la gênait guère.

« Comment se fait-il que cet homme qui a plus du double de mon âge et qui a certainement beaucoup vécu, soit si proche de moi ? »

La réponse, elle la connaissait : entre Lamiran et elle s'était tissé un lien à la faveur d'un instant unique au cours duquel Christine avait regardé la mort en face. François-Paul, c'était la vie. Il prit la main de la jeune fille et la garda entre les siennes, comme il avait fait cette nuit-là.

— Vous savez, dit-il, j'ai toujours pensé que je ne faisais vraiment bien l'amour qu'avec la caméra ! C'est ça le cinéma. Il vous possède jusqu'à la moelle, il vous hante. Je ne savais pas qu'il suffisait d'empêcher une petite fille de faire une monstrueuse bêtise pour déclencher en moi tout un processus où le cinéma vient comme un cheveu sur la soupe. Je suis entré dans votre vie en automobile et je ne trouve plus ma marche arrière pour en sortir. Pris au piège, le Lamiran ! Bien sûr que je vous ai emmenée dîner ici parce que les patrons me connaissent comme je les connais et qu'il y a au second étage deux ou trois chambres très jolies, où tout est d'époque sauf les filles avec lesquelles on s'envoie en l'air ! Et dire que j'ai pensé un instant que peut-être, le champagne aidant... J'ai envie de vous, j'en crève. Pardon ! Essayez de me comprendre...

Christine n'était pas choquée par ces paroles brutales, car l'homme qui les prononçait était la séduction même et sa sincérité, sa fougue atténuaient la portée de ce qu'il disait. Le fait qu'il la désirait était loin de déplaire à Christine qui avait l'impression de vivre une existence nouvelle.

— Je vous comprends très bien, monsieur Lamiran, dit-elle avec sérieux. Et je ne succomberai sans doute pas à votre charme pour la bonne raison que le champagne me donne envie de dormir!

— Alors, pas de champagne, décida le metteur en scène.

En fin de compte, ils en burent, cela les rendit de fort bonne humeur. Mais pas une seule fois François-Paul ne revint sur les propos qu'il avait tenus à Trouville, dans la salle à manger familiale... Avait-il complètement oublié le désir qu'il avait manifesté de lui venir en aide? Ou pensait-il qu'ayant surmonté son désespoir elle n'avait plus besoin de personne? Même pas de lui?

« Je l'ai suivi sans l'ombre d'une hésitation, comme si j'avais attendu le moment où il reparaîtrait dans ma vie. Le voici à mes côtés. Lorsqu'il a prétendu que j'étais le personnage qu'il cherchait pour son prochain film, avait-il été sincère? »

Christine, débarrassée du poids de son « crime », retrouvait le goût qu'elle avait toujours eu pour les choses et les gens du spectacle. Et voilà qu'un homme, un magicien de ce qu'on appelait le « septième art », un montreur d'ombres, et pas le moindre, lui parlait d'amour, la trouvait belle et désirable...

Il avait quitté la table pour quelques instants, sans doute afin de régler l'addition. Il revint et posa devant Christine une clef. Il ne dit rien, mais elle comprit aussitôt. A présent, il y avait quelques dîneurs aux tables; des couples discrets qui parlaient à voix basse. Elle prit la clef, la soupesa sur le plat de sa main.

— François-Paul, dit-elle enfin, on mange très bien ici, mais je crois que je n'aimerais pas... que je n'aimerais pas y rester cette nuit!

Elle leva les yeux sur l'homme immobile devant elle:

— Essayez de me comprendre...

Lorsqu'ils se trouvèrent assis côte à côte dans la voiture, il passa le bras autour de son épaule.

— Vous m'en voulez, Christine?

— Pas une seconde.

Elle eut un geste très spontané : elle passa doucement la main sur la joue de l'homme. Alors il l'attira à lui, violemment, et l'embrassa. Elle ferma les yeux et répondit à son baiser. Ensuite ils reprirent la route.

Il était plus de minuit lorsqu'ils atteignirent les portes de Paris et les frondaisons du Bois de Boulogne, masse noire et un peu inquiétante avec ses becs de gaz parcimonieux et les silhouettes furtives qui y rôdaient.

L'immeuble qu'habitaient les Decruze se trouvait proche du boulevard de Courcelles, à quelques pas du parc Monceau, dans une rue hautaine, aux portes cochères plutôt rébarbatives; une rue très protestante, pensait parfois Christine, lorsqu'elle y revenait après une absence prolongée. C'était une rue faite davantage pour les attelages que pour les limousines et certaines écuries recelaient encore des calèches ou des Daumont aux cuivres luisants et, accroché aux murs, tout le harnachement traditionnel qu'on n'utilisait qu'à de très rares occasions. D'autres écuries, comme celle des Decruze, étaient devenues des garages qui empestaient le carburant et l'huile à moteur.

Lorsque François-Paul arrêta son auto devant la maison où Christine avait passé une grande partie de son enfance, ils étaient l'un et l'autre assourdis par le vacarme de leur équipée, un peu poussiéreux et tout ébahis de sentir la chaleur tomber sur leurs épaules comme une cloche, alors que sur la route le vent les avait malmenés et rafraîchis.

— Voilà, dit François-Paul, enlevant ses grosses lunettes de chauffeur.

Durant cette longue randonnée, Christine avait eu le temps de faire le point. Elle s'était rendu compte qu'il lui serait impossible de reprendre possession de sa chambre de jeune fille, chez ses parents. Elle avait décidé de couper avec le passé, y compris la douceur et la chaleur de la famille. Elle ne savait pas de quoi serait fait le lendemain. Elle aurait été heureuse que Lamiran lui reparlât de cette possibilité de devenir actrice de cinéma. S'il ne l'avait point fait, c'était sans doute qu'il n'y avait pas songé sérieusement. Mais Christine se sentait de taille à savoir conduire son existence. Non, elle ne s'accrocherait pas à cet homme qui était amoureux d'elle et pourrait, s'il le voulait, lui faciliter les choses. Elle se tourna vers lui.

— Je voudrais vous demander de me rendre un service.

— Tout ce que vous voulez.

— Voilà. Pourriez-vous m'attendre quelques minutes ? Je... je téléphone à Trouville pour rassurer mes parents qui ont dû appeler déjà dans la soirée. Ensuite, je redescendrai. Je... j'aimerais m'installer pour quelques jours dans un hôtel.

Elle craignait ses questions, sa curiosité. Mais c'était mal connaître François-Paul Lamiran. Il dit seulement :

— O.K., petite fille. Je vous attends.

Et rien d'autre.

« Ce type est merveilleux », songea Christine dans l'ascenseur qui s'élevait avec une majestueuse lenteur. Elle savait au moins ce qu'elle devait faire d'abord, seule à Paris, livrée à elle-même : retrouver Serge avec l'aide de ce Russe, le prince Alexis Solokoff !

Lorsqu'elle pénétra dans l'appartement, il y régnait cette odeur particulière aux maisons où tout est fermé, càlfeutré; une odeur d'encaustique et de vieux bois. Christine pressa un interrupteur et les appliques du vestibule, vaste et haut de plafond, s'allumèrent. De pseudo-bougies avec des ampoules en forme de flammes. Tout était dans les vert passé. Mme Decruze avait concilié la solennité des meubles de famille et son goût de la décoration. On voyait l'enfilade des pièces plongées dans la pénombre; il y avait quelque chose de douloureux dans cette vie figée et Christine eut la sensation que la lumière blessait les meubles comme un dormeur que l'on arrache brutalement au sommeil. Elle éteignit les appliques.

Un bref instant Christine imagina Serge près d'elle en cet instant; mais ce n'était pas imaginable ou, à la rigueur, oui, mais il aurait exigé qu'elle allume non seulement les appliques, mais aussi les grands lustres et ces lampes à abat-jour clairs et ces corolles métalliques dispensatrices d'éclairage indirect où l'on retrouvait la passion ingénue de Claudine pour les arts déco... Serge aurait exigé cette grande débauche de lumière et sans doute aurait-il exigé aussi de faire l'amour au milieu de ce faste décent comme si c'était la manière efficace, la seule, qui dynamiterait l'ordre grand-bourgeois que symbolisait l'appartement des Decruze. Elle eut envie de revoir sa chambre. Celle-ci se trouvait au détour d'un couloir interminable comme il en existait dans ces vieilles maisons datant d'Haussmann, faites et refaites au cours du temps et des régimes. C'était une pièce de proportions raisonnables donnant précisément sur cette cour où s'ouvraient les anciennes écuries. Il y avait là un savoureux mélange de générations. Il y flottait le parfum de l'enfance personnifiée par des poupées anachroniques, comme on n'en faisait plus depuis l'irruption dans les mœurs de formes nouvelles. Il y avait aussi une peinture assez atroce signée Decruze et qui était l'œuvre d'un oncle qui se piquait d'esthétisme; c'était un portrait de Christine à quinze ans, la tête enveloppée d'une sorte de turban, les pommettes saillantes et la joue creuse, sur un fond de mer et de plage normande. Un mur était couvert de rayonnages croulant sous les livres; et là, c'était bien Christine, dévorant Paul Morand, Gide, Colette Willy, Montherlant, Valéry et Cocteau. Éclectisme quelque peu baroque avec aussi *La garçonne* sans fausse honte, puisque tout le monde l'avait lu depuis deux ans que le roman avait paru. Une photo dédicacée de Lucien Guitry, une autre de Suzanne Lenglen. Toujours le tennis. Suspension en forme d'amphore, lampe de chevet en forme de lys que soutenait une dame ondulante et qui se terminait par un abat-jour à franges. Sur la table, avec les manuels de littérature, le dernier *Crapouillot* paru avant les vacances... Un lit d'époque, meuble de famille, mais couvert de coussins à dessins cubistes, multicolores, agressifs. Et, dans des cadres d'argent, les Decruze saisis par des photographes malicieux, Claudine sortant du bain dans un maillot très sage, fermé au cou, son époux, le poitrail bombé, une bretelle de son maillot dégrafée style « homme des cavernes »...

Christine revint au vestibule et décrocha le récepteur du téléphone, demanda la demoiselle des communications interurbaines, finit par l'obtenir. En pleine nuit, il n'y avait pas beaucoup d'attente et on la rappela très vite :

— Vous avez Trouville.

Des grésillements, des voix qui s'entrecroisaient et, enfin, lointaine et déformée, la voix de M. Decruze. Il était inquiet, il avait déjà appelé deux fois l'appartement sans obtenir de réponse. Christine prétexta des courses, un dîner au restaurant avec son amie anglaise. En raccrochant, elle fut effarée par la facilité avec laquelle elle avait continué de mentir à son père. Elle éteignit les lumières, referma derrière elle la porte de l'appartement avec une étrange sensation : elle était à la fois soulagée et vaguement inquiète. Lamiran, à son volant, fumait une cigarette.

— Où voulez-vous aller, Christine ?

— A Montparnasse !

La réponse avait été immédiate. C'était bien dans ce quartier qu'elle espérait retrouver la trace de Serge. Puisque Solokoff était son ami, Christine ne doutait pas que, lui aussi, devait être connu de cette faune très particulière composée d'artistes, de marchands de tableaux, d'oisifs, de drogués, d'alcooliques ou tout simplement de noctambules impénitents adorant un quartier où personne ne se couchait jamais avant l'aube.

— Très bien, dit François-Paul. Je connais près du carrefour Vavin un petit hôtel fréquenté par des gens sans préjugés et dont le patron est un ami. Une ancienne gloire du cinématographe!

Tout devenait simple avec lui. Christine agissait de façon peu compréhensible et il ne lui posait pas la moindre question. Elle le regardait à la dérobée, alors qu'ils descendaient l'avenue Montaigne déserte, les lettres lumineuses au frontispice du Théâtre des Champs-Élysées éteintes. On y jouait la *Revue Nègre.* Le spectacle devait être terminé depuis un bon moment. Puis ils traversèrent la Seine pour gagner Montparnasse, le carrefour Vavin, carrefour de l'univers à deux pas du Dôme. L'hôtelier était un bellâtre un peu fatigué, affichant une élégance toute méditerranéenne avec ses souliers bicolores et sa chemise de soie. L'irruption dans son petit hôtel de François-Paul Lamiran qui le tutoyait le mit dans un état proche de l'extase.

Christine, à le voir se démener, sachant qu'il avait été célèbre avant la guerre, acquit la conviction que l'ex-jeune premier n'avait pas perdu l'espoir de faire un retour au cinéma, un « come back ».

— Ce qui caractérise les acteurs, lui expliqua François-Paul, c'est l'espoir! Ils ont l'espoir chevillé au corps. La vie peut leur marteler la gueule, les cracher, les vomir, eux, contre vents et marées, conservent l'espoir.

La chambre était simple, propre. Il y avait au mur une lithographie signée *Foujita,* l'un des artistes les plus célèbres de Montparnasse. C'était exactement ce qu'il fallait à Christine : le dépaysement, à cent lieues du parc Monceau.

L'hôtelier-acteur était redescendu, car il n'y avait personne à sa microscopique réception. Christine avait posé sur l'unique fauteuil son maigre bagage. Lamiran remplissait la chambre. Il paraissait immense, débordant de vitalité, au point de donner l'impression que l'air était chargé d'électricité. Un peu lasse, Christine s'était laissée choir sur le lit, appuyée au dossier, les jambes repliées sous elle. Du boulevard montait une rumeur, petite musique de la nuit, à Paris, à Montparnasse.

— Tu es bien ? demanda le metteur en scène.

Il ne l'avait encore jamais tutoyée.

— Très bien, dit-elle. Je suis très bien.

Elle avait écouté très attentivement ce qu'il lui disait au sujet des acteurs, espérant peut-être que, par le biais de l'hôtelier-artiste, il allait enfin lui parler du personnage de son prochain film. A travers la rudesse des termes employés elle sentait que François-Paul avait une grande tendresse pour les comédiens, tout en se trouvant quelque peu désarmé par leur excessive sensibilité. Il s'arrêta devant elle, au bord du lit.

— Tu sais, Christine, on croit toujours à un moment donné de sa vie qu'on n'est plus capable de parler d'amour à une femme. On croit toujours qu'on va sombrer dans le ridicule. Dans mes films, vois-tu, on ne parle que de ça : d'amour. Mais comme c'est muet, comme on voit remuer les lèvres des acteurs sans qu'un seul son ne sorte de leur bouche, c'est bien plus facile. Pas de phrases. Les yeux de mes personnages parlent d'amour, leurs mains, leur corps, tout parle d'amour : ainsi que la lumière, le paysage, et même les objets. Quand un type boit dans un verre en regardant la pépée qui se trouve en face de lui, tout le monde dans la salle a compris qu'il est amoureux d'elle...

Il se pencha vers elle, saisit son visage entre ses mains.

— Chérie, murmura-t-il, j'ai un peu perdu l'usage de

la parole, mais j'aimerais que tu comprennes que ma vie a changé un certain soir sur un pont entre Deauville et Trouville...

Elle trouvait qu'il parlait merveilleusement bien pour quelqu'un qui prétendait ne pouvoir s'exprimer que par des images. Sa voix était frémissante. Il l'embrassa avec ferveur. Elle sentait sur son corps ses mains impatientes, chaudes. Malgré sa force, il était d'une grande douceur. Christine se laissa glisser vers un bien-être indéfinissable. Elle ferma les yeux et aussitôt une image surgit devant elle, une image qu'elle fut incapable de chasser : Serge plus vivant que vivant, plus présent que présent. Il était là, en elle, spectateur ironique au regard de feu et de glace. Elle fut saisie d'horreur et écarta la main de François-Paul.

— Non... non, je vous en prie... Je... je ne peux pas !

Elle le repoussa avec fermeté. Lamiran secoua sa crinière. C'était un roc. Elle crut un instant qu'il allait passer outre, lui arracher ses vêtements, mais il n'en fit rien. Il resta seulement immobile au-dessus d'elle, cherchant à lire dans son regard une explication.

— Il faut que vous ayez un peu de patience avec moi, François-Paul. Il le faut absolument. Pour moi, comme pour vous, la nuit de notre rencontre a été très importante. Sans vous, je...

Maladroitement, un peu timide, elle se souleva à demi pour effleurer de ses lèvres la joue de l'homme.

— Je sais ce que je vous dois. Vous m'avez sauvée. J'ai pour vous une immense reconnaissance et... et je trouve que vous êtes un homme merveilleux. Je... je pense que c'est la première fois que je me trouve devant un homme, un vrai. Ce que vous me dites me bouleverse, mais...

Il la prit contre lui.

— N'ajoute rien... Je crois que j'ai compris.

Christine pensa que, sans l'intervention de François-

Paul, elle se serait tuée pour rien. Elle s'en voulut à présent de s'être refusée à lui, alors qu'il lui apparaissait effectivement comme un personnage extraordinaire, follement attirant et très beau, d'une beauté à l'opposé de celle de Serge.

— Écoute, dit-il, je ne voudrais surtout pas que tu t'imagines que je veuille me mêler de ta vie intime... Je ne t'ai pas demandé ce que tu es venue faire à Paris, toute seule... mais je crois avoir deviné un tas de trucs concernant Christine Decruze. Il faut dire aussi que je sais beaucoup de choses de toi. Pas tout, mais presque tout !

Il s'était levé. Il marchait de long en large dans la petite chambre : du lit au paravent qui cachait le lavabo. Aller et retour.

— Je vais te proposer quelque chose, Christine...

« Voilà, se dit Christine, voilà, ça y est. Il a réfléchi, je suppose, mais il est peut-être convaincu à présent que je suis vraiment le personnage de son film ! » Elle constatait qu'elle était redevenue la Christine d'avant, ou presque, et que la pensée de faire du cinéma l'excitait au plus haut point.

Lamiran arrêta son va-et-vient.

— Si tu es d'accord, dit-il, et si ça peut t'aider à te retrouver, à revivre après ce que tu as vécu ces dernières semaines, je te prends avec moi...

Elle ne comprenait pas. Elle le regardait, ahurie.

— Vous... vous me prenez avec vous ?

— Oui, comme assistante.

— Comme « assistante » ?

Sa surprise était totale.

— Tu ne m'as pas dit que tu aimais le cinéma ?

— Oui, bien sûr... bredouilla Christine.

— Et moi, je t'aime ! Alors, alors... J'ai envie et besoin de t'avoir près de moi. Je termine un film, j'en commence un autre. Tu adores le cinéma, tu voudrais bien savoir comment ça se fait, un film ? Tu seras aux premières loges, Christine. Assistante du metteur en scène, ça ne te dit rien ?

Elle s'était attendue à tout, mais pas à cela. Mais l'idée lui paraissait passionnante. Elle en oublia presque l'envie qu'elle avait toujours éprouvé de jouer un rôle, des rôles...

— Mais vous n'avez pas de... d'assistant attitré ?

— Mais si. J'en ai même deux ! De très brillants jeunes gens.

— Mais alors ?...

— Alors, tu seras le troisième, voilà tout. Et puis, ce n'est pas la même chose, une fille... Je ne sais pas quel effet cela fera sur les autres, mais l'avantage du metteur en scène, c'est qu'il est comme le capitaine d'un navire : maître après Dieu !

Il la prit dans ses bras, la berça un peu.

— Tu trouves peut-être que c'est une proposition très égoïste ?

— Non, murmura-t-elle, ce n'est pas ce que je pense...

Elle était presque rassurée à la pensée que cet homme avait un tel besoin d'elle, de sa présence.

— Nous tournons de midi à 8 heures. C'est un horaire qui convient à la vedette de mon film, dit brièvement le metteur en scène. Je viendrai te chercher ici, à l'hôtel, demain un peu avant 11 heures pour t'emmener aux studios de Joinville.

Il la souleva de terre et la porta jusqu'au lit où il la déposa précautionneusement.

— Bonne nuit, Christine.

La porte se referma sur François-Paul Lamiran. Christine resta immobile un long moment. Était-ce bien elle qui se trouvait là, elle, Christine Decruze, si bien-pensante, si conforme à l'idée qu'on pouvait se faire d'une jeune fille élevée d'une certaine manière, dans un certain milieu, en principe consciente de ce qui se faisait et de ce qui ne se faisait pas ? Une Decruze pouvait-elle prendre une chambre dans un petit hôtel de Montparnasse, séduire un monsieur qui avait l'âge de son père, accepter de travailler pour lui sans savoir exactement en quoi consistait ce travail ? Était-ce imaginable qu'une Decruze décide de se mettre en quête d'un homme, son amant, qu'elle avait failli assassiner quelques semaines plus tôt ? « Mais que se passe-t-il en moi ? se demandait-elle, épouvantée. Je suis devenue quelqu'un d'autre, je suis comme entraînée dans une ronde fatale. J'ai envie d'être libre, de gagner de l'argent, de voir clair en moi. Je voudrais devenir star de cinéma, être adorée, adulée. Je voudrais savoir qui je suis vraiment, oublier Trouville, la maison proche du parc Monceau, ma chambre de jeune fille et l'avenir serein que mes parents me préparent avec tant d'amour ! »

Sa fatigue s'était envolée. Les nuits à Deauville auprès de Serge l'avaient habituée à veiller. Elle n'avait aucune envie d'aller se coucher. Elle était à Paris, seule, et un metteur en scène de cinéma célèbre venait de lui avouer qu'il ne pouvait plus se passer d'elle. Demain commencerait une autre vie... Demain... Mais ce qui était arrivé tout à l'heure arriverait encore demain : tant qu'elle n'aurait pas réussi à se débarrasser de l'image obsédante de son amant, Christine serait comme une infirme. Il fallait le revoir à tout prix. Il le fallait. Pour savoir si oui ou non elle l'aimait encore.

Sur la coiffeuse-bureau, meuble bâtard surmonté d'une glace ovale, basculante, traînaient des cartons vantant les mérites des divers « night-clubs » du quartier, publicité que chaque hôtelier de Montparnasse se devait de répandre à profusion dans les chambres : le Parnasse, la Boule Blanche, la Cigogne, la Jungle, le College Inn... Un autre dépliant étalait sur fond noir un jockey surréaliste cravachant une monture invisible. Christine apprit ainsi qu'au Jockey, à l'angle de la rue de Chevreuse, Hiller Hyler recevait les noctambules jusqu'à l'aube au son du meilleur jazz-band de Paris. Dans ses monologues sur les peintres de Montparnasse,

109

Serge avait à plusieurs reprises prononcé ce nom. Son ami Hyler, d'après Serge, était en train de faire fortune dans la limonade... La rue de Chevreuse était à deux pas de l'hôtel.

Christine regardait les murs de sa chambre, le lit, la coiffeuse. Sa décision était prise. Elle redessina avec soin la courbe de ses sourcils, étala un peu de bleu sur ses paupières et un peu de rouge sur ses pommettes. Puis elle descendit. Assis derrière le minuscule comptoir de la réception, le patron de l'hôtel ne lui prêta aucune attention.

Elle ne s'était jamais rendue seule dans une boîte de nuit, mais le portier qui veillait à l'entrée ne fit aucune difficulté lorsqu'elle s'y présenta. Il se fendit même d'un sourire vaguement complice (mais pourquoi donc?) tout en portant la main à sa casaque bicolore, comme celle des jockeys.

A l'intérieur, c'était la fin du monde. Dans la salle de proportions modestes se pressait une foule si dense que Christine se demandait comment les gens s'y prenaient pour seulement porter leur verre aux lèvres. La chaleur était celle de l'antichambre du diable. Les visages ruisselaient de sueur et les robes des femmes, réduites à leur plus simple expression, leur collaient à la peau, révélant aux regards parfaitement blasés de l'assistance les détails anatomiques les plus intimes de celles qui les portaient. Les dessous étaient inconnus au Jockey.

Tout le monde criait, riait, s'interpellait, mais on eût dit des sourds-muets, car les cuivres de l'orchestre noir, assourdissants, interdisaient toute conversation autre que par signes.

Christine fut happée, aspirée par ce corps moite à cent visages. Ses pieds ne touchaient plus terre et pourtant elle fut portée en avant. La piste de danse, d'une exiguïté de mouchoir de poche, se confondait avec le reste de la salle qui se trémoussait vaguement, en cadence, au rythme des saxos. Un souffle d'air imperceptible agitait pourtant les affiches qui pendaient du plafond. Derrière le bar un mur tout en glaces reflétait les danseurs, les musiciens, les affiches...

Dominant la foule de ceux qui l'assiégeaient un homme en spencer blanc, tenue traditionnelle des barmen, agitait en cadence son shaker avant de verser des cocktails verts ou roses. Christine parvint jusque-là, par saccades, se pencha sur le comptoir chromé, essayant d'attirer l'attention du barman.

— Il s'appelle Bob ! lui glissa une voix à l'oreille.

Christine se retourna et crut vraiment qu'elle était en train de perdre la raison. Car la voix qui venait de lui parler appartenait à un jeune homme perché sur un haut tabouret. Et ce jeune homme, c'était Serge.

Christine s'accrochait à la rampe du bar, trop lucide pour ne pas comprendre qu'elle était hantée par l'image de son amant, qu'il suffisait d'une ressemblance pour que son imagination exacerbée fasse le reste. Mais il était hors de doute que le jeune homme sur son tabouret de bar avait cette blondeur, mais aussi et surtout cette coupe du visage un peu slave, d'une extrême finesse et cette sveltesse qu'accusait le smoking un peu étriqué comme celui qu'arborait Serge, soir après soir, pour ses pérégrinations à travers Deauville. Oui, la tenue de soirée, le plastron de la chemise, la perle noire qui la fermait... La ressemblance existait réellement.

Christine avança la main pour toucher le visage de cette imitation de Serge. Le jeune homme, nullement surpris par ce geste, se pencha vers Christine. Celle-ci réalisa alors qu'il était fardé. Oui, fardé avec discrétion et avec art, mais avec un soin extrême; qu'il tenait au bout des doigts un long fume-cigarette et qu'il avait des mains très soignées, fines et blanches, des mains qui ne pouvaient être celles d'un homme.

— Attention, chérie, dit-il, tu vas tomber !

Et la voix, en fin de compte, la voix non plus, malgré son enrouement, n'était pas vraiment une voix masculine. De sa main libre, l'étrange personnage avait saisi Christine par la taille, par jeu et aussi pour la retenir. Et Christine pour ainsi dire et contre son gré mise en contact avec le corps du jeune homme en smoking, eut alors la certitude que c'était un corps de femme. Elle avait senti, sous le plastron à peine empesé, la courbure d'un sein. Redevenant lucide, Christine comprit que cette coupe de cheveux « à la garçonne » était en fait le dernier cri de la mode féminine (ne portait-elle pas, elle aussi, les cheveux courts ?) et que l'équivoque venait évidemment du smoking coupé exactement comme un vêtement masculin, sans parler du col empesé et du nœud noir, très large, en velours.

— Merci, murmura Christine, en se dégageant sans brusquerie de l'étreinte un peu trop voulue. Je... je vous demande pardon...

Elle aurait été incapable de lui expliquer ce geste qu'elle venait d'avoir, ce geste de tendresse pour une créature inconnue assise au bar du Jockey à 2 heures du matin. Mais il était tout à fait exact que la jeune femme en smoking avait un air de famille avec Serge, une parenté des plus troublantes et que Christine était incapable de ne pas la regarder, fascinée, et que, évidemment, l'autre, sur son tabouret, pouvait interpréter comme elle l'entendait le comportement de Christine.

— Tu veux danser ?

Christine fit « non » de la tête. Le tutoiement ne la choquait nullement, à sa propre surprise. Par un bizarre concours de circonstances, la jeune femme qui ressemblait tant à Serge avait, par surcroît, un accent étranger, qui n'était sensible que par moments.

— Bourbon ? demanda-t-elle.

Et, sans attendre la réponse de Christine, elle attira l'attention du barman en claquant des doigts. Le dénommé Bob, impassible au milieu du tohu-bohu, s'approcha sans hâte.

— Deux bourbons.

Christine se pencha vers lui. Pour se faire entendre elle dut élever la voix.

— M. Hyler n'est pas là ?

Bob haussa les épaules.

— Pas encore. A cette heure-ci, il peint.

Il s'éloigna.

— Qu'est-ce que tu lui veux, à Hyler ? demanda la jeune femme sur le tabouret.

— Je suis à la recherche de quelqu'un et peut-être que le propriétaire du Jockey serait en mesure de me renseigner.

Le barman apporta les verres et les posa devant elles. La fille en smoking saisit le sien et l'entrechoqua avec celui de Christine.

— Je m'appelle Arielle.

Christine releva l'équivoque de ce prénom qui pouvait être aussi bien féminin que masculin.

— Si tu cherches quelqu'un, je peux peut-être t'aider. Je connais tout le monde dans le quartier, tu sais.

Cette fois, Christine acquit la conviction qu'elle avait l'accent américain. Arielle se laissa glisser en bas du tabouret et passa son bras sous celui de Christine. Elles étaient toutes les deux de la même taille ou presque, Arielle étant peut-être légèrement plus grande. Christine fut incapable de se défaire du trouble qui l'avait saisie dès l'instant où elle avait été frappée par la ressemblance d'Arielle avec Serge. En vérité, Arielle affichait une prodigieuse aisance, comme si le fait de mettre tout en œuvre pour paraître d'un sexe indéterminé n'était pas une sorte de comédie, mais une réalité, sa réalité à elle.

Christine ne se défendit point lorsqu'Arielle l'enlaça pour esquisser avec elle, sur place, des pas du fox-trot qu'interprétait l'orchestre. La densité de la foule n'en autorisait pas davantage. La chaleur était insupportable, mais la jeune femme en smoking ne semblait guère en souffrir. Elle avait les mains brûlantes et sèches. Elle se comportait en parfait danseur. Personne autour d'eux ne leur prêta la moindre attention. Christine se demandait si c'était bien elle qui dansait ainsi avec une inconnue. Elle n'essayait même pas de se défendre contre ce qu'elle éprouvait et qui lui paraissait contradictoire; une sorte d'effarement, mais en même temps un bien-être inexplicable... Tout en dansant, Arielle avait saisi le verre de Christine et le lui avait tendu. Puis elle vida le sien, d'une traite.

— Impossible de parler ici, dit-elle. On s'en va ?

Elle devait être fort connue au Jockey, les gens ne cessaient de lui adresser un sourire ou une petite phrase qu'ils lui glissaient à l'oreille sans que Christine pût en percevoir le sens, car le vacarme allait toujours grandissant.

— Allez, viens...

Christine entrouvrit son réticule pour régler les consommations, mais d'un geste autoritaire Arielle l'en empêcha.

— C'est pour moi, Bob ! cria-t-elle.

Et le barman lui fit un signe de la main. Elle leur fraya un chemin vers la sortie et les gens, pleins de bonne volonté, essayaient de s'écarter un peu sur son passage.

— Hello, Arielle !

— Hello !

C'est à l'extérieur, sur le boulevard, que Christine se rendit compte des effets du bourbon. Il faisait un peu plus frais à cette heure avancée de la nuit. Et, à côté de la température qui régnait au Jockey, c'était délicieux. Mais Christine eut du mal à rester vaillante sur ses deux jambes. Elle titubait tant soit peu et Arielle éclatait de rire, la soutenait sous l'œil du portier qui se tenait un peu à distance, l'œil fixé sur ce couple qui aurait pu paraître insolite partout ailleurs que sur le boulevard du Montparnasse, à Paris, en cette fin d'été 1925.

— Un taxi, mademoiselle Arielle ?

Elle secoua la tête et une mèche blonde lui barrait le front, exactement comme Serge quand il réfutait quelque argument, au cours d'une discussion.

— Je rentre à la maison, Jean.

Et elle ajouta à l'adresse de Christine :

— C'est à deux pas.

Christine la suivit sans l'ombre d'une hésitation. Se rendre chez cette inconnue habillée en homme lui paraissait tout à fait naturel. Elle avait suivi Serge jusqu'à l'hôtel Normandy, à Deauville, alors qu'elle ne savait rien de lui. Et elle n'en savait pas davantage aujourd'hui, au terme de ces semaines qui avaient bouleversé sa vie. Elle était consciente que tirer un parallèle était absurde, malgré cette ressemblance physique, si troublante. Arielle était à peine plus âgée qu'elle. Elle affichait avec ostentation l'ambiguïté de sa personnalité. Et Christine, qui n'avait pas l'ombre d'un préjugé, malgré son éducation plutôt austère, n'y trouva rien à dire ; au contraire.

— J'ai un atelier tout près du carrefour, expliqua Arielle.

Elle se comportait avec un naturel confondant, une gaieté qui n'était pas feinte. On avait l'impression que, pour ce personnage hors du commun, la vie devait être une fête perpétuelle. Elle souriait aux gens qui répondaient à son sourire. Personne ne se retournait sur sa silhouette quelque peu équivoque. C'était Montparnasse où chacun s'habillait comme bon lui semblait.

— Tu es peintre ? demanda Christine.

— Non. Modèle. Je pose pour les peintres et les photographes. Man Ray, tu connais ?

Elle devait connaître beaucoup de monde. C'était une rencontre providentielle. Elles pénétrèrent sous le porche d'un immeuble bancal. Il y avait un escalier à droite, un escalier à gauche, mais Arielle alla tout droit, poussa une porte dont une vitre était remplacée par un morceau de carton. Elles se trouvèrent dans une courette prise entre deux immeubles. L'atelier qu'habitait Arielle donnait sur cette cour par une porte surmontée d'une petite verrière comme on en voyait aux pavillons de banlieue. C'était Montparnasse-province. Un arbre exsangue poussait dans la cour. L'atelier ne méritait pas tout à fait son nom. C'était une longue pièce avec des recoins où régnait un fantastique désordre. Il n'y avait pour ainsi dire pas de meubles, mais un grand divan bas recouvert hâtivement d'un tapis persan sous lequel apparaissaient des draps chiffonnés. Une lampe à huile, montée à l'électricité, suspendue au bout d'une chaîne en métal doré, descendait du plafond pour éclairer le coin-canapé. Il y avait aussi un fauteuil en rotin à bascule sur lequel étaient jetés, pêle-mêle, cravates, chemises, tricots de corps, et des lampes à abat-jour bizarres un peu dans tous les coins.

Arielle saisit une bouteille et deux verres.

— Du bourbon! Rien à craindre...

Phrase sibylline. En même temps, elle défaisait son nœud de smoking et le col qui enserrait son cou. Un cou très délicat et qui n'avait rien de masculin.

Christine était restée au milieu de l'atelier, un peu désorientée. Occupée à remplir les verres, Arielle lui dit :

— Mets-toi sur le canapé, c'est tout ce que je peux t'offrir.

Christine s'installa et replia ses jambes sous ses cuisses. Arielle vint la rejoindre, se cala dans les coussins, ayant fait valser les escarpins vernis noirs qu'elle avait aux pieds. Christine, fascinée, suivit tous ses mouvements en se demandant si elle n'était pas en train de sortir de la vie réelle pour pénétrer dans un monde onirique où les êtres et les gestes qu'ils accomplissaient avaient un double sens. Car ces gestes-là lui étaient étrangement familiers. Cette cravate noire qu'on dénouait rageusement, Serge l'y avait habituée. Ce col

116

qu'on défaisait et surtout, cette façon de se débarrasser des escarpins... Christine avait-elle conscience que ces gestes étaient commandés par la nécessité ? Subjuguée, prise au piège de ce qu'elle avait vécu et ressenti durant tant de jours et tant de nuits, elle avança la main et répéta un geste qu'elle avait tant de fois esquissé dans cette chambre sur la mer où elle avait vécu l'amour le plus beau et le plus sordide : elle libéra la perle noire qui fermait le plastron de la chemise.

Arielle s'était immobilisée, les yeux mi-clos. Renversée sur le divan, elle avait tout d'un très jeune homme. En réponse au geste que venait de faire Christine, elle attira celle-ci contre elle, sur sa poitrine à moitié dénudée.

— Caresse-moi, je t'en supplie...

Christine eut un mouvement de recul. Quoique ayant beaucoup lu et appartenant à une génération bien plus libérée que celle de sa mère, elle fut comme prise de panique devant ce qu'elle découvrait pour la première fois de son existence : ce monde appelé par les gens bien-pensants qui l'avaient éduquée le monde du vice. Toute son éducation rigide, une fois encore et malgré les découvertes de cet été, revint à la surface. Elle croyait, parce qu'un homme, Serge, l'avait initiée au plaisir, avoir vaincu les scrupules, les tabous, les réticences propres à son milieu. Elle se croyait libre à présent; libre de son corps, libre de son âme. Elle essayait de refouler la terreur secrète qui l'étreignait face à cette liberté. Mais il suffisait que l'ange du Mal qu'incarnait Arielle mendie ses caresses pour qu'elle en éprouvât aussitôt une sorte d'horreur. Au même instant elle revint à elle, prit conscience de la réalité de cette situation et n'eut qu'une seule idée : s'enfuir au plus vite ! Comment avait-elle pu suivre cette jeune femme dans son atelier, et comment lui faire comprendre le malentendu dont elles avaient été victimes l'une et l'autre ?

Arielle devait se méprendre sur l'attitude réservée de Christine. Elle se débarrassa très vite de sa chemise et du reste avec le plus parfait naturel. Elle avait une toute petite poitrine ce qui lui permettait de porter si bien le veston d'homme, mais c'était une poitrine dessinée avec art, avec des pointes roses très pâles. Pas de hanches, de très longues jambes, un léger duvet blond sur les cuisses. Elle paraissait déliée et fragile comme un poulain nouveau-né.

— Écoute-moi, lui dit doucement Christine, écoute-moi, Arielle...

Elle perdait pied, car elle était incapable de se défendre contre un sentiment chaleureux, voire amical à l'égard de ce petit animal qu'était Arielle à ses yeux. Christine n'avait jamais rencontré encore un tel personnage et Arielle avait son âge!

— Pourquoi tu ne te déshabilles pas? demanda celle-ci.

Il y avait un peu d'impatience dans sa voix, mais, dans sa nudité, elle redevenait très femme, c'est-à-dire amicale, presque chaleureuse. Elle quitta le canapé et rejoignit Christine. Pieds nus elle avait exactement la même taille que la jeune fille. Posant pour les peintres, elle avait acquis une prodigieuse aisance, se déplaçant avec une grâce parfaite. Christine qui aimait la beauté ne pouvait s'empêcher d'admirer l'harmonie qui la caractérisait, tant à l'immoral qu'au physique. Arielle était une jeune femme très bien dans sa peau, même si, en apparence, elle se plaisait à vouloir en changer. Ne s'embarrassant guère des vêtements qui encombraient son rocking-chair, elle s'y laissa choir, une jambe passée par-dessus le bras du fauteuil, ce qui était d'une impudeur extrême; mais, et c'était là aux yeux de Christine un vrai miracle, elle ne paraissait en rien obscène.

— Je t'écoute, dit-elle seulement en allumant une cigarette.

Christine, subitement, sentit une grande lassitude.

« Je n'aurais jamais dû me laisser entraîner jusqu'ici... Il faut essayer de lui faire comprendre. »

— Tout à l'heure, murmura-t-elle, au Jockey, il m'est arrivé quelque chose de très bizarre : quand tu m'as parlé, j'ai cru un instant que... que tu étais quelqu'un d'autre. Et ce qui est étrange, c'est qu'il existe une ressemblance... C'est pour cela que j'ai eu l'impression que... que nous nous connaissons depuis longtemps.

— Et ce quelqu'un auquel je ressemble, c'est une fille ?

« Mon Dieu, se dit Christine, je me suis fichue dans une situation impossible... »

Et comme elle n'avait pas répondu, Arielle avec un naturel parfait conclut d'elle-même :

— Je comprends. Ce n'est pas une fille.

— Non. Et je n'étais entrée au Jockey que pour voir le propriétaire de la boîte.

— Voir s'il pouvait te fournir des renseignements au sujet de... cet homme, n'est-ce pas ?

— Oui.

Arielle tira quelques bouffées de la cigarette qu'elle venait d'allumer.

— En somme, dit-elle, tu ne cherchais pas une âme sœur.

— Non... non... en aucun cas !

Christine Decruze cherchant une « âme sœur » au Jockey...

Arielle écrasa sa cigarette dans un cendrier rempli de mégots.

— Ce type, c'est ton amant ?

— Oui.

— Mais il t'a laissée choir ?

— Non. C'est moi qui suis partie...

— Ah !...

Arielle n'en dit pas plus. Elle ne semblait guère intriguée par ce qu'il y avait de contradictoire dans l'affirmation de Christine qui cherchait à 3 heures du matin un homme qu'elle avait quitté. Elle se balança quelques instants en silence, puis elle se leva, s'approcha de Christine, posa ses deux bras sur les épaules de la jeune fille, la regarda avec une sorte de tendresse qui toucha Christine parce qu'elle l'avait toujours cherchée dans les yeux de Serge, ces yeux de métal et de lave qui la guettaient encore même qu'elle croyait leur avoir échappé. Arielle aussi avait les yeux bleus, mais plus pâles, un peu désabusés.

Arielle attira très doucement Christine vers elle et puis, lentement, avec une sorte de ferveur désarmante, elle l'embrassa sur les lèvres.

— Tu es fatiguée, hein?

Oui, Christine sentait la fatigue qui gagnait tout son corps. Ou était-ce l'ivresse qui la cernait comme une brume invisible? Elle aurait dû refuser de boire encore avec Arielle. Celle-ci paraissait insensible aux effets de cet alcool qu'elle absorbait si facilement, ce bourbon qu'elle affectionnait. Arielle, qui semblait frêle, était de ces êtres increvables qui cachent leur force et leur énergie, se servant de leur fragilité apparente pour mieux parvenir à leurs fins.

— Je pense... je pense que je devrais m'en aller...

Arielle fit sauter les boutons-pressions qui fermaient sur le devant la robe de Christine. Puis, avec beaucoup de douceur, elle frôla de ses lèvres le creux entre ses seins, un peu moite, car il faisait très chaud. Christine éprouva une sensation de plaisir telle qu'elle en fut effrayée. N'aurait-elle pas dû bondir devant le comportement amoureux d'Arielle qui mettait dans ses baisers une ferveur extrême, une sorte de dévotion qui les faisait ressembler aux préliminaires de l'amour. Elle l'embrassa dans le cou, lui mordilla le bout de l'oreille et Christine frémit. Une sorte de torpeur très douce l'envahit et elle ne protesta guère lorsqu'Arielle déboutonna adroitement sa robe et que celle-ci glissa jusqu'au sol. Elle portait des dessous très légers, une combinaison, comme il était d'usage. Arielle l'entraîna vers le canapé. Elle tira le tapis persan et découvrit les draps de soie roses, roses comme le corps d'Arielle, comme la pointe durcie de ses seins. Christine aurait voulu résister, mais elle en fut incapable, tant elle éprouva de bien-être au contact des draps fins.

Arielle, nue près d'elle, penchée sur elle, lui retira alors sa combinaison et aussitôt, sans la moindre transition, l'embrassa avec ferveur à l'endroit le plus secret de son corps. Elle le fit avec une habileté consommée, une douceur insidieuse qui arracha à Christine, malgré elle, un petit cri. Encouragée de la sorte, Arielle insista. Ses caresses avaient un pouvoir singulier. Et le corps d'Arielle était comme un miroir mouvant où Christine retrouvait l'image d'elle-même. L'émotion, le plaisir, le bien-être auquel se mêlait une étrange fraternité, autant de sensations nouvelles que Christine n'avait jamais éprouvées. Arielle l'entraînait vers des rivages inconnus. Ne cessant de caresser Christine, l'enveloppant, la cernant, elle était plus tendre et plus attentive que le plus tendre et le plus attentif des amants. Éperdument offerte, Christine attendait d'être submergée par les vagues roulantes de l'extrême joie et celle-ci, savamment retardée par Arielle qui cessa, puis reprit ses jeux, éclata soudainement comme un grand feu, embrasa le corps de Christine lui arrachant des cris et des gémissements. C'était à la fois très loin et très proche de l'amour tel que Christine l'avait connu jusqu'alors. Mais il y avait dans tout cela un goût de péché auquel Christine fut sensible à l'extrême.

« Je suis perdue, pensa-t-elle, cette fois, je suis vraiment perdue. Il n'y a pas de rémission. C'est bien ce que tout au fond de moi-même j'ai toujours pensé. L'enfer, c'est cela : cette envie de plaisir qui va toujours plus loin parce que, au fur et à mesure qu'on en découvre une parcelle, on voudrait posséder le tout. Mais il n'y a pas de fin, pas d'issue. L'on est condamné à la jouissance, comme on est condamné à la souffrance. »

Elle pensa que désormais elle ne pourrait plus jamais se débarrasser de la honte qui la rongeait comme le ver dans le fruit. La honte. Le remords. Les spectres de son enfance revenaient en force. Les anges noirs qui se métamorphosaient, changeaient de forme et d'aspect, mais qui étaient toujours là, témoins invisibles et présents. Christine perdait pied.

— Tu es bien ? lui demanda Arielle.

Que répondre ? Elle mesurait la distance infinie qui la séparait d'Arielle. Celle-ci était « bien » ou « mal ». Arielle pensait avec son corps. Il la commandait. Christine ne la jugeait pas. Peut-être même l'enviait-elle... Arielle ne se posait aucune des questions qui obsédaient Christine. Lui aurait-on parlé de la notion de « péché », elle aurait éclaté de rire ! Suspendue au cou de Christine, elle cherchait dans ses yeux une expression qu'elle croyait y déceler, ce qui la satisfaisait. Christine aurait eu horreur qu'elle jouât à l'homme, cette étrange amoureuse. Mais rien dans l'attitude d'Arielle pouvait le laisser croire un seul instant. Couchée sur le dos, peau à peau avec Christine, elle prit la main de cette dernière afin de la guider, lui apprenant de la sorte les caresses qu'elle venait de lui prodiguer; Christine, désireuse de la voir heureuse à son tour, guettait les prémices du plaisir. Elle dut vaincre de légères hésitations avant d'oser, elle aussi, se pencher sur Arielle comme sur son double, de la caresser, d'imprimer ses lèvres sur cette peau douce et familière, de découvrir l'émoi qu'elle suscitait, de voir qu'elle était en mesure de précéder Arielle jusqu'aux abords de la grande solitude qu'était l'orgasme, cette fin du monde. Arielle s'offrait, se dérobait, s'accrochait, se détachait, serpent, félin, et donnait à ce jeu des corps une saveur et une intensité telles que Christine s'acharnait, oubliant tout ce qui n'était pas le plaisir de celle qui l'avait rendue heureuse quelques instants plus tôt. Et Arielle caressée, embrassée avec une ferveur si fraternelle, gravit un à un les échelons qui menaient à l'extase. Soudain, elle poussa une suite de cris à demi étouffés, retenant Christine contre elle et ce pendant un long moment, comme une noyée accrochée à son sauveur.

— *I love you... I love you,* psalmodiait-elle.

Jamais Christine n'avait soupçonné seulement cette possibilité de don et d'abandon entre deux amies. Elle aimait la peau d'Arielle, l'intimité d'Arielle, ses contradictions, sa sincérité. Mais en même temps, elle était effrayée par le spectacle qu'elle offrait. Son visage et son corps jouaient, mimaient, éprouvaient cette passion qui ne pouvait être donnée, pensait Christine, que par un homme.

« Pourquoi ne suis-je pas épouvantée ? se demanda Christine. Est-il possible que je vienne d'avoir la révélation de ma véritable nature ? »

— Chérie, murmura l'autre, chérie, je t'adore... Tu m'aimes divinement, tu sais. C'est merveilleux...

Elle rit doucement.

— ... et dire que je ne sais même pas comment tu t'appelles !

Christine le lui ayant dit, elle le répéta plusieurs fois comme si elle savourait un fruit :

— Christine... Christine... (Puis elle redevint grave.) Cette histoire de ressemblance, c'est vraiment bizarre, murmura-t-elle.

— Tu dois me prendre pour une espèce de folle...

— Non. Pas du tout. Ça ne me déplaît pas tellement, au fond. C'est... oui, c'est poétique ! Mais je déteste les hommes, je les déteste à un point tel que...

Elle se tut, se pencha brusquement sur Christine, lui arrachant un petit cri, car elle lui avait mordillé le sein. Christine sentit un frisson la parcourir. Et elle en fut surprise, voire effrayée...

— Ce sont tous des salauds, dit Arielle. Et ce qui est

plus grave, c'est qu'ils sont aussi repoussants physiquement qu'ils sont pourris moralement.

Christine la dévisageait, se demandant ce qui avait bien pu provoquer une haine aussi virulente.

— ... Bien sûr, j'ai commencé, comme une imbécile, par être amoureuse d'un type, un jour. Et puis un autre. Et puis un troisième. Tous plus vaches les uns que les autres. Leur amour dont ils se gargarisent, ces ordures, ce n'est rien d'autre qu'un viol que tu subis, une humiliation sans fin... Tu en sors, n'est-ce pas, chérie ?

— Oui, j'en sors, murmura Christine.

— Et on est toujours perdante. Un jour, j'ai connu une fille merveilleuse. On a vécu ensemble. C'était mieux que tout. Mieux que tout ce que j'avais connu avant. C'était la liberté, tu comprends ? Et aussi l'amitié. Pas seulement la passion, la possession et toute leur littérature hypocrite autour. La possession dont ils font tout un plat, comme si on ne pouvait pas être heureuses sans eux ! Et jamais d'amitié... Tu as déjà fait l'amitié avec un homme, toi ?

Christine pensa à François-Paul.

— Oui, dit-elle. Je crois...

Mais sincère avec elle-même, elle admettait dans son for intérieur que ce n'était pas de l'amitié : Lamiran était amoureux d'elle.

Arielle sauta en bas du divan et alla pêcher des cigarettes par terre.

« Se pourrait-il qu'un jour je devienne comme elle, exactement comme elle ? se demanda Christine. Se pourrait-il que, moi aussi, je puisse en arriver à vivre dans la haine des hommes ? Est-ce vraiment possible ? »

Mais en même temps, elle se souvenait de ce qu'elle avait vécu près de Serge.

— Tu dois connaître beaucoup de monde à Montparnasse, dit Christine.

— Je connais les peintres, répondit Arielle. Ceux qui

me font poser et beaucoup d'autres. C'est une grande famille.

— Je sais, murmura Christine. L'homme que je recherche n'est pas un peintre, mais il a beaucoup vécu parmi eux. Il fréquente aussi les galeries, les marchands... Il s'appelle Serge Massey.

Arielle fronça les sourcils.

— Peut-être est-ce un nom que tu as déjà entendu prononcer ? hasarda Christine.

Le modèle secoua la tête.

— Non, dit-elle finalement. Serge Massey ça ne me dit rien du tout... Mais je demanderai à Hyler. Je le connais très bien... C'est un compatriote.

— Tu es américaine, Arielle ?

— *Yes, darling.* Et toi ?

— Je suis du parc Monceau.

— Ça se trouve où ?

— A Paris, dit Christine. Je crois que sortie de Montparnasse tu te perds dans Paris.

— C'est bien possible. Aussi je ne sors jamais de Montparnasse !

Elles rirent toutes les deux. Et Arielle l'embrassa à pleine bouche.

— Où habites-tu ? lui demanda-t-elle.

— Je te l'ai dit : près du parc Monceau... (Très franche de nature, elle ajouta aussitôt :) Mais tout à l'heure, j'ai pris une chambre dans un petit hôtel sur le boulevard Montparnasse...

— Tu t'es disputée avec tes parents ?

— Non, dit Christine. Mais je voulais...

Elle chercha sa combinaison dans l'enchevêtrement des draps, la trouva enfin, se leva et commença à se rhabiller, se sachant observée par Arielle.

— ... je voulais, poursuivit-elle, m'installer à Montparnasse pour quelque temps...

— Le temps de retrouver ton amant ?

— Oui.

Christine revint vers le lit.

— Serge a un ami que tu as peut-être rencontré...

Le visage d'Arielle était indéchiffrable.

— Peut-être...

— Il s'appelle Alexis Solokoff.

Arielle se mit à rire, tout doucement.

— Tout le monde connaît Alex, admit-elle finalement.

Christine s'arrêta de respirer.

— Il faut que je voie cet homme !

Arielle examinait avec le plus vif intérêt les ongles de ses pieds taillés et manucurés avec un soin extrême.

— Je trouve, dit-elle, que tu as beaucoup d'hommes dans ta vie.

— Je n'ai jamais rencontré le prince Solokoff, affirma Christine.

Elle s'assit au bord du divan.

— Je t'en prie, Arielle. Aide-moi...

— On ne sait jamais où il est, Alex. En ce moment il se trouve peut-être à Greenwich Village ou en Égypte. Méfie-toi de lui : c'est un horrible séducteur. Le seul homme que je connaisse auquel les filles envoient des fleurs. Je devrais le détester, mais je l'adore.

Elle avait dit tout cela d'une traite sans lever la tête.

— Mais quand il est à Paris, tu sais où il habite ?

— Bien sûr, chérie.

Elle regarda enfin Christine.

— Je pourrais te conduire chez lui, si je voulais.

— Quand ?

— Quand tu voudras. Maintenant.

Christine la regarda, ahurie.

— Maintenant ? Mais il doit être au moins 4 heures du matin !

— C'est le meilleur moment... La fiesta doit battre son plein. Même quand Alex est en voyage, il y a toujours un monde fou dans son atelier. Il laisse les clefs à ses amis... et la fête continue! (Elle se tut. Puis :) Oui. Si je voulais, je pourrais t'y amener... Ça t'arrangerait, hein, ma belle?

Quelque chose dans sa voix déplut à Christine.

— Tu pourrais si tu voulais, dit-elle d'une voix lasse, mais seulement voilà : tu ne veux pas!

Arielle caressa doucement l'épaule de Christine, puis l'embrassa.

— Nous pourrions... insinua-t-elle, nous pourrions... Et puis, un peu plus tard, je t'emmènerai chez Alex...

Elle glissa ses mains entre les cuisses de Christine et eut un geste destiné à préciser le sens des propos prudents qu'elle venait de tenir.

— Tu tiens beaucoup à connaître Alex, n'est-ce pas?

Elle avait dit cette phrase sur un tel ton que Christine sursauta. Elle eut un haut-le-cœur. Une sorte de rage froide qu'elle connaissait gagna progressivement :

— J'y tiens beaucoup, oui. Tu peux penser ce que tu veux, je m'en moque. Cet homme, Serge, j'ai voulu le tuer, vois-tu... Je... je l'ai blessé à la tête. Une plaie affreuse. Il faut... il faut que je sache. Ils sont très amis. Mais... ce marché que tu as l'air de me proposer, je le trouve abject. Tu me parlais tout à l'heure de tes rapports avec les hommes... Tu sais bien : de maître à esclave... Mais qu'est-ce que tu es en train de faire, ma pauvre Arielle? Tu fais exactement comme un type qui paie une fille pour qu'elle lui fasse l'amour. Il n'y a aucune différence. Ton attitude est sans équivoque. Elle signifie : viens te coucher, Christine, viens me... viens me faire l'amour et après tu seras payée des services rendus : je te ferai connaître le prince Alexis Solokoff! Donnant, donnant.

Elle finit de boutonner sa robe, redevenant Christine Decruze descendue de la plaine Monceau pour respirer le soufre de l'enfer, de l'autre côté de la Seine. Sodome et Gomorrhe. Arielle avait jailli des draps. Christine se demanda si elle n'allait pas la frapper. Mais non. Les paroles prononcées par Christine semblaient l'avoir touchée au vif. Et Christine, au même moment, eut conscience que, pour la première fois depuis la nuit atroce à l'hôtel Normandy, elle s'était confiée à quelqu'un; à cette inconnue dont elle ne connaissait que le prénom, alors qu'elle ne s'était jamais livrée totalement à François-Paul! Comment l'expliquer? De toute manière, il n'était plus possible d'effacer ce qui avait été dit. Christine n'en éprouva même pas de regret, tout juste une intense surprise. Elle était bien incapable de définir ce qu'elle éprouvait pour Arielle, mais elle était certaine d'une chose à vrai dire stupéfiante : elle n'éprouvait aucun sentiment d'horreur en pensant à ce qui venait de se passer, aucun remords, pas le moindre regret. Ce simulacre d'amour ne l'avait ni choquée ni horrifiée.

Christine fut surprise de peur : elle avait peur d'elle-même, de ce qu'elle entrevoyait de sa véritable nature. Arielle avait dû mal interpréter la frayeur qui se lisait sur le visage de Christine. Elle se dressa devant elle, décomposée :

— Ne t'en va pas comme ça, Christine... Je n'aurais jamais dû te parler ainsi. Tu me plais, c'est vrai. Mais il y a beaucoup de filles qui ont la peau agréable. Toi, c'est autre chose, je te le jure. Il ne faut pas que tu prennes la fuite. L'amitié, tu sais, l'amitié c'est difficile, plus difficile que l'amour à 3 heures du matin avec une inconnue. Et je voudrais beaucoup devenir ton amie. Tu veux bien me pardonner, dis?

Elle se faisait presque suppliante. Un peu effrayée par le pathétique de son attitude, mais touchée aussi, car Arielle paraissait tout à fait sincère et même pitoyable, Christine essaya de la calmer.

— Bien entendu que je ne t'en veux pas. Tu sais, à cette heure-ci on perd un peu le sens de la mesure...

Arielle avait retrouvé ses bas de soie noirs qu'elle enfilait en sautillant. Elle était si ravissante et si impudique que, quoi qu'elle fît, c'était toujours un très joli spectacle.

— Pourquoi est-ce que tu t'habilles ? demanda Christine.

Arielle, vêtue seulement de ses bas, tenant un escarpin d'une main et de l'autre son pantalon de smoking, releva sa tête.

— Je me rhabille, chérie, parce qu'il n'y a qu'une seule façon de te prouver que je pense ce que je viens de te dire : c'est de t'emmener chez Alex, rue de la Gaîté, derrière Bobino.


Rue de la Gaîté. 4 heures du matin ou presque. Trottoirs à peu près déserts, maïs des bistrots encore ouverts avec des filles au zinc et des poivrots. Un peu de fraîcheur, mais des traînées de parfum bon marché et une odeur de gaufres. C'était davantage provincial que les abords du Dôme et de la Rotonde. Moins sophistiqué, plus populaire.

Arielle marchait les mains dans les poches de sa veste de smoking, cigarette au bec. Christine supposait qu'elle devait traîner ainsi toutes les nuits, jusqu'à l'aube, d'une boîte à l'autre, d'une fête à l'autre, d'un lit à l'autre. Le ciel s'éclaircissait déjà au-dessus du feuillage touffu des arbres.

— Je n'imaginais pas un prince russe et millionnaire habitant par ici, murmura Christine.

— Alex, c'est un bohème, un drôle de type, tu verras... Et il a un atelier formidable. On se croirait en Europe Centrale... Et il a tout fait lui-même : les meubles, les murs, les cheminées...

« Drôle de prince, en vérité », pensa Christine alors qu'Arielle la précédait dans une impasse mal pavée, bordée de petits jardins au fond desquels se dressaient des maisons particulières d'aspect bourgeois. Devant l'une d'elles, occupant presque toute la largeur du cul-de-sac, stationnait une Hispano-Suiza à la carrosserie étincelante. L'étage supérieur de la maison était entièrement vitré. Derrière les voilures s'agitaient des ombres. Une musique leur parvint, dissonante, égrenée par un phonographe. Christine reconnut une œuvre d'Éric Satie que Serge aimait et que son père détestait...

L'escalier sentait le cirage; la porte du second étage était grande ouverte. Il suffisait d'entrer.

— Viens... qu'est-ce que tu attends, Christine?

Dans le vaste atelier une trentaine de personnes mangeaient, buvaient, discutaient avec une sorte d'allégresse dans un décor qui évoquait un intérieur paysan avec son énorme table, maçonnée grossièrement à la chaux, jonchée de bouteilles en vrac. Des sièges, taillés de la même façon dans le chêne et le noyer et où trônaient quelques femmes vêtues avec excentricité, couvertes de chaînes et de colliers. La plupart des invités se tenaient debout ou étaient assis à même le sol parmi les sculptures de Brancusi, en bronze poli, d'une admirable pureté de forme, réduites à leur seul volume géométrique et qui se fondaient à l'ensemble, aux meubles et aux gens, avec une aisance surprenante. La musique de Satie, le bourdonnement des voix, une fumée stagnante et qui prenait Christine à la tête et à la gorge la replongeant dans cet état d'ivresse légère qu'elle croyait évaporé et que le climat régnant en ce lieu exigeait, semblait-il, car tout le monde paraissait sinon ivre, du moins éméché.

— Tu as de la chance, chérie, lui souffla Arielle en passant son bras sous le sien, Alex est parmi nous!

Un homme en pantalon de velours enjambait les gens assis ou allongés à même le sol et venait vers Arielle. Il était plutôt corpulent, mais bel homme, avec une barbe épaisse, en éventail, et un nez de conquistador. Christine ne lui prêta aucune attention. Au bout de la table, piquant dans un plat à l'aide d'une longue fourchette des oignons qu'il enrobait de crème fraîche pour les présenter ensuite à un essaim de jolies filles qui l'entouraient, se tenait Serge!... Serge, arborant une chemise brodée, fermée au col, à la russe, très pâle, plus archange que jamais, le front bandé comme quelque révolutionnaire blessé sur une barricade!

Il se passa quelque chose de tout à fait étrange. Christine eut l'impression que la musique, le brouhaha des voix, les cris des femmes surexcitées s'éteignirent brusquement comme une bougie qu'on souffle. Elle ne perçut plus rien. Rien d'autre que les battements fous de son cœur. Il était là, à quelques pas, l'homme qu'elle croyait avoir tué... Le cauchemar s'estompait pour de vrai, cette fois. Les gens qui s'entassaient dans l'atelier devenaient comme transparents. Mais lui, Serge, était tout à fait présent. Présent, mais figé subitement, comme frappé par la foudre. Il était pâle déjà, mais voyant Christine avancer vers lui, il devenait livide. Ses pupilles se rétrécirent. Il tenait sa fourchette démesurément longue, comiquement piquée d'un oignon, comme une arme dérisoire au bout de son bras, comme si elle était en mesure de le défendre contre Christine qui avançait toujours, bousculant des invités sans s'en rendre compte, n'entendant pas, près d'elle, la voix inquiète d'Arielle.

— Christine... Christine, qu'est-ce que tu as?

Ce qui se produisit alors eut le don de ramener le bruit, tous les bruits, la réalité, la présence charnelle de tous ces gens qui avaient effectivement interrompu leurs conversations comme s'ils sentaient qu'un drame allait se dérouler sous leurs yeux. Un drame? Entre ce très beau jeune homme apparemment terrorisé et cette très belle jeune fille qui s'avançait vers lui avec une étrange expression dans les yeux?

— Alex! Alex, c'est elle! Elle... elle va tirer sur moi! Elle est armée, j'en suis sûr!

Cette voix glapissante, était-ce bien celle de Serge? L'homme à la barbe en éventail saisit Christine par le bras. Elle se dégagea d'un geste brusque et véhément avec une autorité telle que Solokoff en resta médusé un court instant.

— Laissez-moi !

— C'est elle, Alex ! Je t'avais bien dit qu'elle me retrouverait, qu'elle est capable de tout ! Fais quelque chose, bon Dieu ! hurlait Serge. Elle m'a raté une première fois, mais cette fois c'est la bonne !

Christine ne comprit pas. Elle serrait contre elle son réticule en lamé. Les regards de l'assistance étaient rivés sur cet objet aux reflets métalliques qu'ils devaient prendre pour une arme à feu. Ils étaient fin saouls. La terreur de Serge était communicative. Une femme aux cheveux décolorés poussa un cri hystérique. Il y eut comme un commencement de panique. Les gens se piétinaient, essayaient de gagner la porte, pendant que l'homme au pantalon de velours ceinturait Christine par-derrière.

Jusqu'alors immobile, n'osant ni avancer, ni reculer, Serge écarta brutalement tous ceux qui, affolés, lui barraient le passage, et se rua sur la porte ouverte. On entendit décroître la folle cavalcade dans l'escalier. Cette fois, ce n'était pas un silence imaginaire qui était tombé sur l'assistance. Celle-ci, médusée, dégrisée, cernait Christine. L'homme qui la tenait solidement lui arracha son sac, l'ouvrit et fit tomber sur le sol ce qu'il contenait : un peu d'argent, un bâton de rouge et un poudrier ! Il éclata de rire :

— Voyez vous-mêmes, mes amis... Elle n'est pas armée ! (Il se précipita vers l'entrée :) Serge ! Reviens, bon sang... C'était une blague ! Elle n'a pas d'arme ! Serge...

Le prince Alexis revint en haussant les épaules :

— Quel poltron ! Il est vraiment parti... Il a pris ses jambes à son cou et... hop ! Plus de Serge !

Et tourné vers Christine, il ajouta :

— Il n'a pas exagéré quand il m'a dit, en parlant de vous, que vous étiez une fille exceptionnelle. Exceptionnelle et redoutable. Blague à part, vous savez que vous avez failli nous le tuer, à Deauville, notre Serge ?

Christine se tenait très droite, au milieu de l'asssistance qui retrouvait son aplomb, son bagout. Quelqu'un s'était empressé de remettre un autre disque sur le phonographe et les cuivres d'un jazz-band en folie éclatèrent et détendirent l'atmosphère. Un couple se mit à danser. En quelques secondes, l'intérêt suscité par l'incident était retombé. La fête reprenait ses droits.

Christine venait d'avoir la révélation d'un Serge inconnu, dépouillé de sa morgue, de son extraordinaire assurance, un homme que la peur rendait méconnaissable...

— Christine !

C'était Arielle qui la secouait durement, l'œil étincelant, toutes griffes dehors comme une chatte rendue sauvage par l'odeur du sang.

— C'est pas vrai, Christine ? C'est pas ça ton homme, ton amant, celui qu'il fallait retrouver à tout prix ?

Christine voulut lui expliquer que le personnage qui venait de s'enfuir n'avait aucun rapport avec l'homme des nuits de Deauville, l'amant diabolique, l'intelligence à multiples facettes qui avait su la fasciner... Bien sûr, c'était ce même corps d'adolescent souple, le même visage aux traits presque trop réguliers. Une apparence physique, la suprême élégance...

Mais ce qui venait d'arriver l'avait rendue muette. Elle se trouvait entre le prince Alexis qui semblait s'amuser royalement, estimant sans doute que l'arrivée de Christine avait singulièrement pimenté la soirée, et Arielle qui secouait ses cheveux coupés à la garçonne dans un mouvement de fureur vengeresse.

— Mais qu'est-ce que c'est que ce type-là ? Un homme ? Et c'est ce que nous sommes censées aimer, adorer ? Reviens à toi, Christine chérie. Tu l'as vu, comme moi, mort de trouille ! Pour un peu il s'évanouissait, le chérubin ! Tu sais, *darling,* qu'ils sont presque tous comme ça ? Le seul reproche que je peux te faire, le jour où tu lui as cassé le crâne, à ce héros, c'est d'y être allée avec trop de douceur !

Chacune des paroles prononcées par la jeune femme atteignait Christine, la touchait au vif. L'image de Serge idéalisé par elle au fil des nuits s'estompait pour laisser la place à cet homme trop beau, trop vulnérable, qui avait su, à la faveur des circonstances, prendre sur elle un pouvoir que ces quelques secondes de peur panique avaient fait voler en éclats. Que restait-il de l'archange ? Et depuis quand les anges avaient-ils peur de la mort ? Christine avait la sensation de revenir d'un long périple en marge de la vraie vie. Les pas de Serge s'étaient définitivement perdus. Son image, ternie à jamais, s'était déformée comme si elle avait été reflétée dans les glaces des baraques foraines qui rendaient ridicules n'importe quelle apparence, fût-elle la dignité personnifiée.

Christine avait la certitude d'être enfin libérée de son obsession. Il y avait en elle comme un grand vide, une douleur fulgurante.

« J'ai voulu mourir pour un fantoche, pour l'ombre d'un homme, pour un jongleur de phrases... »

Elle fut sans pitié pour elle-même et pour Serge.

« Est-ce que j'aurai, un jour, le courage d'en faire l'aveu à François-Paul ? »

Elle se posa la question, n'osant imaginer la réaction d'un Lamiran s'il avait été le témoin de la scène qui venait de se dérouler.

— Je... je vous prie de m'excuser pour ce qui vient de se passer, dit-elle d'une voix blanche à l'intention du prince Alexis.

Elle se dirigea vers la porte. Solokoff la rattrapa.

— Vous excuser, ma chère ? Mais vous avez été divine, magnifique ! Comme on dit au théâtre : une présence du tonnerre !

Elle le regarda, stupéfaite.

— Je croyais que vous étiez un ami de Serge ?

L'autre eut un geste d'impuissance.

— Bien entendu. Mais tout à fait entre nous, je sais ce qu'il vaut... Les défauts des gens sont parfois plus attachants que leurs qualités. Vous ne voulez pas accepter une coupe de champagne ?

— Non, monsieur.

Elle quitta l'atelier sans se retourner.

— Ne partez pas ainsi ! Je voudrais absolument vous revoir !

Alexis Solokoff se tenait sur le pas de la porte où sa silhouette se découpait sur un fond de « fiesta » comme aurait dit Arielle. Christine se rendit compte que cet homme avait un grand charme et sans aucun doute un prodigieux goût de vivre. Elle le regarda un instant sans rien dire. Ensuite, elle haussa les épaules et commença à descendre l'escalier. Lorsqu'elle déboucha dans la ruelle, c'était l'aube. Un petit matin violet. Même la rue de la Gaîté somnolait enfin. Plus guère de passants, mais des poubelles surchargées, jonchant les trottoirs. Elle entendit un pas derrière elle et se retourna : Arielle.

— Attends-moi, Christine...

Elles marchèrent en direction du boulevard du Montparnasse. En silence. Depuis un moment Christine sentait la fatigue pesant sur la nuque, au creux des reins. Mais aussi une grande sérénité, un grand calme intérieur. Pour la première fois depuis de longues semaines, elle retrouvait enfin un équilibre né, il est vrai, dans le déséquilibre et la démence du Montparnasse nocturne. Serge était sorti de sa vie, piteusement. Un homme y était entré à la suite de circonstances exceptionnelles. Il se nommait François-Paul Lamiran et il lui avait demandé de travailler avec lui ! Et c'est seulement à ce moment-là, à l'aube de ce jour, que Christine comprit qu'elle allait découvrir grâce à lui un univers nouveau et mystérieux, celui du cinéma. Le cinéma qu'elle aimait passionnément, les images en noir et blanc et ces mythes vivants : les acteurs, les stars! Balayé le désespoir, balayé Serge, l'ange noir!

Christine s'arrêta, prit Arielle par les épaules :

— C'est formidable, la vie, tu ne trouves pas ?

Dans le regard de la jeune Américaine, elle découvrit une sorte d'adoration qui l'embarrassa. Elle revécut en pensée, de manière fulgurante, ce qui lui parut déjà comme irréel et fantastique : le moment d'abandon entre les bras d'Arielle, cette rencontre fraternelle de deux corps.

— Tu sais, lui dit-elle très vite, je... je ne regrette rien de ce qui s'est passé entre nous cette nuit, mais je crois... (Elle s'arrêta, embarrassée. Puis elle reprit, bravement :) Oui, je crois que je préfère que nous devenions des amies, sans plus... Est-ce que tu me comprends, Arielle ?

L'Américaine soutint son regard.

— Est-ce que tu es d'accord ?

Brève hésitation. Et puis :

— *O.K., darling...*

Elles se séparèrent devant l'hôtel proche du carrefour.

— Quand est-ce que je te revois, Christine ?

— Je ne sais pas. Je commence à travailler aujourd'hui, tu comprends ? Je passerai te voir dès que j'aurai un moment. Je te le promets !

Elle l'embrassa sur la joue. Cette fois, c'était vraiment le matin. Dix minutes plus tard, Christine dormait profondément.

# 3

# LA CHATELAINE

— Toi, me faire ça ! toi, François-Paul, que je considérais comme un ami, mieux que ça : un frère !

Le géant au teint rubicond pointait en direction de Lamiran un doigt vengeur. Le metteur en scène venait de faire son entrée sur le plateau A des studios de Joinville où s'achevait le tournage de *La châtelaine*.

— Pas de chance, murmura-t-il à l'intention de Christine qui se tenait près de lui, pas de chance : l'auteur !

Christine essayait de faire un tri parmi les impressions nouvelles qui l'assaillaient de toutes parts, depuis le moment où, en compagnie de François-Paul, elle avait franchi les grilles du studio, vaste complexe où se dressait le hangar à l'intérieur duquel avait été édifié le décor d'une salle de château Renaissance avec ses hautes fenêtres. Au delà, émerveillée, Christine avait découvert les frondaisons d'un parc reconstitué et balayé par le soleil artificiel des lampes à arc.

Dès leur arrivée, une multitude de gens s'étaient précipités au-devant de François-Paul qui avait eu une poignée de main et un mot gentil pour tout le monde. Il présenta Christine par une formule lapidaire :

— Voilà Christine qui va travailler avec nous.

Et Christine avait senti sur elle des regards surpris, narquois et même jaloux lorsqu'il s'agissait de la script-girl, Lolita, une sorte de secrétaire-fourmi attachée aux pas de son metteur en scène comme un chien fidèle.

Christine avait eu l'impression d'un chaos général, d'un fantastique désordre qui n'attendait que son *deus ex machina,* François-Paul, pour se métamorphoser en une ruche fébrile. Sans la présence du metteur en scène à ses côtés, elle n'aurait su comment fendre ces groupes d'hommes affairés, les charpentiers avec leur hache à la ceinture et la cohorte des électriciens changeant les câbles qui serpentaient à même le sol.

« Mais que font-ils, tous ces gens ? » s'était-elle demandé au moment où la voix, tonitruante, du géant avait fait tourner toutes les têtes et imposé un silence stupéfait sur le plateau A.

— L'auteur ? répéta Christine à mi-voix.

— L'auteur du roman *La châtelaine,* voyons... D'où j'ai tiré le scénario de mon film.

Bien sûr. Christine reconnut, pour l'avoir vu croqué dans la presse par les caricaturistes, Henri Vassal, écrivain à la mode, dont les œuvres, plutôt scandaleuses, défrayaient la chronique depuis quelques années.

— Je le croyais dans sa campagne, celui-là, dit François-Paul entre ses dents, sans lâcher le bras de Christine.

Il ne semblait pas autrement ému par le ton véhément du romancier.

— Calme-toi, mon petit vieux, dit-il seulement.

— Me calmer ? hurla l'autre. Me calmer alors que je sors de la projection où l'on a bien voulu me montrer un premier montage de ton film ?

Lamiran se rembrunit.

— Qui s'est permis de te montrer un pré-montage sans mon autorisation ?

Lolita, qui s'était accroupie au pied de la caméra, un énorme cahier sur les genoux, un crayon entre les dents, leva un œil humide sur François-Paul :

— C'est votre producteur, monsieur... Il n'y avait personne d'autre à cette projection : juste lui et M. Vassal !

Christine lui trouvait une étrange ressemblance avec

un épagneul, ressemblance que soulignait encore la coiffure.

« C'est une vieille fille amoureuse de François-Paul, se dit-elle. Et si elle pouvait me dévorer toute crue, elle le ferait sur-le-champ ! » Elle se dit aussi que le metteur en scène avait tant de collaborateurs que sa présence à elle paraissait tout à fait superflue. « Son assistante, d'accord. Mais, outre le jeune homme à lunettes qu'il m'a présenté comme son premier assistant, il y a aussi l'épagneul... Que de monde, que de monde !... »

Jamais elle n'avait pensé que la réalisation d'un film pouvait nécessiter un tel déploiement. Henri Vassal se dressait au milieu du mobilier espagnol et les projecteurs disposés sur des passerelles tout autour du décor l'éclairaient crûment comme s'il s'était agi d'un acteur.

— Traître ! hurlait-il. Quand je pense que je t'ai fait confiance, que je m'étais dit : avec Lamiran, tu ne risques rien, il sera fidèle au roman... Je t'en fiche !

François-Paul entra dans le rond de lumière dessiné par les projecteurs. Il se retourna vers Christine qui avait osé le suivre.

— Que je te présente à notre auteur, Christine.

Vassal, la découvrant, grimaça un sourire, tout de même, et fit entendre un petit sifflement. Christine, impressionnée, avança sur le carrelage en faux marbre qui recouvrait le sol. Pour la première fois de son existence elle sentait l'ivresse des projecteurs braqués sur elle, ivresse que connaissaient tous les artistes, qui les rendait morts de peur ou leur donnait des ailes...

— N'essaie pas de m'amadouer ! reprit le romancier. La plus belle fille du monde viendrait, en ce moment, comme un cheveu sur la soupe ! Est-ce que oui ou non tu as trahi mon roman ?

— Oui, concéda François-Paul, je l'ai trahi dans l'intérêt de notre film.

L'autre le saisit au revers de son veston, fou furieux.

— Mais je m'en tape, moi, de « l'intérêt de votre

film » ! Et mon bouquin ? Et mes cent mille lecteurs qui vont aller voir le film, qui s'imaginent qu'ils vont retrouver des personnages et des situations qu'ils ont aimés et qui vont voir tout à fait autre chose ?

C'était un hercule dans son genre, mais François-Paul, nullement impressionné, lui fit lâcher prise d'une tape presque amicale.

— Décidément, tu ne comprendras jamais rien au cinéma, mon pauvre vieux... D'abord, quand j'ai fait acheter les droits de ton bouquin, tu étais aux anges !

— Je ne savais pas ce qui m'attendait.

— N'empêche que tu as empoché ton chèque avec des mines de chat gourmand ! Et il me semble bien que dans l'euphorie du moment tu m'avais même dit que, pour ce qui était de l'adaptation, tu t'en lavais les mains !

— J'ai dit ça parce que j'avais confiance !

François-Paul le regarda, imperturbable, dans le blanc des yeux.

— Tu as eu tort. Moi, tel que tu me vois, je ne fais confiance à personne... C'est le meilleur moyen de ne pas être déçu. Maintenant, pour ce qui est de la trahison, j'ai remplacé les mots par de l'action, voilà tout. Faut-il te rappeler que le cinéma est un art muet ? Christine...

Elle sursauta. Un peu en retrait, gênée d'être, avec les deux hommes qui s'affrontaient, le point de mire de toute l'équipe rassemblée dans l'ombre, elle avança bravement de deux pas.

« C'est comme si je me trouvais sur une scène de théâtre, pensa-t-elle, jouant un rôle dont je ne connaîtrais pas un traître mot ! »

— Christine, tu es à peu près la seule à avoir vu un premier montage de mon film...

Christine le regarda, stupéfaite. Mais comment pouvait-il dire une telle énormité ? Elle ne savait même pas ce qu'était un « premier montage » et elle n'avait jamais

140

vu la moindre image du film que François-Paul achevait à Joinville. Elle voulut dire quelque chose, mais il l'en empêcha.

— Et, bien entendu, tu as lu *La châtelaine* de mon ami Henri Vassal...

Christine n'avait pas lu le roman, mais elle se souvenait de l'avoir vu aux devantures des librairies. Vassal était ce qu'on appelait un auteur à la mode.

— Tu sais, dit le metteur en scène au romancier, j'ai la plus grande confiance dans le jugement de Christine. (Et, se tournant vers la jeune fille, il ajouta :) et je pense, Christine, que tu préfères cent fois la fin du film à celle du livre ?

Il la regarda. Un air impérieux qui lui dictait sa réponse. Elle n'aurait jamais cru qu'un homme serait capable de se sortir avec une telle désinvolture d'une situation malaisée, face à un personnage comme Vassal, qui ne devait pas se laisser impressionner facilement. Subjuguée, sa volonté se trouva annihilée par celle de François-Paul, elle s'entendit répondre :

— Oui... C'est vrai... Il me semble que la fin du film est de beaucoup supérieure à la fin du roman. Je veux dire plus incisive !

— Tu vois ! s'écria Lamiran à l'intention du romancier, tu vois que Christine, qui n'a pas vingt ans et qui représente une fraction importante de notre public, partage tout à fait mon opinion ! Qu'est-ce que tu veux opposer comme arguments à ceux qui représentent soixante-cinq pour cent des spectateurs ?

Vassal, que la colère semblait presque étouffer, voulut se lancer dans une diatribe virulente, mais il en fut empêché par une voix de femme, incisive, coupante, qui s'éleva, vibrante, dans l'assistance :

— N'insistez pas, mon pauvre ami. Vous savez bien que, face à François-Paul, vous n'aurez jamais le dernier mot !

L'expression furieuse sur le visage de l'écrivain se

métamorphosa. Il chercha du regard celle qui venait de lui prodiguer ce conseil. Christine vit François-Paul froncer les sourcils.

— Déjà prête à tourner, Elvira ?

— Depuis un bon moment, mon chéri. J'attendais dans ma loge, comme il se doit pour une actrice disciplinée, que mon seigneur et maître, qui est aussi mon metteur en scène, veuille bien me faire prévenir que tout était prêt ! Comme je ne voyais rien venir, j'ai voulu savoir ce qui se passait sur le plateau...

— Eh bien, tu le sais à présent : nous avons reçu la visite de notre auteur.

Christine se rendit très bien compte que le calme de François-Paul n'était qu'apparent, de même que la célèbre Elvira Dort affichait une fausse humilité, car tout dans sa voix et dans son attitude démentait cette simplicité feinte. Alors que l'on s'écartait respectueusement sur son passage, elle passa de l'ombre à la lumière, prenant possession du décor qui était manifestement « son » décor.

Christine eut le souffle coupé devant cette apparition. Elle l'avait vue dans une dizaine de films, femme fatale inusable, sous d'immenses chapeaux, le teint blafard, l'œil sombre, la bouche comme une blessure s'ouvrant sur une dentition de fauve... Elvira Dort ! On l'aimait ou on la haïssait, mais c'était encore une star quoique vieillissante, un peu trop lourde de corps, avec les rides du cou et du front qu'un maquillage savant n'arrivait pas à supprimer. Mais dans sa longue robe de velours rouge sang, qui laissait nues les épaules, c'était vraiment la « Châtelaine » avec cette sensualité à fleur de peau qu'exigeait le rôle.

Henri Vassal, abandonnant pour un instant ses airs de justicier, lui baisa cérémonieusement la main, mais elle ne quittait pas du regard Christine. Et celle-ci put lire dans cet œil de rapace rien qui ressemblait tant soit peu à de la sympathie. Au contraire.

— Tu ne me présentes pas cette petite merveille, François-Paul ? siffla Elvira.

— Christine Decruze qui, comme tu as pu t'en rendre compte, s'intéresse beaucoup au cinéma...

— ... et au séduisant metteur en scène que tu es, mon chéri.

— Elvira, je t'en prie !

Agacé, mais réussissant à se dominer, il ajouta à l'intention de Christine :

— Ma femme a un sens de l'humour très personnel.

Sa femme !

Christine resta sans voix. Sa femme... Comment avait-elle pu ne pas se souvenir des multiples échos qu'elle avait souvent relevés dans la presse spécialisée ? Mais elle ne s'était jamais passionnée pour le côté « potins » du cinéma, dont tant de gens faisaient leurs délices, mariant untel avec une telle, les divorçant et les remariant par ailleurs. Tout ce qui avait été la base de l'éducation de Christine, le respect de certaines valeurs morales, une sorte d'épouvante face au mal, revenait à la surface, comme par miracle. Elle le connaissait bien, ce sentiment-là, pour l'avoir si souvent éprouvé ; ce remords tenace qui faisait qu'elle se reprochait ses actions, son comportement, qu'elle s'en voulait jusqu'au désespoir du péché commis, de l'attitude morale condamnable, des sentiments inavouables, des gestes, des mots...

« Cette femme, cette vieille femme qui se trouvait à l'apogée de sa gloire, alors que je savais tout juste lire et écrire, c'est sa femme, la femme de François-Paul ! »

Elle fut saisie d'épouvante en pensant à son comportement face à Lamiran, cette attirance qu'il exerçait sur elle et dont elle se cachait d'autant moins qu'à présent Serge était sorti de sa vie, comme happé par une trappe, et que François-Paul avec sa force et sa réelle virilité s'était imposé à elle, progressivement, et qu'ils allaient l'un vers l'autre... Marié ! Tout s'opposait à l'idée qu'elle, Christine Decruze, pourrait le détacher de sa femme. Il ne le fallait à aucun prix. Elle sentait qu'elle était profondément attirée par François-Paul, qu'il était en mesure de lui apporter beaucoup et, ce qui avait tant d'importance pour elle, qu'elle pouvait, elle aussi, lui donner quelque chose d'elle-même dont il avait besoin. Il le lui avait laissé entendre.

« Non. Il ne faut plus y penser. J'ai été folle, inconsciente. J'aurais dû savoir qu'il était l'époux d'Elvira Dort ! »

Une voix lui parvint. Elle s'aperçut que la fameuse actrice s'adressait à elle et à elle seule.

— Voyez-vous, mademoiselle, avec un homme comme François-Paul, il en faut pas mal, de l'humour... Si vous saviez le nombre de jeunes filles ravissantes, comme vous, que j'ai vues défiler durant nos quinze ans de mariage... Heureusement pour moi, elles étaient toutes plus stupides les unes que les autres et bien peu ont fait carrière ailleurs que dans les chambres à coucher ! Mais vous, il me semble que c'est autre chose... Seriez-vous intelligente, mon petit ?

Christine aurait voulu répliquer, mais Elvira ne le lui permit point.

Elle se tourna vers Lamiran :

— Oui, mon chéri, celle-ci serait-elle plus intelligente que la cohorte habituelle des petites actrices rêvant d'être stars grâce au grand François-Paul Lamiran ?

Cette fois, il perdit son calme.

— Elvira, ça suffit ! Ton comportement est grotesque et tu sais parfaitement pourquoi. Quant à Christine, je l'ai prise avec moi comme assistante.

— Comme... quoi ?

Christine put lire sur le visage prodigieusement expressif de l'actrice une stupéfaction qui, elle, n'était pas feinte.

— Une assistante ? Monsieur a besoin d'une assistante à présent ?

144

A la grande surprise de Christine, la foule des collaborateurs du metteur en scène, témoins de cette scène plutôt déplaisante, vaquait à ses occupations comme si les paroles aigres échangées entre la star et son époux metteur en scène ne les concernaient guère. Christine se dit qu'ils devaient avoir l'habitude de tels éclats.

— Mademoiselle l'assistante !

— Madame...

Elvira arborait un fume-cigarette d'une longueur démesurée qu'elle tenait au bout des doigts avec une grâce souveraine.

— Rappelez-moi donc votre nom, mon petit.

— Christine.

— Eh bien, Christine, cela vous ennuierait de me chercher une allumette ?

— Cela m'ennuierait beaucoup, madame ! dit Christine à haute et intelligible voix.

Elle se tenait debout à la place que Lamiran lui avait indiquée. Un machiniste avait tracé à la craie un cercle à même le carrelage. Avant que Christine pût seulement poursuivre, François-Paul avait déjà donné du feu à son épouse.

— Et ton assistante, alors, mon chéri ? A quoi servirait-elle, sinon à rendre de menus services à la vedette ? Aurais-tu oublié que, quand je t'ai connu, tu ne faisais que ça sur les plateaux des studios Gaumont alors que j'étais déjà une star ?

Christine se retenait pour ne pas répondre de façon cinglante à l'odieuse Elvira Dort.

« Ou plutôt, pensa-t-elle, je devrais m'en aller. Sans esprit de retour. Mais dans quelle abominable histoire me suis-je embarquée ? Cet homme qui prétend m'aimer, qui me fait une cour tenace et presque bouleversante, tant qu'elle paraît sincère, est le mari de cette femme qui... qui... »

— Arrête immédiatement ton cirque ou cela finira

très mal, je te préviens, dit le metteur en scène entre ses dents, pâle de colère.

Christine n'avait pas perdu une syllabe de cet échange d'amabilités.

« Il faudra que je tienne le coup! Si jamais j'arrive à me faire adopter par tous ces gens, je ne sais pas encore où cela me mènera, mais je pourrais certainement gagner ma vie d'une façon ou d'une autre, devenir libre, indépendante. Cette femme me hait, c'est visible. Et la script-girl, elle non plus, ne doit pas me porter dans son cœur. Mais l'homme à la casquette que François-Paul m'a présenté comme le chef opérateur m'a fait un clin d'œil encourageant il y a deux minutes... Et le gros bonhomme en gilet de corps et qui semble régner sur les électriciens qui vont et viennent là-haut, sur les passerelles, eh bien, lui aussi m'a fait un gentil sourire... Un peu de courage, Christine. Même Henri Vassal qui a fait la grimace tout à l'heure ne semble pas m'en vouloir de ma complicité avec François-Paul. »

Le romancier, précisément, malgré sa haute taille et sa voix de stentor, était comme submergé par l'activité qui se déployait depuis le moment où Elvira Dort avait, avec tant d'éclat, manifesté sa présence sur le plateau.

— Je suis désolée, madame, mais dans ce plan votre cigarette n'est pas allumée!

C'était l'épagneul qui venait d'élever la voix, le crayon entre les dents.

— De quoi vous mêlez-vous? lança Elvira.

— Voyons, madame, dit avec douceur, mais fermeté, la scripte, dans le plan précédent que nous avons tourné la semaine dernière, vous ne fumiez pas. Dans celui-ci qui est dans le même axe, mais plus rapproché, vous ne pouvez pas fumer pour la bonne raison que vous n'avez pas eu le temps d'allumer votre cigarette!

Furieuse, Elvira éteignit sa cigarette. François-Paul avais saisi son mégaphone, entonnoir métallique à travers lequel sa voix amplifiée dominait le brouhaha qui régnait dans le studio. Il lui suffisait d'ailleurs de le porter à ses lèvres pour obtenir aussitôt l'attention de tous.

— Je voudrais répéter la scène en entier une fois et dans le silence.

Christine admirait le pouvoir qui était le sien; sans faire preuve d'autorité manifeste, il exerçait sur tous ceux qui travaillaient avec lui une sorte de fascination. Il parlait et l'on se taisait. Il avait fait un signe à la jeune fille et celle-ci était venue près de lui sous le regard chargé d'ironie d'Elvira Dort qui rongeait son frein.

— Je te rappelle que ce plan se situe tout au début du film, dit le metteur en scène à l'intention de sa femme.

Christine n'y comprenait plus rien.

— Mais vous êtes en train de le terminer, votre film! s'exclama-t-elle ahurie.

— C'est exact, Christine. Il arrive très souvent de commencer un film par la fin ou de le terminer par le début. Ça dépend des décors et des extérieurs et aussi de la liberté des acteurs.

Il reprit son mégaphone, ayant fourni ces explications à mi-voix. Mais Elvira avait tout entendu.

— Vous avez bien de la chance, mon petit, dit-elle. Généralement le grand homme a horreur d'être dérangé par des questions stupides lorsqu'il est en train de travailler.

Christine l'aurait volontiers étranglée. Lamiran regardait le décor à travers son viseur.

— Si vous avez besoin d'autres renseignements, adressez-vous donc à moi, murmura une voix à l'oreille de Christine qui perçut en même temps une forte odeur de lavande.

Elle se retourna et découvrit derrière elle un homme drapé dans une robe de chambre en soie. Elle le reconnut aussitôt : c'était Willy Malone, le jeune premier de tant de films à succès. Ce garçon d'une trentaine d'années, adoré des femmes, interprétait dans *La châtelaine* le rôle du garde-chasse. En effet, il arborait, sous sa fastueuse robe de chambre, une culotte de cheval en drap rugueux, verdâtre, des leggins et des brodequins usés par la marche et les intempéries. Sa large poitrine était nue et Christine découvrit, horrifiée, qu'elle était soigneusement épilée, sans doute pour ne point choquer la pudeur du public.

— Je ne sais pas où ce farceur de Lamiran vous a dégotée, mon enfant, poursuivit-il à voix très basse, remuant à peine les lèvres, mais avec des jambes comme les vôtres, des seins comme les vôtres, des yeux comme les vôtres, vous devriez vivre les Mille et Une Nuits vingt-quatre heures sur vingt-quatre !

Au même instant, Christine sentit une main lui caresser très doucement le bas des reins. Elle sursauta, s'écarta.

— Willy chéri ! Tu ne m'embrasses pas ce matin ?

C'était la voix impérieuse d'Elvira. Malone se précipita.

— Méfiez-vous de ce guignol lubrique, dit alors Lolita, son crayon entre les dents. Il ne peut pas s'empêcher de tripoter les gens.

Elle avait levé ses yeux d'épagneul vers Christine et celle-ci, subitement, crut y lire quelque chose comme une vague sympathie.

— Un peu de silence, mes enfants !

La voix de François-Paul dans le mégaphone.

— ... On va essayer de le tourner... Christine ! (Il la cherchait des yeux, baissa le mégaphone.) Reste près de moi, Christine, dit-il.

Elvira, toujours debout sous le feu des projecteurs, son fume-cigarette au bout des doigts, éclata de rire. Un rire très désagréable.

— C'est trop drôle : le maître et l'élève !

Lamiran avança de quelques pas de manière à se trouver tout contre son épouse. On eût pu croire qu'il lui donnait des indications de jeu, mais Christine entendit le dialogue suivant :

— Si tu continues, je quitte le plateau.

— François-Paul, je ne t'ai jamais vu ainsi... Serais-tu amoureux ?

Pour toute réponse, il se détourna avec brusquerie.

— Tout le monde est prêt ?

Il regarda interrogativement le cameraman qui se tenait derrière l'appareil de prises de vues, l'œil collé au « dépoli », la main sur la manivelle. Christine trouvait qu'il avait tout du fauve prêt à bondir sur une proie.

« Sa proie, se dit-elle, c'est l'acteur dont il va enregistrer toutes les expressions... »

Elle envia Elvira Dort. Celle-ci, visiblement, s'épanouissait sous les lumières, objet de tous les regards, pôle, centre attractif. La star semblait s'ouvrir comme une fleur au soleil, sûre de son pouvoir.

— Chéri, murmura-t-elle de sa voix la plus suave, tu sais bien que je suis incapable de jouer mon rôle sans musique !

Lamiran resta impassible.

— Phonographe...

Lolita, qui devait avoir une grande habitude des exigences de la vedette, remonta le phonographe qui se trouvait à portée de sa main, posé sur une chaise. Aussitôt les accents d'un tango argentin, nasillards, s'échappèrent de l'entonnoir.

— Non, dit Elvira, non, pas de tango ce matin. Je ne suis pas d'humeur tango !

Christine regardait François-Paul. En apparence impassible, il était sur le point d'éclater, Christine en avait la certitude.

— Mais, madame, bredouillait la scripte, nous n'avons que ce disque-là... c'est vous qui l'avez exigé !

— Mon enfant, dit Elvira, le jour où un homme consentira à vous révéler le monde merveilleux de la passion, vous découvrirez, entre autres, la possibilité

149

que nous avons, nous autres femmes, de détester aujourd'hui ce que nous avons adoré hier ! Je ne supporte plus cette musique-là. C'est physique.

— Et quelle musique supportes-tu aujourd'hui ? demanda Lamiran, étrangement calme.

— Chopin, mon chéri.

Un silence pesant avait envahi l'équipe du film qui sentait la tension insoutenable entre le couple. Christine avisa dans un coin de l'immense décor un piano de concert. Pour couper court à un éclat, elle s'y installa et se mit à jouer celui des nocturnes de Chopin qu'elle connaissait par cœur.

— Mais elle est dans le champ, cette petite idiote ! hurla Elvira saisie d'une incompréhensible fureur, alors que s'égrenait le nocturne.

— Merde ! hurla Lamiran à bout de patience, merde, merde et merde ! Tu voulais du Chopin, on te le sert à chaud et tu trouves le moyen de rouspéter ! Machino !...

— Voilà ! Voilà...

Deux hommes en espadrilles et treillis bleu se présentèrent. François-Paul leur donna des instructions, ils appelèrent trois de leurs camarades à la rescousse. Quelques secondes plus tard, Christine se sentit soulevée sur son tabouret par des bras habitués à ce genre de transport. On la déposa, toujours sur son siège, quelques mètres plus loin, hors du champ de la caméra où elle retrouva le Steinway que les machinistes avaient déplacé en même temps que la pianiste.

— Alors, Elvira ? Cela te convient-il ? Joue, Christine, joue-lui son Chopin du matin !

Penchée sur le clavier, Christine reprit son jeu.

— Cette fois-ci, je pense qu'on va pouvoir le tourner... Tout le monde en place... Lumières... caméra...

Le metteur en scène donna ses ultimes instructions.

« Jamais je ne tiendrai, se dit-elle en surveillant sa main gauche. J'ai été stupide de m'imaginer ce qui n'est pas. Marié... François-Paul est marié à cette furie...

Qu'est-ce que je viens faire dans sa vie ? Et où cela me mènera-t-il de pianoter dans le coin d'un studio de cinéma pour entretenir la flamme artistique d'une affreuse cabotine ? »

Elle se sentait gagnée par le désespoir.

« Et si je retournais là-bas, à Trouville ? Non. Il faut tenir coûte que coûte. Trop tard. Je ne peux plus revenir en arrière... »

A midi, elle avait mal aux doigts à force d'avoir joué et rejoué du Chopin. Mais François-Paul avait réussi à mettre en boîte quelques bouts de scène qui, tels les morceaux d'un puzzle, devaient lui permettre de dire dans les jours à venir :

« J'ai fini mon film ! »

Ce qui frappait le plus Christine, c'était la conviction que mettaient les acteurs à jouer leurs scènes, puis, aussitôt après, à réintégrer leur propre personnage. Ils se racontaient entre eux une multitude d'anecdotes et de bons mots généralement assez méchants et qui concernaient toujours des gens du spectacle. A ce jeu, Elvira Dort était imbattable. Vassal, l'auteur, après sa prise de bec avec François-Paul, et sur les instances d'Elvira, n'avait pas déserté le studio. D'ailleurs, ce fut là une autre découverte que fit Christine : dans le cinéma les gens pouvaient se dire les pires choses, s'insulter, en venir aux mains ou presque, pour se retrouver peu après comme si de rien n'était, se donnant du « mon chéri » ou du « vieux frère ».

« Où est la sincérité ? se demandait Christine, et elle ajouta pour elle-même : Un acteur est sans doute totalement sincère lorsqu'il joue. Jamais avant, jamais après... »

Elle aurait voulu découvrir, elle aussi, cette autre sincérité, cet extraordinaire déshabillage de l'âme qu'était le jeu devant un public ou devant une caméra. Et puis elle se reprocha ce désir tenace qui la tenaillait encore, alors que les événements avaient pris une autre tour-

nure et qu'elle ne savait plus s'il fallait s'en féliciter ou
s'en désoler. François-Paul paraissait heureux que l'auteur de *La châtelaine* se préoccupât suffisamment d'Elvira pour que celle-ci en oubliât de prendre pour cible
de ses sarcasmes « l'assistante » du metteur en scène.

— ... et il paraît, dit le romancier, se promenant
entre deux prises avec Elvira qu'il avait familièrement
prise par la taille, il paraît, ma chère Elvira, que vous
avez fort bien connu mon ami Catulle Desforges, le
poète surréaliste ?

Elvira roucoula d'aise; c'était sa façon de rire ou plutôt de glousser.

— Je pense bien que je l'ai connu : il me lisait ses
poèmes toute la nuit et me ratait le matin !

Christine, de saisissement, plaqua un accord faux, car
elle n'avait cessé pendant ce temps d'égrener du Chopin. Elle était horrifiée : une femme disant une chose
pareille devant son mari ! Ce dernier ne paraissait nullement choqué. Pas plus que ceux, présents sur le plateau,
qui avaient entendu ce bout de dialogue.

— Tu es prête, Elvira ? On tourne !

Riant encore au souvenir de sa liaison avec Desforges, Elvira reprit sa place devant la caméra.

— Dans ce plan, lui dit le metteur en scène, tu viens
d'apprendre que ton mari s'est suicidé... Lolita va te lire
le texte du sous-titre au cas où tu l'aurais oublié. C'est le
valet de chambre qui parle... Nous avons tourné la
scène le mois dernier...

Christine ne put qu'admirer le stoïcisme d'Elvira
apprenant qu'elle devait réagir avec un mois de retard à
ce qui était sans doute l'un des sommets dramatiques
du film !

Lolita ânonnait tant bien que mal le texte qui paraî-
trait sur les écrans, au centre d'un carton artistement
enjolivé, devant des milliers de spectateurs pâmés.

— Madame... un affreux malheur... Monsieur le
baron s'est tiré une balle dans le cœur !

Autour d'Elvira trente personnes ne la quittaient pas du regard, sans parler des électriciens sur les passerelles, derrière leurs « casseroles ». Christine, elle, n'avait d'yeux que pour François-Paul qui se tenait à côté de la caméra, guidant de sa voix l'actrice, celle-ci devenant malléable comme une poupée d'argile. Elle avait alors pleinement conscience du pouvoir qu'il détenait.

— D'abord hautaine, irritée même, car le domestique n'a même pas frappé avant d'entrer...

Elvira fronça les sourcils entièrement redessinés au crayon et darda sur la caméra l'un de ces regards glacés dont elle avait l'exclusivité.

— Je veux lire dans tes yeux un changement total. Pense Elvira, pense... Il vient te dire que ton amant, tu sais bien, le petit Brésilien, vient de se tuer au volant de son Hispano !

Aussitôt les yeux de la star devenaient immenses. Christine n'en revenait pas : le regard d'Elvira devenait humide, presque émouvant... A croire qu'elle avait du cœur !

« A croire aussi, se dit Christine, qu'elle a vraiment un amant brésilien ! »

— C'est que tu l'aimes, ton petit gigolo, poursuivit François-Paul, impitoyable. Tu pensais que ce n'était qu'une passade, un numéro de plus dans ta collection, et pas du tout ! Tu l'aimes et il se tue en automobile !

Une larme unique coulait sur la joue peinte de « La châtelaine ». Christine était convaincue que Lamiran avait réussi à toucher un point sensible.

— Ouf ! disait François-Paul. Coupe, mon gros.

Le cameraman cessa de tourner sa manivelle et se releva de derrière son drap noir.

— Pour moi, ça peut aller.

— Pour moi, ça ne va pas du tout ! s'écria Elvira. Mon maquillage est en train de tourner ! Je vais avoir l'air d'une centenaire.

— Refaisons-le ! dit, résigné, le metteur en scène.

Elvira se tourna vers Christine qui avait baissé les bras, subjuguée par ce qu'elle voyait.

— Jouez, mon petit, jouez... Vous voyez bien que tout le monde ici travaille. Alors pourquoi pas vous ?

Christine avait la sensation que l'interminable séance de piano à laquelle elle avait dû se livrer pour satisfaire au caprice d'Elvira lui avait attiré l'estime de l'équipe technique. En fin de journée, Lolita rédigeait sur ses genoux, toujours au pied de la caméra, des bouts de papier.

— Christine, vous voulez bien m'aider ?

— Bien sûr...

L'épagneul tendit à Christine plusieurs fiches.

— C'est le plan de travail pour demain... Les acteurs sont déjà dans leurs loges en train de se démaquiller. Vous leur déposez à chacun son petit papier.

Christine avait du mal à s'habituer aux humbles fonctions de l'assistante. On lui demandait de la sorte une multitude de petits services qui la faisaient courir sans cesse. Mais elle avait conscience d'être ainsi mêlée à tous ceux qui participaient au tournage de *La châtelaine.* François-Paul était invisible. Sans doute discutait-il derrière les portes closes d'un bureau avec un personnage mythique qu'elle n'avait pas encore vu et que l'on appelait « le producteur ».

Elle s'engagea dans le long couloir sur lequel s'ouvraient des portes numérotées avec les noms des acteurs principaux somptueusement calligraphiés par le service « décoration ». Elle consulta ses papiers. Elle frappa.

— Qu'est-ce que c'est ?

— Le plan de travail pour demain, monsieur Malone.

Le jeune premier était assis devant sa table de maquillage, torse nu. Une glace à trois faces lui renvoyait ses deux profils et l'image de Christine dans l'encadrement de la porte.

— Entrez et fermez la porte.

Elle entra, mais laissa la porte ouverte.

— Auriez-vous peur de moi ? questionna le beau Willy.

Il n'avait pas tourné la tête, lui adressant la parole dans la glace. Elle trouvait que ce torse trop parfait, trop lisse, trop rose, avait quelque chose d'effrayant.

« On le croirait en pâte d'amandes, ne pouvait-elle s'empêcher de penser. Ou bien en cire, sorti d'une vitrine. »

— Mais non, mon chéri. Elle n'a pas peur de toi. Elle n'a peur de rien !

Christine se retourna. Vêtue d'un déshabillé en crêpe blanc, Elvira Dort, la figure enduite de vaseline blanche, s'appuyait au chambranle de la porte. L'acteur, à sa table, avait les traits figés. La « Châtelaine » pénétra dans la loge, coupant toute retraite à Christine, dardant sur elle son regard d'autant plus féroce qu'il éclatait littéralement dans le masque gras, effrayant, qu'elle arborait.

— C'est moi, il y a vingt ans. Une volonté à laquelle rien ne résiste. Tu veux la sauter, chéri, la ravissante assistante de notre metteur en scène vénéré ? Elle ne dira certainement pas « non ». On ne sait jamais... tu pourrais lui être utile, la recommander...

Christine n'en crut pas ses oreilles. Elle voulut protester, mais « la » Dort ne l'y autorisa pas.

— ... pas à moi, petite fille, pas à moi... Si tu savais tout ce que j'ai enduré avant de décrocher enfin un rôle, un vrai... Si tu savais toutes les peaux que j'ai dû caresser avant de choisir moi-même mes amants... et mon mari ! Au moins, Willy a l'avantage d'être beau. Il a autant de saveur qu'un verre d'eau minérale, mais s'il a envie de toi, laisse-toi faire. Peut-être bien que dans son prochain film il te trouvera un bout de silhouette... Ne te fais pas trop d'illusions tout de même. La reconnaissance du ventre, ce n'est pas leur fort, à ces messieurs...

Christine, sous la virulence de cette attaque, était plus qu'ébranlée puisque c'était la femme de François-Paul qui lui parlait ainsi.

« Il vit avec elle... il l'a aimée, il l'aime peut-être encore... Elle est effrayante, un monstre. Son amertume, sa vision du monde dans lequel elle vit, sa conception des êtres. Comment Lamiran qui est enthousiaste et généreux peut-il supporter cela ? »

Elle voulut s'échapper du traquenard, mais Elvira l'en empêcha. Elle la saisit par le bras. Christine avait l'impression d'un rapace qui la maintenait dans ses serres.

— Ça t'embête, hein, toutes ces vérités ? Ça t'ennuie, petite garce, de me savoir lucide ? Assistante... L'assistante du metteur en scène ! Tu as déjà entendu ça, Willy ? Avec ce visage fait pour les sunlights et ces yeux-là... Tu as vu ce regard, Willy ? Cette expression ? Tu sais qu'elle marcherait sur mon cadavre pour que François-Paul lui taille un rôle sur mesure ? Tu sais qu'elle ne pense qu'à ça ?

— Écoute, Elvira...

— La ferme, Willy ! Tu sais bien que tu as tout intérêt à rester dans la vie comme au cinéma : muet ! Dès que tu parles, c'est le désastre. Alors, tais-toi... Mais elle, tu l'as remarqué, c'est tout à fait autre chose. Moi, mon vernis, je me le suis acheté. A crédit. Chaque fois que je faisais l'amour avec un type un peu évolué, je lui barbotais un peu de sa classe. C'est comme ça que je suis devenue une star. Mais elle, c'est une enfant d'excellente famille. Elle a tout cela de naissance. Leçons de piano. Leçons d'anglais, leçons de tout... Je me demande si, au lit, c'est une affaire... Question de professeur !

C'en était trop. Christine, pétrifiée un instant, retrouva toute sa vigueur. Elle repoussa Elvira Dort, la forçant à lui lâcher le bras. A sa table de maquillage, figé, inexpressif, Willy Malone tenait d'une main une grosse touffe de coton hydrophile qu'il aurait dû passer sur son visage. Mais il n'en fit rien. C'était un peu grotesque, cet homme taillé en athlète avec son coton au bout des doigts.

— Je... je vous plains, madame, haleta Christine. Je... je ne comprends pas pourquoi vous croyez que... que les autres puissent vous ressembler, à vous... Je... je vous admirais très sincèrement et je pensais que... qu'une grande actrice...

Elle était incapable de poursuivre, incapable de répliquer à tant d'aigreur, à tant de rancœur étalée. Elle bouscula Elvira, se précipita dans le couloir. Elle courut devant elle, jetant les bouts de papier qu'elle tenait encore serrés dans sa main. Partir... fuir... Ne plus entendre cette voix, ne plus voir ce visage mis à nu, impudique ou presque, s'évader de cette odeur de lavande et de produits de beauté. Et, en même temps, Christine en avait cruellement conscience, il y avait un fond de vérité dans ce que disait avec tant de méchanceté celle qui avait été l'une des plus grandes stars de l'écran : Christine mourait d'envie de jouer, de s'identifier à un personnage. Une fois entrée dans l'univers du cinéma, elle le savait déjà, même devant les réalités les plus sordides, elle pouvait difficilement ne pas succomber au charme, au mystère, à une certaine ambiance, à une certaine odeur, à un certain climat à la fois de camaraderie et de haine, de fraternité et de jalousie. Mais il y avait François-Paul... Non. Il fallait en finir. Tirer un trait. Tout basculait dans le vide. La cour du studio surchauffée, la grille sévèrement gardée, les automobiles étincelantes des grands du cinéma, leur carte de visite. La torpédo de François-Paul, un peu isolée, comme si l'on respectait l'automobile autant que son propriétaire.

Christine arrêta sa course, se rappela son retour à Paris avec Lamiran et surtout leur première rencontre.

Elle eut un geste enfantin. Elle posa la main sur le capot brûlant de la voiture. C'était comme une caresse furtive !

— Christine !

Une fenêtre ouverte, un homme penché sur le rebord : François-Paul.

— Attends-moi, Christine !

Non. A aucun prix. « Je ne veux plus le revoir. Plus jamais. C'est impossible. »

Elle reprit sa course, passa devant le gardien en uniforme, éberlué. Elle se trouva sur une route presque campagnarde. Joinville-le-Pont, c'était la banlieue. Cette fin d'été était torride. Elle sentait sa robe légère collée contre sa peau. Où trouver un taxi ? Il devait y avoir une gare, des trains... Elle était venue là avec François-Paul, en auto. Elle n'avait même pas prêté attention au chemin compliqué qui menait jusque-là. Surexcitée à la pensée de pénétrer à la suite du metteur en scène à l'intérieur de l'enceinte mystérieuse, anxieuse et impatiente de connaître ces êtres fascinants : les acteurs ! Ce qu'elle avait vu, ce qu'elle avait entendu... Peut-être aurait-il mieux valu ne jamais franchir le pas, garder ses illusions, ces rêves presque enfantins où le cinéma et ses apôtres étaient nimbés d'une auréole qui les rendait différents des autres humains. Ce que Christine venait d'entendre lui donnait envie de vomir. Cette femme si belle, malgré la fatigue du corps et des traits, et que la haine rendait horrible.

« Elle me hait, non parce qu'elle est jalouse, mais parce que j'ai vingt ans de moins qu'elle », se dit Christine.

Le bruit d'un moteur de voiture. Elle ne le connaissait que trop bien, ce bruit. Une fois encore il vint s'arrêter à sa hauteur, mais en plein jour cette fois, en pleine lumière.

— Christine chérie, qu'est-ce qui t'a pris ? On dirait

un voleur qui se sauve... Je te ramenais, voyons... Christine, qu'est-ce qu'il y a ?

Elle le regardait, incapable de prononcer un seul mot. Elle devait être effrayante à voir, car il bondit hors de son véhicule, par-dessus la portière basse. Il lui tendit ses bras. Elle dut faire un effort immense pour ne pas se laisser aller, éclater en sanglots, se blottir contre lui. Mais elle ne voulait pas.

— Laissez-moi...

Il la retint.

— Qu'est-ce qui s'est passé, chérie ? C'est... c'est Elvira, n'est-ce pas ?

Le regard de Christine étincelait.

— Pourquoi ? Pourquoi ne m'avoir pas parlé d'elle ? Je... je ne savais même pas que... qu'elle existait, qu'elle était votre femme, qu'elle jouait un rôle dans votre vie !

Il prit Christine par les épaules, comme il l'avait déjà fait souvent. Il paraissait malheureux.

— Reprends-toi, Christine. Je te jure que depuis des années Elvira ne joue plus aucun rôle dans ma vie. Tout le monde dans le métier le sait. Et tout le monde sait que sa carrière est fichue. *La châtelaine* est sans doute son dernier film. Je devais le faire, comprends-tu... C'est une grande actrice, c'était une grande vedette et c'est une sacrée bonne femme. Il faut que je te parle d'elle...

Il voulut l'installer dans la voiture. Elle se dégagea.

— Pourquoi ne pas m'en avoir parlé avant, François-Paul ?

Il y eut un bref silence. Ils se mesurèrent du regard.

— Bon Dieu ! dit le metteur en scène, j'adore les femmes, mais elles ont le don de me surprendre encore au point de me couper le souffle. Je ne t'ai jamais parlé d'Elvira, chérie, parce que, quand je t'ai connue, tu étais sur le point de te suicider, que tu avais dans ta vie de gros problèmes à résoudre et... et que je n'ai jamais eu l'occasion de te parler de moi, de ma vie et... de mes problèmes.

Christine comprit à la seconde même à quel point il avait raison. Une vague de tendresse la submergea. Il avait été très bon avec elle, infiniment compréhensif.

— Je suis folle, murmura-t-elle. Je vous demande pardon. Je suis folle et sans doute égocentrique. Mais si je vous ai tant parlé de moi, c'est... c'est que vous m'y avez poussée.

Elle ne résista plus lorsqu'il l'installa près de lui dans la voiture.

— C'est bizarre, dit François-Paul, nos grandes explications, nous les avons toujours en automobile.

Il démarra doucement. Cette banlieue, en pareille saison, était vraiment déserte. Le soleil rougeoyait au-dessus d'un paysage mi-campagnard, mi-urbain. Il devait être assez tard. Quelques voitures, venant du studio, les dépassèrent, ralentirent en reconnaissant le metteur en scène qui répondit à peine aux saluts empressés de leurs occupants.

— Que s'est-il passé exactement ? Elle t'a prise à partie, insultée ?

— Oui... non. Je ne sais plus.

François-Paul ne dit rien, puis :

— Elle ne m'a jamais aimé, tu sais. Elle n'aime personne. Elle aime Elvira Dort. Bien sûr, au début de notre mariage, j'étais amoureux d'elle. Je l'admirais follement. J'aime les actrices. C'est fou ce qu'elle a pu m'apprendre. Elle s'est faite elle-même, à la force du poignet. Rien n'a été facile pour elle. C'est ce qui lui a donné cette carapace. Mais c'est une écorchée vive. Une vraie sensibilité. Depuis plus de dix ans, il n'y a plus rien entre nous. Mais je veille sur elle. Même de loin. J'assiste, épouvanté, à l'écroulement de sa vie, à la fin de sa carrière de vedette de cinéma. L'abandonner totalement à son sort, ce serait la pire des lâchetés. Christine, j'en suis incapable...

Christine se dit que c'était bien lui qui parlait ainsi,

lui, l'homme qu'elle avait appris à aimer et à respecter au fil des semaines.

— Je sais, François-Paul...

— Tu me comprends, n'est-ce pas ?

— Oui. Bien sûr...

— Je ne pouvais pas deviner, alors que nous vivons elle et moi depuis si longtemps chacun de notre côté, que ta seule apparition sur le plateau provoquerait chez elle une réaction pour ainsi dire épidermique ! Mais son instinct est infaillible. Il lui a suffi d'une minute à peine pour comprendre que je t'aimais et ça... ça...

Il s'arrêta.

— Pourtant, vous devez avoir eu beaucoup de maîtresses, dit Christine.

Silence.

— Je ne les aimais pas, dit-il enfin, et Elvira le savait fort bien. Mes aventures l'ont toujours laissée parfaitement indifférente.

Ils rentrèrent dans Paris. La circulation était déjà plus dense. C'était vraiment la fin des vacances. Christine ne s'était jamais sentie plus proche de l'homme aux côtés duquel elle était assise. Ils ne se parlaient point, mais il y avait entre eux comme une entente, un lien tout neuf. Ils n'avaient plus de secrets l'un pour l'autre, ou presque.

Christine se demanda si, un jour, elle serait capable de tout dire à un homme tel que lui.

Ils approchèrent de Montparnasse. Il s'arrêta près du carrefour Vavin. Il tourna la tête vers Christine. Il pénétra derrière elle dans le hall du petit hôtel. Il n'y avait personne à la réception. Christine prit sa clef. Et lorsque la porte de la chambre se referma derrière eux, ils tombèrent dans les bras l'un de l'autre.

Les rideaux de la chambre étaient à demi tirés. D'emblée une odeur de serre avait saisi Christine à la gorge. Elle avisa sur la table une magnifique corbeille de fleurs qui ne s'y trouvait point lorsqu'elle avait quitté l'hôtel le matin. Mais elle n'eut guère le temps de se poser des questions au sujet de cet envoi, car les mains impérieuses de François-Paul la dépouillaient progressivement de ses vêtements, car la bouche de François-Paul écrasait sa bouche. Il la coucha sur le lit. Il avait une force prodigieuse, une présence qui faisait reculer les murs de la chambre. C'était un homme qui s'imposait par son corps massif, et par ce qu'il dégageait d'électricité. C'était la vie belle, magnifique, changeante qu'il incarnait; l'amour de la vie, des êtres, des couleurs et des odeurs. L'amour de l'amour. Elle eut d'instinct comme un mouvement de refus lorsque ses caresses devinrent précises.

— Non, chérie, dit-il, nous nous aimerons maintenant, ce soir ou jamais. Il n'y a plus rien que nous. Les autres, les hommes, les femmes, ceux que nous avons aimés qui sont encore dans notre vie, ils n'existent plus. Finis. Des ombres. Il y a toi, il y a moi, il y a notre amour. Dis-moi : « Va-t'en » et je m'en irai... Je serai... je serai comme un infirme. Plus de Lamiran. Plus rien. Je t'aime...

Elle lui ouvrit les bras, elle l'attira vers elle. La fatigue de la journée, la transpiration, plus rien n'avait de l'importance.

« Un homme, pensa Christine, j'aime un homme, un vrai. J'aime tout en lui, jusqu'aux fils d'argent dans ses cheveux, jusqu'à ce poids qui déforme un peu ce corps encore très beau et qui s'alourdit. C'est un homme, il m'écrase de son poids, il me fait un peu mal, mais c'est merveilleux d'être aimée ainsi, c'est... c'est... »

Il lui dit des choses magnifiques et confuses en la dénudant. Il était basané, un peu couturé comme un guerrier d'antan. Noir et gris de poil, vigoureux, avec cette fougue des chevaux de bonne race. Christine avait l'impression de n'avoir jamais aimé, de n'avoir jamais été aimée. Et pourtant... Serge, la lame d'acier, le souple amant juvénile, le raffiné, l'inquiétant, l'artiste, n'existait plus. Effacé? Non pas. Christine savait bien que certains souvenirs resteraient à jamais dans sa mémoire. Mais François-Paul lui apportait avec la joie physique, le bonheur de savoir qu'elle le rendait heureux, une quiétude nouvelle, inconnue, et surtout une sorte de joie simple. La vie redevenait une aventure de soleil et de sueur. La vie redevenait folle, démente et raisonnable aussi, d'une certaine manière, parce qu'elle avait à présent quelque chose de commun avec l'homme qu'elle avait appris à aimer progressivement.

A la nuit, ils dormaient dans les bras l'un de l'autre. Ce qui arracha Christine au sommeil ce fut à nouveau le parfum insidieux des fleurs. Elle se leva sans bruit, prit l'enveloppe épinglée à la corbeille, la décacheta, la déchiffra à la lueur incertaine qui montait du boulevard :

« Prince Alexis Solokoff ». En dessous, tracé d'une grande écriture : « J'aimerais vous revoir. Quand? »

— Jamais, murmura Christine.

Elle déchira le bristol en morceaux minuscules qui se répandirent sur le sol. Et elle retourna se coucher auprès de son amant.


Ils se réveillèrent vers minuit, affamés. Il l'emmena dîner au Dôme, presque en face. C'était un couple. Leur pas s'accordait. Leurs regards. Leurs mains se cherchaient et se trouvaient. On les regardait admirativement. Le personnel, empressé, leur trouva une table tranquille, alors qu'on en refusait à d'autres.

— Mon amour, dit François-Paul, j'ai rêvé de toi. Je suis fou de n'y avoir pas pensé plus tôt... Pour mon prochain film, tu sais...

Christine cessa de respirer. Cette fois, il allait enfin lui dire ce qu'elle aurait voulu qu'il lui dise depuis des semaines. Cette fois, il allait enfin remettre sur le tapis ce rôle auquel il avait pensé pour elle, ce personnage dont il était venu l'entretenir chez ses parents, à Trouville.

— Ce que j'ai à te proposer est très important et je suppose que tu seras comblée. Voilà... Tu vas travailler avec moi au scénario de *La Femme-Fauve*. Tu seras, non seulement mon assistante, ma véritable assistante et non pas le garçon de courses de mes assistants, mais tu collaboreras avec moi, directement. Tu m'aideras à accoucher du film. J'ai besoin de toi... Contente ?

Christine le regarda.

« J'adore cet homme. Je suis très déçue, je devrais me taper la tête contre les murs, mais je l'aime. Il me dit : j'ai besoin de toi, et moi, je fonds. Il a besoin de moi pour son scénario ? Très bien. Je ne serai jamais une actrice. Je ne serai jamais une star. Tant pis. J'aime François-Paul Lamiran. Voilà. »

— Tu ne dis rien, mon amour ?

— Je ne dis rien parce que si je disais ce que je pense, ce serait tellement flatteur pour toi que je préfère me taire.

Ils retournèrent se coucher vers 2 heures du matin. Et ils firent l'amour jusqu'à l'aube.

C'était le dernier jour de tournage de *La châtelaine*.

François-Paul Lamiran devait commencer incessamment son prochain film : *La Femme-Fauve*.

# 4

# LA FEMME-FAUVE

Christine se perdait avec délices dans l'appartement à ciel ouvert d'un sultan de pacotille, personnage central de la super-production Pathé qui était en train de se tourner aux studios de Joinville, où la nouvelle collaboratrice de François-Paul Lamiran était revenue en compagnie de ce dernier.

Lamiran, tout en achevant de monter *La châtelaine*, préparait son prochain film : *La Femme-Fauve*. Au milieu de l'immense terrain vague se dressait la façade d'un palais pseudo-oriental avec ses colonnades et ses minarets en staff, ses fontaines et ses mosaïques. Il ne manquait qu'un Rudolph Valentino drapé dans la djellaba du « cheikh » et les indispensables dispensatrices de volupté pour donner vie à cette splendeur mauresque sous le ciel brouillé d'un banlieue parisienne plutôt poussiéreuse.

Dès son arrivée, François-Paul avait été assailli par une multitude de personnages parlant tous en même temps et dont le sort semblait dépendre du metteur en scène. Personne ne se préoccupait de Christine au point que celle-ci se demandait si elle n'était pas devenue invisible. Lamiran fut entraîné vers un hangar d'où s'échappaient des bruits de marteaux véhéments. Christine avait fait exprès de s'écarter du grand homme; elle détestait se sentir inutile ou en trop. Or, dans l'univers fascinant des montreurs d'ombres, elle n'avait pas encore trouvé sa place. Elle s'était attachée aux pas d'un homme qu'elle sentait lui échapper dès qu'ils se trouvaient ensemble dans le cadre de ce qui était la véritable raison de vivre du metteur en scène : le cinéma. Seule, elle avait à faire face à des gens parfois hostiles, la plupart du temps indifférents. Et elle ne savait toujours pas très bien en quoi allait consister son activité aux côtés de son amant. La proposition qu'il lui avait faite remontait à peu de jours. Courageusement, elle avait enfoui au fond d'elle-même ses ambitions déçues de future star.

— Bouge pas, môme !

Une voix presque grasseyante venait de lui intimer cet ordre bref, presque chuchoté, mais impérieux.

— Bouge pas ou j'te pique !

Christine sursauta. Elle n'eut pas vraiment peur car tout ce qui pouvait arriver entre les murs de cette usine de farces et attrapes, qu'était à ses yeux un studio de cinéma, ne paraissait jamais réellement sérieux. Seulement, voilà : à la seconde même où elle se retourna, cherchant d'où venait cette voix, un bras l'enlaça par-derrière, une main se plaqua sur sa bouche, elle perdit l'équilibre et tomba sur ce qui se révéla être un tas de couvertures grossières et qui dégageaient une odeur d'écurie. Elle sentit la pointe effilée d'un couteau contre son flanc et découvrit au-dessus d'elle, alors qu'elle était incapable d'esquisser un geste, de pousser un cri, une tête de tout jeune homme qui faisait penser irrésistiblement à ces visages de beau ténébreux que l'écran avait rendus immortels et qui se nommaient Ramon Novarro ou John Gilbert. Malheureusement, il n'arborait point de djellaba immaculée, mais une chemise kaki à laquelle il manquait des boutons ; au lieu du turban où aurait pu scintiller un rubis, il portait, perché sur l'oreille, un béret basque verdâtre de crasse. Il semblait avoir choisi le palais des Mille et Une Nuits comme logis provisoire, car Christine découvrit, à l'odeur, une boîte de sardines vide et un vieux rasoir mécanique tout rouillé, ainsi qu'une bouteille de vin de Corbières à moitié bue. Des miettes de pain jonchaient la couverture et chatouillaient Christine en haut des cuisses.

— Qu'est-ce que tu viens f... là? Espionner?

Il lâcha un peu son étreinte pour lui permettre de répondre.

— Mais non. C'est par hasard. Je croyais qu'il n'y avait personne...

— Tu travailles ici?

— Oui.

La peur s'était emparée de Christine. Elle avait réalisé progressivement que le jeune homme n'était pas en train de jouer une scène de film, mais que tel qu'il était là, tapi dans l'ombre, sur son grabat, c'était une bête traquée. Était-il voleur ou assassin ou les deux à la fois? Difficile à dire. L'irruption de Christine dans son antre, en tout cas, avait déclenché chez ce garçon une émotion dont il aurait voulu sans doute se défendre et qui faisait trembler sa main. La peau de Christine encore bronzée par son long séjour à la mer, les cheveux mousseux et son odeur de femme soignée devaient l'affoler. Et cela n'était pas fait pour rassurer Christine.

— T'es une artiste?

Il la coucha sur ses couvertures et la lame de son couteau, dérapant sur le tissu de la robe d'été, déchira celle-ci dans un crissement lugubre.

Christine suffoquait. Sa peur devenait panique. Elle chercha des yeux, désespérément, une possibilité de fuite. Mais le décor, tel qu'il avait été conçu, était une sorte de labyrinthe inachevé. Cachette idéale.

— Écoute, dit le garçon comme s'il éprouvait une envie impérieuse de parler, écoute-moi : je me cache ici depuis pas mal de temps. Je me démerde, comprends-tu? J'suis déserteur. Tu me dénonces et je suis fichu. Tu comprends ça?

— Je ne vous dénoncerai pas. Je n'aime pas les policiers.

Il la regardait, incrédule, l'étouffant à moitié de sa main posée à plat sur le bas de son visage.

— Je m'étais engagé comme un connard que je suis. La guerre du Rif, quelle saloperie... La Syrie, quelle merde ! Je ne me serais pas engagé si je n'avais pas été malheureux à en crever chez nous. L'armée, c'était pas mieux, tu peux me croire... Les sous-off' aussi cons et aussi saouls que mon paternel. Aucune différence.

Il était en train de ruminer à haute voix des discours qu'il devait se faire à lui-même, couché sur ses couvertures, toujours aux aguets, mâchant son pain, buvant son vin. Christine ne lui donnait même pas vingt ans. Elle pensa à ses frères et à leur bonheur d'exister.

« Tant qu'il aura besoin de parler, je ne risque pas grand-chose », se dit-elle.

— J'ai débarqué à Marseille au début du mois, poursuivit le romantique conteur, mais le climat là-bas n'est pas recommandé aux déserteurs. Me pointer chez mes vieux, c'était une forme de suicide. Ils étaient capables de me dénoncer aux flics. Et à la pensée de les revoir, j'avais envie de vomir. Si je rêvais de l'Afrique, c'était un peu la faute du ciné : j'avais vu un film sur la Légion à Sidi-Bel-Abbès. Ça m'a fichu une fringale d'héroïsme et de clacs où Schéhérazade, entre deux passes, se mourrait d'amour pour mézigue ! J'ai rien eu de tout ça, beauté ! Tout juste une chaude-pisse... Mais j'en pince toujours pour le cinéma ! Que veux-tu, on ne se débarrasse pas si facilement de ses douze ans. Alors, je suis allé rôder autour des studios, à Billancourt, à Épinay, aux Buttes et ici. Frimard, ma gosse, c'est un métier où personne ne te demande jamais rien, où tu risques de toucher jusqu'à cinquante balles par jour. Ici, chez Pathé, ils m'ont trouvé la tronche islamique. Parole. « On dirait le Fils du Cheikh ! » faisait le régisseur, le mec chargé de recruter la figuration quoi... Ils m'ont pris, ils m'ont maquillé en Arabe avec bachouches, chèche et tout et tout. Plus vrai que nature. Autour du quinze août, plus besoin de figurants. Ils sont allés en Afrique pour de vrai, ces connards. Mais quand j'ai appris que le palais de l'Émir Abdul, ils n'allaient pas le démolir, parce qu'il allait servir dans les autres films de la même série, j'ai compris que j'avais là une occasion unique de loger gratis. Je me suis incrusté et j'ai eu de la chance : leur studio, c'est surveillé par des mecs en uniforme qui n'ont pas grand-chose dans leur pantalon, rapport à ce que c'est des grands blessés de 14 ! Ils font semblant de faire des rondes en boitillant... Tu m'écoutes, dis ?

— Je... j'étouffe ! gémissait Christine.

Il enleva sa main. Elle respirait avec difficulté.

— Tu veux boire un coup ?

Il saisit la bouteille, la lui tendit. Elle refusa de la tête. Il but longuement, à la régalade, faisant couler le vin dans son gosier sans en répandre une goutte. Christine essaya de bouger un peu, mais, vigilant, le « Fils du Cheikh » renforça la pression du couteau, ce qui arracha un léger cri à sa victime.

— Ta gueule ! murmura-t-il. Si tu recommences, ce sera ta fête. Où en étais-je ?

C'est à ce moment-là qu'une voix, là-bas, à l'autre bout du terrain vague, cria à plusieurs reprises :

— Christine !... Christine !

Elle imagina François-Paul parti à sa recherche.

— C'est toi, Christine ? chuchota le déserteur à l'oreille de sa captive.

Celle-ci acquiesça.

— Franchement, murmura-t-elle, vous avez intérêt à vous en tenir là. Mon... mon patron est capable d'ameuter tout le studio pour me retrouver. Et je vous donne ma parole que je ne raconterai à personne notre... heu... notre petite conversation. Vous me croyez, dites ?

— Non. Mais je n'ai pas le choix. Ou je te garde, je te

saute et ce sera ma dernière heure d'amour avant de me faire cueillir par la flicaille; ou je te lâche et j'ai une chance de me tirer de ce paradis avant qu'on lâche sur moi les chiens policiers. De toute façon, tôt ou tard, j'étais cuit. Tire-toi, volaille... C'est ma générosité qui me perdra!

Il lui tapota les fesses. Un geste de légionnaire, sans doute, davantage cordial qu'obscène.

« Tout à fait mes frères! » pensa Christine.

Elle se releva, alors que le déserteur de l'armée de Syrie faisait rentrer la lame aiguë effrayante dans son fourreau avec un claquement sec. Il resta à moitié allongé et regardait les jambes de Christine.

— Ah! dis donc, fit-il, je ne sais pas l'usage qu'ils en font, ces enfoirés du cinoche, mais avec des jambes comme les tiennes, ils se rempliraient les poches en faisant baver d'envie les populations! Y a que les gens de cinéma pour rien connaître au cinéma... Tu fais quoi, exactement?

— Je suis... je suis la... la collaboratrice d'un metteur en scène! dit Christine avec beaucoup de sérieux.

Le garçon émit un sifflement.

— Après ou avant minuit?

Christine ne répondit pas. Elle était horriblement vexée.

— Il vaut mieux que j'aille le rejoindre si vous ne voulez pas être découvert, monsieur le passager clandestin du palais des Mille et Une Nuits!

Elle se dirigea vers le faux patio du palais en stuc, le cœur battant, redoutant un incident de dernière minute. Mais il la laissa partir. Il dit seulement avec cet accent traînard des faubourgs de Paris :

— On se reverra peut-être... quand je serai célèbre!

Christine s'arrêta, se retourna. Elle le regarda, lui sourit. Elle se rendit compte qu'il ne lui faisait plus du tout peur.

— Comment vous appelez-vous?

— Théo... Tu vas me dénoncer ?

Elle le regarda.

— Pour qui tu me prends, Théo ?

Elle avait retrouvé d'emblée le ton qu'elle employait avec ses frères. Elle traversa le patio et sa fontaine chuintante, cherchant la sortie du palais ou l'Émir Abdul, héros d'une série de films, feuilletonesques, gardait captive une belle espionne au service du Deuxième Bureau...

— Christine !

— Voilà... Voilà...

Elle déboucha sur le terrain vague et aperçut François-Paul devant le hangar, se retournant de tous les côtés et criant le nom de la femme qu'il aimait. Elle hâta le pas.

— Où étais-tu, Christine ?

— J'ai visité, dit-elle, esquissant un geste vague qui englobait l'ensemble des constructions s'élevant sur le terrain vague : façades d'immeubles, un bout de trottoir avec un bec de gaz, un morceau de jardin public avec sa grille.

Encore sous l'émotion de ce qui venait de lui arriver, un peu oppressée, un peu ahurie comme à la sortie d'un rêve qu'elle aurait fait tout éveillée, elle le suivit à l'intérieur du hangar qui sentait la colle et la peinture fraîche.

— Voilà la maquette, dit François-Paul, la prenant par le bras.

Sa voix tremblait d'excitation devant la ville d'eaux miniaturisée qui remplissait, édifiée sur un gigantesque tréteau, une partie du bâtiment. Le travail était exécuté en trois dimensions avec, comme à Deauville, une plage à laquelle il ne manquait qu'un coup de vent pour que les tourbillons de sable aveuglent le promeneur. Au bord de la plage, le casino, l'hôtel « Le Palace » et plus loin la rue principale avec ses commerces de luxe, ses personnages et ses automobiles, figés comme sur une photographie de *L'Illustration.* Proches du casino, plusieurs boîtes de nuit avec leurs enseignes lumineuses et, plus loin, l'Opéra, véritable pâtisserie architecturale.

— Tiens, dit Lamiran, ta robe est déchirée...

Elle baissa les yeux sur l'estafilade béante.

— J'ai dû me faire un accroc, murmura-t-elle.

Il passa un bras autour de son épaule.

— Cette ville, chérie, nous la survolerons lentement sans qu'aucun détail ne nous échappe. Ce sera le plan d'ouverture du film. Puis nous descendrons plus bas... toujours plus bas... Je coupe. Et je braque ma caméra sur les décors grandeur nature reconstitués là-bas, sur le terrain vague : la façade du « Palace », le Casino. l'Opéra... A plusieurs reprises, dans mon scénario, lorsque la ville dort, nous la survolerons ainsi... Et comme Asmodée, je soulèverai les toits pour voir de plus près, de plus en plus près, jusque dans le cœur de mes personnages... Tu saisis ?

— Je crois, dit Christine, impressionnée.

On entendit au-dehors des aboiements, puis un homme arborant la casquette et l'uniforme des vigiles apparut dans l'encadrement de la porte. Il tenait en laisse un berger allemand qui aboyait furieusement en direction de Christine.

— Ah, c'est vous, monsieur Lamiran.

Le metteur en scène se retourna.

— Qu'est-ce qui se passe ?

— Vous savez bien, monsieur, qu'on nous a signalé que des vagabonds rôdaient autour des studios.

— Et alors ? fit avec impatience Lamiran.

— Quand on tournait *Notre-Dame de Paris,* il y en avait deux qui étaient restés plus de quinze jours sous le maître-autel, vous vous rappelez ? Un couple... Même que, à ce qu'il paraît...

Lamiran coupa court.

— Oui. Bon.

L'homme porta la main à sa casquette.

— Faites excuse, m'sièur Lamiran, mais les chiens sont nerveux. Vous n'avez rien vu d'anormal par ici ?

— Mais non.

— Vous non plus, mademoiselle ?

— Non... rien, murmura Christine.

— Alors, Ousbeck est fou. Il m'a d'abord traîné jusqu'au décor de l'Émir Abdul et ensuite ici...

Le berger allemand tirait sur sa laisse en direction de Christine.

— Je crois... je crois que les chiens m'aiment bien ! dit Christine vaillamment.

— Ça doit être ça, dit l'homme en esquissant un ultime salut militaire.

Et il sortit du hangar. Christine se rappela de quelle façon Théo avait défini les vigiles du studio.

« Pourvu qu'il ne se fasse pas prendre ! » pensa-t-elle.

A sa propre surprise, elle ne lui tenait plus aucune rigueur de la façon assez brutale dont il s'était conduit avec elle. François-Paul, à demi couché sur sa maquette, mettait en place une figurine devant les grilles dorées de l'Opéra où, sur les panneaux destinés aux affiches, on pouvait lire « RELACHE ».

— Si seulement Kauffman était là, les problèmes techniques que me cause cette maquette seraient déjà résolus ! grommela-t-il.

— Qui est Kauffman ? demanda Christine.

— Le plus grand cameraman d'Europe. Il doit arriver de Berlin. C'est un homme capable de filmer son propre enterrement de l'intérieur de son cercueil !

Il posa sur le plat de sa main le personnage qu'il avait précédemment disposé devant l'Opéra.

— C'est Marco, l'homme de notre film. Un musicien raté qui rêve de faire représenter un ouvrage lyrique dont il est l'auteur.

Christine, progressivement, était entraînée dans l'univers du metteur en scène qui lui exposa ainsi, en se servant de la maquette, les grandes lignes du scénario de *La Femme-Fauve*. Il venait de placer une autre figurine à l'entrée du « Cotton-Club ».

— Et voici l'héroïne, interprétée par Pola Negri ! Elle sort d'une boîte en compagnie de son mari, l'ambassadeur, et d'un ami, l'industriel Mac Gordon...

Christine crut voir Pola Negri, la star des stars. Elle oublia complètement l'étrange aventure vécue une demi-heure plus tôt dans le décor abandonné de l'Émir Abdul. Le prochain film de Lamiran devenait, sous ses yeux, une réalité tangible. Le metteur en scène groupa ses trois personnages sur le trottoir, puis il désigna le trajet jusqu'au « Palace » qui les faisait passer devant l'Opéra.

— Ils ont décidé de rentrer à pied à leur hôtel. Ils sont très gais. Ils ont bu. Marco est toujours là, devant les grilles de l'Opéra, rêvant au soir de la première où la place sera inondée de lumière, où, sur les marches de l'édifice, se pressera une foule élégante alors qu'une sonnerie ininterrompue invite les spectateurs à gagner leur place... Et voici que passe devant lui la divine créature avec ses deux compagnons. Une apparition... Il la reconnaît car, pour ne pas mourir de faim, il joue des airs de jazz au *five o'clock* du Palace. Elle aussi reconnaît le beau pianiste. Échange de regards. Il est jeune, très beau. Un archange. Elle est plus âgée. Elle fait partie d'un milieu où l'argent ne joue aucun rôle, où l'on perd des fortunes au jeu. Un monde dont rêve Marco qui veut tout : la gloire, l'argent et la plus belle femme du monde ! Le regard de Marco traduit à la fois son désespoir, sa misère et son ambition. Un regard qui bouleverse la Femme-Fauve. Son mari n'a rien vu. Il ne voit jamais rien. Le trio regagne ses appartements. Marco, dégrisé, retrouve la maison délabrée qu'il habite tout au bout de la plage...

Lamiran désigna le chalet minable proche des bâtiments noirâtres d'une usine. Christine admira la subtilité avec laquelle le décorateur avait indiqué le contraste entre cette partie misérable de la côte et le centre de la ville avec ses bâtisses luxueuses et ses jardins entretenus avec soin.

— C'est là que vit Marco avec sa jeune maîtresse, Norma! expliqua Lamiran.

Il se redressa et, tourné vers Christine, il ajouta :

— C'est ce personnage de Norma, l'autre héroïne du film, qui me donne du fil à retordre... Elle a vingt ans, elle ne vit que pour Marco qu'elle adore et qui la piétine... Il lui fait l'amour, il lui fait des discours...

Brusquement Christine pensa à Serge. Elle essaya de le chasser de sa mémoire. Comment François-Paul avait-il défini son héros tout à l'heure? Un archange?

— Pendant ce temps-là, poursuivit le metteur en scène, habité par son sujet, dans sa chambre d'hôtel, la Femme-Fauve ne trouve pas le sommeil. Elle revoit Marco, ce regard affamé posé sur elle... Elle se lève, ouvre la fenêtre donnant sur la mer... Au même moment Marco, les yeux grands ouverts, couché près de Norma endormie, blottie contre lui, pense à cette femme entrevue et qui serait en mesure, elle, de lui ouvrir la voie du succès, de la fortune.

Il s'arrêta. Christine à ses côtés, subjuguée, vivait la situation magistralement exposée et illustrée devant ce décor, avec ses figurines, par l'auteur du film en gestation.

— Tu dois mourir de faim, dit-il brusquement avec cette tendresse un peu bourrue qui touchait tant Christine.

— Non, dit-elle.

— Alors, lis...

Il lui tendit un manuscrit épais dont les pages dactylographiées étaient couvertes, en marge, de son écriture nerveuse et d'étranges petits dessins indiquant la place de la caméra par rapport aux acteurs. Christine commença à lire alors qu'il se penchait de nouveau sur sa chère maquette. Il l'arracha à sa lecture une heure plus tard et l'entraîna vers l'extérieur. Ils passèrent devant le palais d'Abdul et Christine s'attendait à ce que subitement se dressât devant eux Théo, le déserteur, avec la lame de son couteau brillant au soleil. Mais, bien entendu, le jeune homme resta invisible, à moins qu'il ne se fût laissé prendre par Ousbeck, le chien policier.

François-Paul poussa la porte d'un bâtiment marqué « cantine ». La salle du restaurant était presque vide, mais à une table le vigile, son chien couché à ses pieds, mangeait des saucisses-frites. Le patron, empressé, les installa à la meilleure table, isolée des autres par une paroi de verre, opaque. Lamiran commanda le plat du jour et un pot de beaujolais, se contentant de glisser à Christine :

— Fais-moi confiance, chérie.

— Bien obligée.

En fait, elle aimait bien cette façon qu'il avait de lui imposer un plat comme il lui imposait sa vision du monde et des gens. Il commença à l'interroger sur sa lecture.

— A mon avis, dit-elle, un peu effrayée par sa propre audace, la Femme-Fauve est trop belle, trop riche, trop séduisante. Face à cette femme, l'autre personnage féminin du film, cette jeune fille, Norma, n'existe même pas et l'on ne comprend que trop bien que Marco la délaisse. Il me semble que dans les cinémas où sera projeté ton film, il y aura des milliers de filles ressemblant à Norma. Quand le mot « fin » paraîtra sur l'écran, elles auront vu de belles images, mais elles auront l'impression d'être des mal-aimées, de vivre dans un monde où triomphent les ogresses sans scrupule.

— Mais c'est la vérité ! s'écria Lamiran en tapant sur la table du plat de la main, ce qui fit accourir le patron. Nous vivons dans un monde de fauves. Les faibles, les sentimentaux, les généreux sont écrasés sous le talon des puissants, des cyniques et des mesquins...

Christine l'observait à la dérobée.

« Il est célèbre, se dit-elle. Il est admiré, respecté et il m'a choisie pour travailler avec lui ! »

Elle était un peu éblouie par ce qui lui arrivait. Cela la réconciliait avec ses espoirs déçus d'aspirante star.

— Ce n'est pas que je sois en désaccord avec ton scénario, dit-elle en brisant un bout de « baguette », mais je trouve la Femme-Fauve trop forte et Norma trop faible. Marco n'est pas entre deux femmes, mais subjugué par l'une et enquiquiné par l'autre. On peut se demander ce qu'il lui trouve en fin de compte, à cette petite pleurnicheuse toujours entre deux sanglots comme un ivrogne est entre deux vins !

Lamiran éclata de rire. Le patron avait servi un plat où s'étalaient de belles tranches de jambon et des rondelles de saucisson appétissantes. Christine, à l'insu de François-Paul, commença un manège étrange : elle subtilisa une partie de la charcuterie qu'elle enveloppa dans sa serviette en papier. Le metteur en scène était trop préoccupé par son film pour le remarquer. Elle se sentait à l'abri des regards du vigile et de son chien.

A la fin du repas, elle avait réussi à glisser dans son sac une part de tarte aux pommes, des cornichons, deux moitiés d'œuf dur. Ce manège, en pleine discussion, la divertit considérablement.

« Je suis folle, se dit-elle. Je devrais être suspendue à ses lèvres, je le suis en fait. Mais tout son cinéma est tellement sérieux, bien trop sérieux... Le dénommé Théo c'est un de mes frères qui n'aurait pas eu la chance d'être né Decruze ! Ce garçon est comme moi : il adore le cinéma, parce que, au fond, c'est l'enfance retrouvée ! »

Elle se leva.

— Excuse-moi, chéri...

Elle passa devant le comptoir.

— Les toilettes, c'est par là... lui glissa le patron qui rinçait des verres.

Elle réussit à sortir sans être vue. Le terrain vague était désert. De loin, le palais oriental paraissait aussi incongru que la Tour Eiffel en plein Sahara. Elle pénétra dans le patio, retrouva l'appartement. Les couvertures jonchaient le sol, mais l'occupant des lieux était invisible. Pourtant, il restait un peu de vin au fond de la bouteille... Elle appela tout doucement :

— Théo...

Aucune réponse. Alors, elle déposa sur les couvertures tout ce qu'elle avait subtilisé au cours du déjeuner. Ensuite elle retourna à la cantine en courant.

— Tu te sens bien ? lui demanda Lamiran.

— Merveilleusement bien.

Il rouvrit son scénario.

— Dans ce cas, travaillons.

— Mon problème, dit-il, est que je dois tout exprimer à travers le regard de mes personnages. Je rêve de supprimer jusqu'aux sous-titres. La magie de l'image seule doit suffire à la compréhension des sentiments...

Pour toute réponse, Christine lut ce qui était inscrit sur la colonne de gauche de la page ouverte :

« Elle avance vers l'appareil, souveraine, sûre de l'effet qu'elle produit. Son visage exprime une intense satisfaction. Pour elle, être l'objet de tous les regards est une jouissance dont elle ne se lasse jamais. Léger panoramique vers le mari heureux de voir rejaillir sur lui un peu de l'admiration qu'inspire sa femme. Retour sur le visage de la Femme-Fauve qui vient de découvrir Marco assis devant son piano. Son regard s'embue légèrement. Lui rappelle-t-il un homme qu'elle a aimé ? Derrière le masque se dévoile peu à peu son vrai visage : celui d'une femme qui a peur de vieillir et que la jeunesse subjugue... »

Christine ferma le scénario.

— Je me demande combien de spectateurs dans la salle sauront lire cela sur le visage de Pola Negri! A

178

moins que tu ne l'expliques par ces fameux sous-titres dont tu ne veux plus !

Il se pencha vers elle pour lui répondre, mais il sentit qu'elle pâlissait subitement. Son regard suivait, par la fenêtre, le chien Ousbeck qui aboyait et tirait sur sa laisse.

— Qu'est-ce que tu as, Christine ?

— Je voudrais m'en aller...

Elle ne fournit aucune explication. C'était en fin d'après-midi. Elle éprouva une grande lassitude. Elle comprit que son travail consistait à tenir tête à François-Paul qui aimait se défendre pour peu qu'on l'attaquât intelligemment. Ce qui était le cas pour Christine. Dans les jours suivants, elle retourna plusieurs fois au palais de l'Émir Abdul; mais elle n'y trouva plus la trace du déserteur. Elle se renseigna si les « vagabonds » avaient été appréhendés et elle apprit avec soulagement qu'il s'était agi d'une fausse alerte.

François-Paul la fit travailler très sérieusement, n'importe où : dans leur chambre d'hôtel, au Dôme, dans sa salle de montage du studio Pathé, dans un bureau anonyme mis à sa disposition. Autour de Christine Decruze, peu de femmes ou de jeunes filles travaillaient pour gagner leur vie. A cette époque, cela « ne se faisait pas », c'était comme une tare. Or, François-Paul rétribuait Christine à la semaine. Pour ne pas la gêner, il passait par l'intermédiaire d'un comptable qui faisait partie de la « production ».

Elle n'osa même pas penser à la réaction de son père qui n'avait jamais été frôlé par l'idée qu'une femme pouvait vivre autrement qu'entretenue par son mari, sous son autorité et sa dépendance. Parfois seule, dans sa chambre d'hôtel, Christine se livrait à ces réflexions qui la ramenaient à sa famille, aux vacances finissantes, aux problèmes qui ne manqueraient pas de se poser à elle lorsque les Decruze apprendraient la vérité sur sa nouvelle « carrière ». Elle avait laissé toutes ses affaires chez elle, rue Alphonse-de-Neuville. François-Paul avait voulu lui acheter des vêtements coûteux, des bagages chez Vuitton, mais, scandalisée, elle avait tout refusé. De même qu'elle avait refusé de passer, serait-ce cinq minutes, dans le très bel appartement que le metteur en scène occupait à Neuilly, en célibataire.

Elvira Dort habitait, de son côté, un hôtel particulier dans le dix-septième arrondissement, fruit tangible des cachets considérables qu'elle avait touchés au temps de sa splendeur.

François-Paul avait compris que Christine était horrifiée à la pensée de se retrouver dans un lit où avaient dû défiler les nombreuses liaisons du metteur en scène. Celui-ci, par un accord tacite passé entre eux, rejoignait Christine presque chaque nuit dans la petite chambre de l'hôtel Vavin à laquelle ils avaient fini par s'attacher l'un et l'autre.

Et puis, un certain soir où François-Paul était encore enfermé aux studios de Joinville, aux prises dans sa salle de montage avec les bobines de *La châtelaine,* Christine décida de se rendre dans l'appartement familial, pour y prendre quelques tenues de rechange et objets personnels. Venant du studio, elle se fit d'abord déposer à son hôtel.

Derrière son comptoir trônait le patron, toujours avantageux malgré ses rides, et Christine l'imaginait volontiers quinze ans plus tôt, œil de velours, cheveux gominés, serrant dans ses bras une vamp de l'époque sous l'œil critique d'un monsieur assis sur son fauteuil pliant, mégaphone à portée de la main...

— Quelqu'un vous attend, mademoiselle Decruze.

Christine se retourna vers l'unique fauteuil du hall et découvrit une très belle fille aux cheveux courts, les jambes croisées haut, fumant une cigarette. Christine ne la reconnut pas immédiatement du fait que le smoking qu'elle affectionnait était remplacé par un tailleur d'été qui mettait en valeur sa silhouette de mannequin pour Mlle Coco Chanel.

— Arielle! Je suis contente de te voir.

C'était vrai. Arielle était entrée dans sa vie de façon inopinée, mais avec éclat et panache. Il avait suffi de cette nuit-là pour qu'elle éprouvât à l'égard du modèle américain, non seulement une grande curiosité humaine, mais quelque chose qui était de l'amitié mêlée de tendresse.

Christine prit sa clef. Elle hésita une fraction de seconde, puis elle ajouta :

— Je monte chez moi un instant et ensuite je repars. Si tu veux voir ma chambre...

Arielle la suivit.

Christine la regardait avec une certaine admiration : elle était aussi troublante en fille qu'en garçon. Autant elle paraissait androgyne dans sa tenue de soirée pour dandy, autant elle était féminine dans sa jupe un tout petit peu au-dessus du genou, comme la mode l'exigeait. Elle se dit qu'Arielle était la seule personne au monde à laquelle elle avait donné les vrais détails sur sa rupture avec Serge, la seule qui savait qu'elle avait essayé de le tuer. Arielle avait reçu ces confidences, non seulement avec philosophie, mais il était hors de doute qu'elle estimait que le monde serait bien plus vivable si des femmes courageuses trucidaient plus souvent les mâles qui les humiliaient.

— Tu comprends, dit Christine, je pars le matin et je rentre ici le soir, généralement assez tard et plutôt sur les genoux.

Arielle se vautrait sur le lit.

— Tu ne m'avais pas dit que tu travaillais... Qu'est-ce que tu fais ?

La question prit Christine de court.

— Je suis... comment t'expliquer... voilà : un metteur en scène de cinéma se sert de moi pour mettre au point le scénario de son prochain film. Il me pose des questions et je lui réponds. Quelquefois je donne même mon grain de sel. Tu vois ?

— Pas du tout, chérie, dit Arielle. Et tu couches avec lui ?

— Avec qui ?

— Avec le type qui te pose des questions ?

Elle ne répondit rien. Elle se recoiffait, se remaquillait devant le lavabo qui occupait, avec un bidet d'avant la guerre de 1914, un coin de la chambre, pudiquement camouflé par un paravent.

Arielle avait sorti de son sac un mouchoir de soie qu'elle défaisait avec soin et qui contenait une petite masse brunâtre. De son paquet « Troupes » (elle fumait des « Troupes »), elle tira une cigarette, la brisa en deux et déversa le tabac d'une moitié sur une petite feuille ; elle y ajouta quelques miettes du bloc compact, mélangea, roula sa cigarette avec dextérité et l'alluma. Presque aussitôt une curieuse odeur remplit la chambre.

— Qu'est-ce que c'est, Arielle ?

— Du hachisch. Tu en veux ?

— Non, merci.

Parmi les gens qu'elle fréquentait, surtout des étudiants, personne ne se droguait. Elle était effarée devant le spectacle que lui offrait Arielle, mais elle préféra n'en rien laisser paraître. Elle se demandait si la jeune femme ne faisait pas un peu exprès, avec ce désir qu'elle avait de vouloir choquer, ce goût de la provocation qui lui était inhérent.

Arielle aspira encore quelques bouffées, les yeux clos, appliquée comme une étudiante en Sorbonne.

— Qu'est-ce que ça fait comme effet ? demanda Christine.

— Rien. On est bien, voilà tout...

Elle éteignit la cigarette, la rangea soigneusement dans le mouchoir qui contenait sa réserve de hachisch, fit disparaître le tout dans son sac et leva un œil bleu et innocent sur Christine.

— Qu'est-ce qu'on fait, chérie ?

— On s'en va.

Arielle soupira, se leva du lit, tira sur sa jupe et se coiffa d'un béret basque blanc. Christine se dit qu'elle avait noué là une amitié qui n'était pas de tout repos, mais elle ne pouvait s'empêcher d'admirer la grâce qui imprégnait tous les gestes et tous les mouvements qu'accomplissait la jeune Américaine.

— Je suppose que tu travailles beaucoup, Arielle. Si j'ai bien compris, tu es un modèle très demandé...

— C'est vrai. Mais je suis toujours à court d'argent. J'ai des vices, comprends-tu ?

Elle avait dit cela avec le plus grand sérieux.

Une fois sur le boulevard Montparnasse, Christine chercha un taxi et finit par en trouver un qui maraudait dans l'espoir de touristes étrangers qu'il mènerait au Sacré-Cœur en passant par le château de Vincennes.

— Je peux te déposer ? Où vas-tu, Arielle ?

— Nulle part.

— Monte, Arielle. Je t'emmène.

Arielle serait l'élément étranger, perturbateur, qu'elle introduirait dans le monde sage, trop sage, des Decruze. C'est pour Arielle qu'elle ferait flamber les lustres.

— Il faut que j'aille chez moi et, puisque ta soirée est libre... Ça ne t'ennuie pas, au moins ?

— Mais non. Au contraire.

Arielle avait dû s'imposer une conduite, une sorte de réserve qui devait lui peser comme un carcan. Plutôt que de perdre Christine, elle avait abandonné dans son antre les tenues équivoques. Mais elle avait l'œil un peu trop brillant et sa gaieté naturelle, le hachisch aidant, devenait de l'allégresse. Christine était convaincue qu'elle fumait bien plus par snobisme que par goût. Pourtant, elle soupçonnait chez Arielle un désespoir larvé qui l'inquiétait.

La voiture s'arrêta devant l'immeuble des Decruze. La cage d'escalier était impressionnante, mais n'impressionna guère Arielle.

— Toute ma famille est en Normandie, lui expliqua Christine en sortant ses clefs.

Dans l'entrée, elle s'immobilisa, car il y avait de la lumière dans le salon. Elle avait dû oublier d'éteindre lorsqu'elle était repartie avec François-Paul, la nuit de son retour à Paris. Oui, bien sûr, elle avait dû laisser allumée l'une des lampes du salon... Peut-être même avait-elle fait exprès ? Elle voulut dire quelque chose à son amie, mais la porte du salon s'ouvrit.

Debout sur le seuil, très grand, un peu voûté, se tenait M. Decruze.

— Je t'attendais, chérie.

Christine resta sans voix. Elle était en droit à s'attendre au pire : elle avait quitté sa famille et leur retraite normande en faisant un mensonge éhonté. Et depuis plusieurs semaines, elle travaillait sans en avoir demandé la permission à son père! Christine savait qu'elle n'échapperait en aucun cas à une explication orageuse, voire dramatique. Elle fut saisie de terreur, maudissant son initiative, ne sachant absolument pas comment elle s'y prendrait pour expliquer la présence à ses côtés d'un modèle qui posait nu pour les peintres de Montparnasse, qui affichait des goûts sexuels que la société réprouvait et qui, par surcroît, se droguait!

En une fraction de seconde, Christine prit conscience du gouffre qui la séparait à présent de sa famille...

Ils avaient dû téléphoner de Trouville chaque jour sans trouver personne. Ils voulaient savoir, estimant que c'était leur droit. Savoir comment Christine se débrouillait avec les petits problèmes de tous les jours, si elle avait suffisamment d'argent et quand elle avait l'intention de revenir en Normandie... Et pour finir, son père, rongé par l'inquiétude, avait décidé de venir à

Paris. Le connaissant, elle aurait dû s'en douter. M. Decruze fit jaillir la lumière des appliques en forme de bouquets de bougies. Les vert passé, chers à Mme Decruze, émergeaient de l'ombre.

Chose extraordinaire, M. Decruze ne paraissait guère inquiet. Au contraire. Souriant, tout bronzé, il s'avança vers Arielle, la main tendue. Qu'est-ce que cela signifiait ?

— *Glad to meet you, my dear* (1), dit-il.

Arielle, comme toujours très à son aise, ne se posant aucune question, serra la main tendue et répondit au sourire de M. Decruze. Christine cherchait à comprendre, mais déjà elle sentait contre sa joue la joue un peu râpeuse de son père et cette odeur de son enfance et de son adolescence, familière et adorée : « Extract of East Indian lemon and Spices. »

— Bravo ! ajouta-t-il. Vous ne rentrez pas trop tard.

Et tourné vers Arielle :

— *Do you like Paris* (2) *?*

Et Arielle, l'œil un peu trop vif, nullement prise au dépourvu, qui répondait :

— *Of course, Sir, I love it* (3)...

Christine comprit. Elle comprit l'invraisemblable, le comique d'une situation qu'elle avait elle-même créée. N'avait-elle pas délaissé sa famille pour accueillir à Paris une amie de pension venue en touriste ? M. Decruze, en toute bonne foi, recevait Arielle, l'Américaine, comme s'il s'agissait d'Amy, la Britannique !

— Vous avez dîné, je suppose ? dit M. Decruze. Je suis à Paris depuis le début de l'après-midi et je me doutais bien que vous étiez en train toutes les deux de courir les musées... ou les grands magasins !

Il semblait enchanté par Arielle que rien ne déconte-

(1) Content de vous voir, ma chère.
(2) Aimez-vous Paris ?
(3) Certainement, monsieur, je l'aime...

nançait. Était-ce l'effet du hachisch ? Elle planait. Christine se dit que d'un instant à l'autre le malentendu allait s'éclaircir. Elle attendait stoïquement ce moment. Mais rien ne se passa. Pour M. Decruze, habitué à ce que la vie se déroule selon des plans soigneusement établis à l'avance, Arielle était Amy.

« Il y a comme une conspiration du mensonge, pensa Christine. Si j'avais tant soit peu de courage, je lui dirais la vérité, puisque c'est mon père et que je l'aime beaucoup. N'est-ce pas indigne qu'il soit le jouet involontaire de ce lugubre canular ? »

Elle constata, effarée, que tout contribuait à accréditer une double présence dans un appartement où elle n'avait fait que passer un moment assez bref depuis son retour à Paris. En l'abandonnant une dizaine de jours plus tôt (il lui semblait qu'un temps bien plus long s'était écoulé) elle avait laissé, dans sa hâte de partir, traîner sur le lit les vêtements du voyage, un grand peignoir éponge blanc. Et le désordre de la salle de bains ? Significatif, non ? Lorsque deux filles se trouvent seules dans un appartement...

Elle eut l'impression qu'un metteur en scène adroit avait tout mis en œuvre pour accréditer leur présence.

« Et voilà, se dit-elle. Voilà que le cinéma revient au pas de charge ! »

Avec courage, quoique terrifiée, elle prit la résolution d'avoir une explication avec son père.

« Je ne fais que lui mentir depuis le début de l'été. Qu'il me croie vierge, qu'il me croie pure, cela vaut peut-être mieux ainsi. De toute façon, je serais incapable de lui parler de Serge ou d'Arielle. Mais je lui parlerai de François-Paul ! »

Elle se raccrocha à cette idée comme s'il se fût agi d'un rachat.

— Vous êtes sans doute fatiguées, les filles ? Vous avez sans doute envie de vous coucher ?

— *Yes sir* (1), dit Arielle en tirant sagement sa jupe sur ses genoux. Nous sommes brisées de fatigue... *Awfully tired* (2) !

Elle se tenait au bord de l'un des fauteuils Louis XVI du salon. Christine la trouva atroce et géniale. Elle s'était installée dans la situation, comprenant bien que M. Decruze la prenait pour quelqu'un d'autre, jouant le jeu avec sérieux et application, réglant son attitude sur le style du mobilier et le physique distingué du père de Christine. Celle-ci ne put s'empêcher de lui trouver des dons d'actrice peu communs.

« Papa est sous le charme, pensa-t-elle. Elle le regarde de son œil candide avec ce brin d'admiration qui ne laisse en rien deviner les goûts véhéments qu'elle affiche pour son propre sexe et le mépris dans lequel elle tient les hommes en général... »

Chez les Decruze, on était persuadé que les femmes qui aimaient les femmes devaient, par la force des choses, avoir une voix basse, peu ou prou de poitrine, et des particularités anatomiques dont il était malséant de parler, même entre adultes.

« Leur monde, pensa Christine, se trouve à présent si éloigné du mien qu'il me semble que ma famille vit sur une autre planète ! »

— Alors, Christine ? murmura Arielle de sa voix la plus suave. Tu viens te coucher ?

Christine avait subitement envie de la gifler. Elle se leva. Arielle en fit autant.

— Je ne vous ai pas souvent téléphoné, à Trouville, il ne faut pas m'en vouloir, papa...

— Ta mère m'a rassuré, fit M. Decruze. Et l'interurbain fonctionne si mal... Je suis venu à Paris pour affaires. Je repars demain.

Il tenait à la main une pile de courrier qu'il était

(1) Oui, monsieur.
(2) Affreusement fatiguées.

187

en train d'examiner lors de l'arrivée des deux filles.

— Je pense à une chose...

Une idée semblait avoir traversé son esprit.

— Je pense que vous devriez venir avec moi, toutes les deux...

« Le vaudeville tourne au cauchemar », pensa Christine.

— ... Ton amie aimera certainement la Normandie. Elle pourrait faire du tennis, du cheval...

Arielle allait répondre, mais Christine prit les devants.

— Impossible, papa, elle repart demain.

— Dommage! dit M. Decruze. Mais, dans ce cas, je vais récupérer ma grande fille, je suppose?

Une explication se révélait inévitable. Mais il fallait escamoter Arielle. Après que celle-ci eut pris congé de son hôte par un sonore *« Good night, sir! »*, Christine, soulagée au delà de toute expression, l'entraîna vers le fond de l'appartement, laissant M. Decruze à son courrier, à sa pipe et à son verre de cognac. Christine ferma la porte de sa chambre.

— Mon père t'a prise pour une amie anglaise qui devait venir à Paris, expliqua-t-elle très vite. Est-ce que cela t'ennuierait beaucoup de passer la nuit ici?

— Mais non, chérie. Au contraire!

Arielle paraissait tout feu et flamme.

— Bien.

Christine ouvrit la porte qui séparait sa chambre de celle de ses frères où il y avait deux lits stricts, deux bureaux et l'habituel folklore cher aux potaches : ballon de football, carabines à air comprimé, livres de classe et Jules Verne, rouge et or, sur une étagère. Ainsi que des affiches au mur vantant un roadster Panhard-Levassor ou les cycles Peugeot.

— Tu es mon invitée. Je te donne ma chambre. ... Ne discute pas, je t'en prie, ajouta-t-elle. Comme tu peux l'imaginer, je suis très ennuyée de ce qui arrive. Si tu es une amie, c'est le moment où jamais de le prouver. Couche-toi et imagine-toi que tu t'appelles Amy Howard, que tu as été avec moi pendant deux ans dans un pensionnat près de Lausanne et que tu habites Londres...

Elle avait la main sur la poignée de la porte.

— Où vas-tu, Christine?

— Retrouver mon père. J'ai à lui parler.

Arielle ne dit rien. Elle allait et venait dans la chambre, examinait le portrait de Christine enturbannée, les photos de famille.

— Je fais connaissance avec toi, dit-elle.

Christine sortit. Lorsqu'elle pénétra dans le salon, M. Decruze était assis sous l'une des lampes chinoises. Il tirait sur sa pipe. A l'entrée de sa fille, il leva la tête, un peu surpris.

— Qu'est-ce qu'il y a, Christine?

— J'ai certaines choses à te dire...

Il tapota sa pipe sur un cendrier en albâtre posé sur la très belle table de jeu, d'époque, qui était à portée de sa main. Christine eut du mal à détacher son regard de ce cendrier qui lui rappela un objet tout semblable avec lequel... avec lequel... Elle détourna la tête, mais cela lui coûta un immense effort.

— Elle est très bien, ton amie, et par-dessus le marché elle est ravissante...

Christine se rappela une Amy sans grand charme, mais d'esprit vivace et douée d'un sens de l'humour à toute épreuve.

— Je ne retournerai pas en Normandie demain.

Elle l'avait dit. Sans fioritures. M. Decruze, interdit, déconcerté, la regarda.

— Qu'est-ce qui te prend?

Elle était debout dans une zone d'ombre. Les grandes pièces offraient ainsi des possibilités de repli. Il fallait parler, s'expliquer, entamer les certitudes de ce père, de cet homme qu'elle avait adoré quand elle était enfant et adolescente et qui s'éloignait d'elle.

« Non. C'est moi qui m'éloigne de lui. Peut-être que cela doit être ainsi ?

— Écoute-moi... comprends-moi...

Elle s'approcha. Elle fit quelque chose qui lui aurait semblé ridicule, un geste qu'on ne faisait jamais chez les Decruze où la réserve était une ligne de conduite. Elle s'accroupit près de lui, les jambes repliées sous elle, dans une de ses poses favorites lorsqu'elle était avec des amis. Ou avec son amant. Jamais jusqu'alors en présence de son père.

— Tu as revu cet homme, n'est-ce pas ?

Il voulait parler de François-Paul, cela ne faisait pas l'ombre d'un doute. Entre Claudine et lui, alors qu'ils évitaient souvent les sujets tant soit peu épineux, il avait dû y avoir des conciliabules au sujet du metteur en scène.

— Oui, dit Christine. Je l'ai revu...

Il reprit sa pipe, la ralluma. Christine était effarée par ces rapports entre deux êtres qui avaient de l'affection l'un pour l'autre. Pouvait-elle lui lancer en plein visage : « Il est mon amant et je l'aime follement » ?

— Il m'a demandé de travailler avec lui. C'est un travail passionnant et dans un certain sens... oui, dans un certain sens, cela me servira pour mes études. Et il me paie...

— Il te paie ? Ce monsieur te paie ?

M. Decruze, de saisissement, faillit se laisser brûler par l'allumette enflammée qu'il tenait entre le pouce et l'index. Christine exposa de son mieux l'activité qui était la sienne près de François-Paul. Elle essayait de se servir d'une terminologie universitaire, de faire le rapprochement entre ses certificats de licence et l'exercice pratique peu orthodoxe que constituait l'élaboration du scénario de *La Femme-Fauve,* qu'elle raconta comme s'il se fût agi d'un roman de Stendhal. Il était évident que pour M. Decruze la littérature cinématographique se situait au niveau le plus bas et il ne lui serait jamais venu à l'idée de considérer le cinématographe comme un art et Charlie Chaplin ou Buster Keaton, comme des poètes ou des sociologues. Pour la première fois, il se sentait dépassé.

Christine, qui l'observait tout en lui parlant, eut tout à coup conscience qu'elle s'adressait à un homme qui n'était plus jeune, qui appartenait à un monde qui s'effilochait et qui essayait désespérément de retrouver sa fille dans ce personnage qu'il ne reconnaissait pas, qui passait ses journées avec un individu qui la rétribuait le samedi, comme chez Citroën, à Javel.

— Mais c'est scandaleux! Mais tu vas immédiatement mettre un terme à tout cela. Est-ce que tu te rends compte... de... enfin, ces gens ont une réputation déplorable. Si jamais cela se savait que toi, Christine Decruze, tu navigues dans ce milieu frelaté... Et même sur le plan intellectuel, je ne vois pas ce que cela peut te rapporter. Dès que cet homme est entré chez nous, j'avais eu une impression... non pas une mauvaise impression, mais plutôt un malaise... Tu sais que je peux t'interdire de le revoir? Je ne le ferai pas parce que je sais que tu es raisonnable et que tu passes seulement une crise. Une sorte de crise de croissance. Mais pourquoi ne pas m'en avoir parlé? On consulte son père avant de... Christine, Christine, je ne te reconnais plus. Demain, à la mer, dans le calme, nous allons avoir une grande conversation. Ce soir, je suis un peu bouleversé. J'ai l'impression que tu as joué avec la confiance que j'avais en toi... Qu'est-ce que tu veux exactement? Qu'est-ce que tu cherches?

Christine se releva. Elle avait honte de s'être laissé aller. Qu'avait-elle espéré? L'amour qu'avait son père pour elle se révélait, lui aussi, décevant, en deçà de ce qu'elle aurait voulu. Même son père exprimait une espèce de ressentiment un peu mesquin. C'était donc toujours ça, l'amour? La hargne, la grogne et peut-être une vague jalousie? Elle pensa à Serge, à sa recherche d'absolu, à cette façon qui était la sienne de vouloir aller au bout de tout et même de l'impossible.

— ... Je suis épouvantée. Tu ne comprends donc rien à rien? La vérité, c'est toujours nous qui la détenons et jamais les autres? Quand ils font des films, ce sont des desperados, des métèques, des gens de cirque? Il ne te vient donc même pas à l'idée qu'ils considèrent leur art ou leur industrie, appelle ça comme tu voudras, comme au moins aussi important que la banque, la bourse des valeurs ou le vin à Bordeaux? Tu ne sais donc pas que leur récolte, ce sont leurs succès et qu'ils ont des millésimes et des titres de noblesse, et des années fastes, et le phylloxera quand tout va mal? Dieu que c'est pénible d'avoir des œillères, de vivre sourds et aveugles quand tout autour de soi le monde bouge, remue et enfante!

— Christine!

Elle ignora son intervention :

— ... Cette « grande conversation » dont tu parles, nous sommes en train de l'avoir parce que je n'irai pas en Normandie avec toi demain. C'est impossible, voyons... Oui, c'est vrai, j'aurais pu, j'aurais dû te consulter avant d'accepter de travailler avec Lamiran. Je ne l'ai pas fait parce que... parce que certains événements de la vie vous tombent dessus comme une tempête, qu'on n'a pas toujours le courage ou la possibilité de prendre le train pour aller s'expliquer, de saisir le téléphone pour essayer de se faire entendre.

M. Decruze se leva à son tour.

— Et si je n'étais pas venu à Paris?

Christine se tut, interdite.

— Mais tu es venu... dit-elle enfin.

Il allait et venait, les mains croisées derrière le dos, plus las, plus voûté qu'à son habitude, comme s'il oubliait de se surveiller.

— ... Papa, ce serait affreux qu'un jour nous puissions nous regarder comme des étrangers...

Il s'arrêta, la regarda. Elle put lire dans ses yeux que depuis quelques instants il la considérait déjà un peu comme une personne étrangère à lui et à sa famille. Mais peut-être qu'il ne s'en rendait pas compte ?

— Il faut me donner non pas ton accord, puisque je sais bien que ce que je fais te déplaît, que les gens que je vois n'ont pas ton estime... Non, il faut tout simplement ne pas t'opposer à moi, ne pas essayer de me contraindre, ne pas me parler de tes devoirs et de tes droits ! Écoute...

Elle alla vers lui, maladroitement. Elle était émue parce que cet homme si digne qui ne montrait jamais ses sentiments ne savait que se taire quand il était bouleversé. Elle alla vers lui, espérant qu'il aurait un geste ou des paroles d'affection où il révélerait un peu de lui-même, du chagrin qu'il éprouvait de perdre cette fille qu'il chérissait et qui sortait de sa vie sans qu'il n'eût rien trouvé pour la retenir.

— Tu ne veux pas essayer de me comprendre ? Même si c'est difficile et... et peut-être incompréhensible ou injuste, puisque je n'ai jamais été un seul jour malheureuse près de vous...

Comme il redoutait d'être contraint de montrer sa faiblesse, M. Decruze, évitant le regard de Christine, se dirigea vers la double porte vitrée qui séparait le salon de la bibliothèque qu'il ouvrit et referma derrière lui, sans un mot.

Elle quitta la pièce et emprunta le couloir qui menait à sa chambre. Elle avait l'impression d'une cassure inévitable. Peut-être depuis le début de l'été son père avait-il vaguement craint que Christine ne s'éloigne d'eux ? Lorsqu'il l'avait accompagnée à la gare de Deauville, le jour de son départ, il semblait déjà assailli par une inquiétude qui avait dû s'insinuer progressivement. Elle était certaine qu'il n'était venu à Paris que pour voir sa fille...

« Et si je lui avais tout avoué ? »

Christine savait bien que c'était impossible, que la vérité le briserait. Puisque la parcelle de vérité qu'elle avait voulu partager avec lui l'avait déjà retourné, mis hors de lui. On lui enlevait Christine... Des hommes malfaisants s'emparaient d'elle. Elle ne put s'empêcher de sourire, car c'était un peu vrai. Mais tous les hommes étaient peut-être malfaisants, y compris son propre père...

Elle poussa la porte de sa chambre. Une odeur caractéristique, douceâtre, insistante, la prit à la gorge. Couchée dans le lit, havre de dignité, Arielle, qui en avait si peu, une épaule et un sein émergeant des draps, une joue appuyée sur sa main, lisait *La garçonne* et fumait du hachisch. Christine courut à la fenêtre, écarta les doubles rideaux d'un geste rageur, ouvrit en grand les deux battants.

— Tu es complètement folle ou quoi? Mais où te crois-tu? Dans une fumerie? Cette odeur... Mais il suffirait que mon père ait le malheur de passer dans le couloir pour que... Je n'ose même pas y penser...

— Bon. Ça va.

De son geste habituel, Arielle éteignit la cigarette roulée de ses blanches mains et la rangea soigneusement sur le mouchoir de soie étalé. Christine passa dans la chambre voisine.

— Qu'est-ce que tu fais, *darling?*

— Je me couche.

Arielle rejeta les draps. Elle parut sur le seuil de la chambre.

— Sérieusement? Tu ne viens pas dormir dans ton lit?

— Non, Arielle...

— Viens te coucher, et en vitesse! Après tout, nous sommes des amies de pension.

— Pas question.

— Si tu ne viens pas immédiatement, je vais tout droit chez ton *dady,* telle quelle, toute nue et je lui dis :

monsieur, je m'appelle Arielle Sullivan, je suis née à Boston et je ne connais votre fille que depuis le soir où, habillée en Jules, je l'ai levée au bar du Jockey, à Montparnasse !

Elle était parfaitement capable de mettre sa menace à exécution.

— Tu sais comment on appelle ça ?

— Du chantage ! Alors, tu viens te coucher ?

— D'accord. Mais tu te tiendras impeccablement.

— O.K., *boss !*

Tout en brossant ses cheveux, Christine se dit que François-Paul, débarquant tard dans la nuit à l'hôtel Vavin, serait fou d'inquiétude de ne pas l'y trouver. Lui téléphoner à Joinville ? Impossible.

A présent, elles étaient allongées côte à côte.

— Christine ?

— Oui ?

— Ton amie de pension, c'est une amie... heu... intime ?

Christine se souleva et toisa Arielle.

— Non, figure-toi. Pas du tout. Amy, c'est une brave fille pas sensuelle pour deux sous, avec des idées simplistes sur l'amour, ses tenants et ses aboutissants.

— Tu ne veux pas dire que dans ta pension... ?

— Je te parle de moi et de mes amies. Ce qui nous intéressait c'étaient les jeunes gens... Nous étions tellement conformistes que tu aurais pris la fuite, horrifiée... Nous échangions les photos de Douglas Fairbanks contre celles de Rudolph Valentino !

— Fairbanks ! dit Arielle, dépitée. Tous les acteurs de cinéma me donnent la nausée, mais Fairbanks, c'est vraiment l'incarnation du mâle satisfait de lui, de ses poils, de ses muscles ! Pouah ! Quand je pense que cette pauvre Mary Pickford, qui est assez excitante, a « ça » chaque soir dans son lit !...

— Il y a pas mal de femmes dans le monde qui envient celle que tu traites de « pauvre Pickford » !

Elle avait la voix ensommeillée.

Silence.

A un moment donné Christine sentit la main d'Arielle se poser sur son flanc.

Ensuite, elles s'endormirent comme deux sœurs. Christine rêva de l'homme qu'elle aimait : François-Paul. Quant à son amie, il était probable qu'elle faisait des rêves plus ambigus.

Christine se réveilla tôt, près d'Arielle enroulée sur elle-même, en chien de fusil, et qui dormait profondément.

« Avec un peu de chance, elle n'ouvrira un œil que lorsque papa sera déjà parti... » se dit Christine qui n'aurait pas voulu tenter le diable en remettant face à face M. Decruze et Arielle, cette dernière pouvant avoir le matin un comportement moins « britannique » que la veille au soir.

Elle se leva en faisant l'impossible pour ne pas troubler le sommeil d'Arielle. Et elle y parvint. Elle avait un peu d'appréhension de retrouver son père après la scène pénible qui les avait opposés. Il était à la cuisine aux prises avec une casserole, une théière et des placards qu'il avait ouverts à tour de rôle.

— Déjà levée ?

Il était tout habillé et fleurait bon son eau de toilette habituelle. C'était un homme matinal et avec l'âge il devenait un peu maniaque.

— Tu veux bien me laisser faire, papa ?

— Avec joie...

Il se retira et un peu plus tard ils prirent le petit déjeuner ensemble dans la bibliothèque qui était sa pièce préférée. On eût pu croire que l'explication entre le père et la fille n'avait jamais eu lieu. Il n'y fit aucune allusion. Christine était préoccupée par Arielle qui pouvait surgir à tout instant. M. Decruze consulta sa montre, la dernière tasse de thé avalée.

— Je... je ne voudrais pas revenir sur notre conversation d'hier soir, dit-il en se levant. Je... je pense très sincèrement que tu traverses une crise, que tu t'opposes à moi, à nous, parce que, comme tu l'as dit très justement, tout change et tout évolue. J'ai un conseil ce matin et je retournerai en Normandie après le déjeuner...

Il l'embrassa sur le front. Christine savait qu'il avait fait un effort fantastique pour essayer au moins de la comprendre. Tout ce qu'il avait appris de sa bouche avait dû le choquer. Le heurter. Le peu qu'elle lui avait fait entrevoir de son activité « professionnelle » ne pouvait que l'avoir déconcerté. Le voile qu'elle avait un peu soulevé à son intention, lui révélant le monde des acteurs et de ceux qui gravitaient autour de ces personnages en marge de la société, avait dû provoquer en lui des réactions presque passionnelles : imaginer sa fille, une Decruze, mêlée à un milieu que dans son for intérieur il devait trouver profondément amoral, l'avait certainement bouleversé bien plus qu'il ne voulait le laisser paraître. Mais Christine décela par-delà son calme et son impassibilité apparente un trouble profond. Et elle était émue de voir à quel point il voulait, par amour pour sa fille, vaincre ses réticences et son désarroi.

— Travaille bien...

Cette petite phrase avait dû lui coûter. Et il ajouta :

— ... Je t'ai laissé de l'argent sur mon bureau au cas... au cas où le cinématographe nourrirait mal son homme ! (Il saisit sa serviette.) ... J'aurais voulu prendre congé de ta charmante petite amie anglaise... Je l'ai très peu vue, en fin de compte.

— Elle dort encore.

Elle suivit son père dans le hall où il prit sa canne, son chapeau, ses gants. Et il fit une chose tout à fait inhabituelle : il embrassa sa fille une seconde fois. Elle lui sourit, pétrifiée de honte et de remords. Elle se dit que jamais elle n'arriverait à se détacher de lui, d'eux tous, mais qu'il était insupportable de vivre près d'eux dans le mensonge et la dissimulation.

Il n'était pas plus de 9 heures, mais il fallait tirer Arielle du lit, se préparer et essayer d'être à l'hôtel avant le départ de François-Paul pour le studio. Lorsqu'elle pénétra dans sa chambre, Arielle était levée. Et même habillée.

— Fais-moi le plaisir d'enlever ça! s'écria Christine.

Son amie n'avait trouvé rien de mieux que de revêtir la petite robe-chemise à trois sous de Christine, de chausser ses sandales et de prendre des poses d'ingénue perverse. Christine dut reconnaître que, vêtue de la sorte, elle paraissait d'une jeunesse déconcertante, mais en même temps très femme. C'était un mélange bizarre.

— Je la garde! Je te l'échange contre mon tailleur!

Christine baissa les bras, découragée.

— Tu es folle...

— Tu fais une affaire, tu sais : il vient de chez Coco Chanel!

— Je ne veux pas faire d'affaires avec toi, Arielle.

L'heure avançait. Elles avaient la même taille, la même silhouette à peu de chose près.

— Je mets ton tailleur et nous ferons l'échange à l'hôtel, si j'ai le temps, décréta Christine, de guerre lasse.

Bien entendu, lorsque le taxi les déposa devant le Vavin, François-Paul faisait les cent pas sur le trottoir. Le metteur en scène s'entretenait avec son ami, le propriétaire de l'hôtel. Christine lui présenta Arielle. Il n'était pas question de procéder à l'échange de vêtements projeté. Christine était belle et grave.

— Alors, *bye-bye, ma grande,* dit Arielle.

Elle embrassa Christine, tendit la main à François-Paul qui la suivit des yeux alors qu'elle s'éloignait vers le carrefour Vavin, très blonde, très mince et très poétique. Où étaient le smoking, le faux col et le fume-cigarette?

Christine monta dans la voiture.

— Cette fille... ton amie... est très intéressante. Elle bouge d'une façon parfaite...

Au lieu d'embrayer, il se tourna vers elle. Deux rides profondes barraient son front. Il paraissait son âge. Ses traits étaient ravagés par l'inquiétude.

— Où étais-tu cette nuit ? Je suis rentré à 2 heures du matin et je t'ai attendue...

— Je suis désolée, mon amour, murmura Christine. J'ai été chez moi hier au soir avec Arielle pour y prendre quelques affaires et je suis tombée sur mon père revenu à Paris inopinément. Nous avons eu une scène un peu pénible...

— A mon sujet ?

— Oui, bien entendu. Il a voulu m'obliger à revenir en Normandie avec lui ce matin. Mais les choses se sont un peu arrangées au petit déjeuner. Nous sommes une famille où la table du petit déjeuner fait souvent figure de forum, de tribunal ou de lieu de réconciliation. Et me voici fraîche et dispose dans un tailleur de chez Chanel qui n'est pas à moi...

Il démarra. Il paraissait davantage détendu.

— Je suis très coupable, Christine. Est-ce que tes parents se doutent de quelque chose à notre sujet ?

— Certainement, chéri. Conformistes, mais pas idiots !

Elle avait dit cela d'une traite et elle était lucide en pensant que la jeune fille qu'elle était il y a peu de temps encore n'aurait jamais prononcé une telle phrase. Elle était stupéfaite par la transformation qui s'était opérée en elle, par le chemin parcouru depuis le début de l'été. Elle faisait face aux événements qui s'imposaient à elle, elle s'adaptait aux situations nouvelles qui auraient dû la choquer, comme certains êtres aux prises avec des vices et des passions inconnus chez les Decruze. Mais elle avait le désir farouche de se réaliser, de prendre en main son propre destin. Elle ne voulait pas vivre les yeux fermés. « Je me connais, se dit-elle. Je conduirai désormais ma vie comme je conduirai un jour mon automobile. » Mais elle savait aussi qu'elle était désintéressée, capable de donner beaucoup, de s'oublier pour autrui. Telle quelle, Christine était en train de découvrir un monde neuf. Elle voyageait dans le Paris de son enfance, aux côtés de son amant, comme dans un paysage inconnu. Ils traversèrent la Seine. Peu après ils se garèrent dans une petite rue proche des Champs-Élysées. Ayant arrêté son moteur, le metteur en scène, au lieu de descendre de voiture, s'accouda au volant, la tête tournée vers sa passagère.

— Cela fait plus de quinze jours que je te presse comme un citron. Grâce à toi, le personnage de Norma, que je ne voyais pas très bien, existe réellement. Ce matin, nous allons voir des actrices susceptibles de jouer ce rôle. Nous ne serons pas seuls. Il y aura avec nous un individu que tu ne connais pas encore : mon producteur, Mérignac.

Ce nom apparaissait régulièrement dans les conversations qu'elle avait avec François-Paul. Le producteur, ce Mérignac était responsable du financement de *La Femme-Fauve*. Non pas qu'il s'agît d'un nabab, mais plutôt d'un homme d'affaires astucieux qui allait chercher l'argent là où il se trouvait pour permettre à François-Paul de mettre en pratique ses idées, par exemple, ce survol de la maquette dont la réalisation posait des problèmes qu'il fallait résoudre à n'importe quel prix. Lamiran avait la réputation d'être un metteur en scène cher. Le producteur avait aussi, et surtout, son mot à dire quand il s'agissait d'engager les acteurs, puisque c'était lui qui les rétribuait. En principe, il s'inclinait devant la volonté du réalisateur, mais celui-ci devait compter avec ses ostracismes et aussi ses préférences qui n'étaient pas toujours désintéressées, surtout lorsqu'il s'agissait des rôles féminins...

Ils montèrent au premier étage de l'immeuble. La

société s'appelait Mérignac-Film et on y entrait comme dans un moulin. Dans l'antichambre attendaient une douzaine de jeunes femmes, toutes ravissantes, toutes très élégantes et affichant une décontraction qui prouvait au prime abord qu'elles savaient jouer la comédie. A voir toutes ces « Norma » une sorte de vertige gagna Christine.

A l'entrée de François-Paul, elles se pétrifièrent et levèrent vers lui des regards pathétiques, généreusement soulignés au crayon. Il était évident que, pour lui plaire, elles étaient prêtes à faire beaucoup de concessions. Elles gratifièrent Christine d'un coup d'œil qui la jaugeait sans pitié. Était-elle épouse, maîtresse, secrétaire, ou, ce qui serait horrible, actrice ?

Christine, sous ces regards qui la poignardaient, aurait bien voulu se trouver ailleurs. Mais il était trop tard pour battre en retraite. Une porte capitonnée s'ouvrait, un homme parut.

— Lamiran ! On n'attendait que vous pour commencer...

Christine se figea sur place. Le gentleman en complet noir à larges rayures et gilet blanc, guêtres blanches et souliers vernis n'était autre que l'individu de l'appartement 114 à l'hôtel Normandy de Deauville ! Le producteur de *La Femme-Fauve* et l'homme qui avait voulu la violer cette nuit-là, qui s'était avancé vers elle froissant dans sa main les billets de banque qu'il lui destinait, étaient une seule et même personne : Mérignac. Très Latin, très brun, trapu, bien planté sur ses jambes, il incarnait à la perfection la réussite, l'audace, un certain cynisme dans les affaires et dans la vie.

— Viens, Christine, que je te présente Mérignac...

Comment avait-elle réussi à franchir la distance qui la séparait de cet homme ?

— Christine Decruze qui travaille avec moi au scénario. Je vous en ai parlé au téléphone...

Aucun muscle n'avait bougé dans le visage de Mérignac. Comme s'il ne l'avait point reconnue. Il la regardait, belle, distante dans son tailleur très strict. Il lui tendit la main. Impossible de ne pas la saisir. Un frisson la parcourut. Elle était décidée à se venger de l'humiliation subie. Elle le revoyait dans la chambre du « Normandy » dans son kimono de soie, musclé, velu; une force de la nature...

Il détourna les yeux et reporta toute son attention sur Lamiran, « son » metteur en scène, celui qui allait lui faire perdre ou gagner des millions avec *La Femme-Fauve*. La porte capitonnée se ferma sur eux. Mérignac traita Christine comme s'il la voyait pour la première fois. Il était au moins aussi bon comédien que ceux qu'il engageait à prix d'or pour tenir la vedette de ses productions dont les affiches, énormes, ornaient les murs. Christine pouvait y lire les noms des réalisateurs : Marcel L'Herbier, Abel Gance et, bien entendu, celui de François-Paul Lamiran.

— Comment ça va, Christine ?

Un jeune homme que dans son trouble elle n'avait même pas vu et qui s'était levé de derrière un petit bureau, venait de lui avancer un siège. C'était l'assistant, Marc, qu'elle connaissait depuis *La châtelaine.*

Mérignac, lui, trônait derrière un bureau impressionnant, en acajou. Elle sentait son regard se poser sur elle, presque distraitement, puis revenir à François-Paul. Christine eut un mal considérable à chasser de son esprit certaines images qui s'attachaient à ce personnage.

— Je sais que pour ce rôle vous avez pensé à Ludmilla Pitoëff, dit-il, s'adressant au metteur en scène. C'est une admirable actrice, mais elle n'est pas le personnage... Et puis, quoi, mon vieux, elle n'excitera personne !

— Je ne fais pas de films pour exciter les gens, dit posément François-Paul. Cela dit, et après avoir travaillé avec Mlle Decruze sur la version définitive de mon scénario, je vous accorde que Mme Pitoëff n'est pas le personnage...

— A la bonne heure...

Mérignac paraissait plutôt soulagé. Christine, qui avait la plus grande admiration pour les Pitoëff, se rebiffa.

— De toute manière, lança-t-elle, Ludmilla Pitoëff remporte tous les soirs un triomphe au Théâtre des Arts dans la *Sainte Jeanne* de Bernard Shaw et je ne pense pas qu'elle accepterait de jouer un rôle secondaire au cinéma.

Les têtes se tournèrent vers la co-scénariste. Mérignac, visiblement agacé, tapota des doigts sur le revêtement en cuir de son bureau de ministre.

Lamiran consulta sa montre et suggéra que l'on fît entrer les jeunes femmes qui attendaient depuis un long moment. Marc les introduisit les unes après les autres. Ce n'était pas des actrices très connues (celles-ci se faisaient représenter par leurs imprésarios), mais elles avaient toutes tenu des petits rôles à l'écran. Christine admira la manière de François-Paul qui les mettait à leur aise, sans jamais perdre de vue le rôle pour lequel il les envisageait. Il leur parlait du personnage. Cela fit sur Christine une impression curieuse. Il lui semblait qu'en parlant de Norma le metteur en scène parlait d'elle, de Christine, tant elle avait mis de sa propre personnalité dans cette très jeune femme qui aimait un homme, éperdument, qui avait abdiqué sa propre personnalité progressivement pour vivre exclusivement par Marco, pour Marco...

Pendant ce temps, Mérignac n'intervenait que pour poser des questions d'ordre pratique, mais il s'adressa à elles comme s'il était en train de les dévêtir. Et quand elles quittaient le bureau, il se laissait aller à des commentaires d'un goût douteux sur leurs éventuelles aptitudes amoureuses.

François-Paul ne faisait guère attention à lui. Il parlait aussi avec son assistant qui l'écoutait comme le Messie. Dans les yeux du jeune homme Christine pouvait lire une admiration sans bornes pour le metteur en scène.

— Alors ? demanda Mérignac lorsque la dernière candidate eut quitté le bureau, raccompagnée comme les autres par l'assistant.

— Alors, mon cher, dit Lamiran, j'ai l'impression que rien n'est résolu. Comprenez-moi bien : Norma est un personnage dramatique, certes, puisqu'elle ira jusqu'au crime...

Mérignac leva la tête.

— Sans blague ?

— L'idée n'est pas de moi, mais de Christine, et je l'ai adoptée parce qu'elle apportait à mon scénario ce qui lui faisait défaut. Oui, Norma, pour se libérer de l'emprise qu'a sur elle son amant, essaiera de le tuer !

Mérignac paraissait frappé par cette révélation. Christine comprit à quel point elle avait mêlé sa propre histoire à celle de la Femme-Fauve. Une pensée lancinante avait pris possession d'elle et elle était incapable de la chasser hors de son esprit :

« Pourquoi François-Paul, qui semble avoir tant de mal à mettre la main sur l'interprète idéale du personnage de Norma, ne pense-t-il pas à moi ? Il s'est bien rendu compte que j'avais mis beaucoup de moi-même dans son histoire... Alors, comment expliquer qu'il ait oublié totalement que lorsque nous nous sommes rencontrés je lui paraissais si proche du personnage dont il rêvait, de cette Norma qui, peu à peu, prend une importance presque égale à celle de l'autre rôle féminin, la Femme-Fauve ? »

Christine aurait été incapable de fournir une réponse aux questions qu'elle se posait. Elle sentait qu'il fallait bien qu'elle se débarrassât une fois pour toutes de ce rêve qu'elle avait fait et qui paraissait irréalisable :

entrer dans la peau d'autres personnages que le sien, devenir une actrice !

— Je ne savais pas que vous aviez remanié votre scénario, dit Mérignac embarrassé. Je voudrais lire votre version définitive...

— Dès que ce sera prêt, trancha François-Paul. Mais j'aimerais que vous compreniez que Norma a vingt ans, qu'elle est très gaie de nature. Il faut qu'elle ait un pouvoir d'envoûtement dramatique, qu'elle subjugue le spectateur par le côté passionné de son personnage ; mais qu'elle l'amuse aussi, qu'elle l'attendrisse et que, lorsqu'elle ira jusqu'au crime, personne n'ait l'idée de la juger comme une criminelle !

— Nous aurons des difficultés avec les Américains ! protesta Mérignac. Ils sont très chatouilleux sur la morale...

— Nous n'en sommes pas là...

— Si votre film n'est pas vendu en Amérique, je perds de l'argent !

Christine eut une inspiration. Plutôt une vision qui s'imposait à son esprit. Spontanément, désireuse d'en faire part à François-Paul, elle dit :

— Je connais quelqu'un qui saurait faire croire au personnage de Norma... Seulement, voilà, ce n'est pas une actrice !

Le metteur en scène fit un geste qui signifiait clairement que cela n'avait qu'une importance relative.

— Ce matin, boulevard Montparnasse, je vous ai présenté une jeune femme... Rappelez-vous, François-Paul : elle portait une robe-chemise de couleur violine et des sandales blanches aux pieds...

Devant des étrangers, elle le vouvoyait. Parfois, elle oubliait.

Lamiran leva la tête. Il y avait une curieuse expression sur son visage buriné d'explorateur, explorant sans cesse l'âme et le cœur des gens, et les rues des villes, et l'intérieur des maisons...

— Bon Dieu! s'écria-t-il, bon sang de bonsoir! Je l'ai regardée, cette fille, longuement et je sais maintenant pourquoi! Je l'ai regardée quand elle s'est éloignée. Elle marchait comme une déesse dans sa petite robe de rien du tout. Une déesse, une sorte de princesse du pavé... Trouble et troublante... et une vraie jeunesse et aussi, à fleur de peau, quelque chose de désemparé. Elle avait une façon de vous regarder, Christine... Elle m'a fasciné, je crois vous l'avoir dit. Qui est-elle? Où est-elle? Il faut la voir. Immédiatement. Il faut la voir, Mérignac, elle est sublime. Elle bouge, comprenez-vous... Elle s'exprime avec son corps... Une danseuse, non?

— Non, murmura Christine, sidérée par cette explosion verbale, non, c'est un modèle. Elle pose pour des peintres...

L'assistant, qui était sorti depuis quelques instants, revint à ce moment-là.

— Vous en aviez convoqué d'autres, monsieur?

Il s'était adressé à Mérignac qui opina du chef.

— En effet.

Le producteur se tourna vers François-Paul, mielleux:

— J'aurais voulu que vous voyiez deux ou trois petites que j'ai eu l'occasion de faire travailler et qui...

Lamiran leva une main dans un geste de défense.

— Inutile! Je crois avoir trouvé... Je suis même sûr d'avoir trouvé. Quand vous la verrez vous comprendrez... C'est notre personnage. Nous tâcherons de faire un essai dès demain. Au fait, Christine, comment s'appelle-t-elle?

— Arielle... Arielle Sullivan. Elle est américaine.

Mérignac paraissait impressionné.

— Une Américaine? C'est bon, ça... C'est même très bon!

A ce moment-là une secrétaire, l'air d'un hibou effarouché, passa la tête dans l'entrebâillement d'une porte:

— Téléphone pour M. Lamiran !

Avant de quitter le bureau, François-Paul lança à son assistant :

— Allez examiner ces jeunes femmes qui attendent... Voyez s'il y a quelque chose d'intéressant dans le lot !

Il sortit de la pièce et Marc en fit autant.

Christine se trouva seule avec le Casanova de l'hôtel Normandy. Celui-ci la contempla un moment en silence et elle retrouva dans ce regard posé sur elle le même désir et la même détermination d'arriver à ses fins. Mérignac était de ces hommes qui ne s'avouent jamais battus. Avec une sorte de délectation, il détaillait la jeune femme assise en face de lui.

— Tu sais, lui dit-il enfin, pour t'avoir, toi, je donnerais bien davantage que cent louis ! Fixe toi-même un chiffre...

La lueur d'ironie qu'elle crut distinguer dans son œil la mit hors d'elle. Elle jaillit de son fauteuil et avança vers lui, menaçante. Le fait d'être debout alors qu'il était assis l'aida considérablement. Elle parla très vite, d'une voix étouffée, craignant de n'avoir pas le temps de tout lui dire.

— Vous ne savez sans doute pas comment s'est achevée cette soirée mémorable au cours de laquelle j'ai eu la joie de vous rencontrer dans le simple appareil d'un Apollon un peu raté sortant de sa baignoire ?

Mérignac ne dit rien, se contentant de la regarder, souverainement calme. Christine se tenait au bord du bureau. Elle s'y appuya.

— Je suis retournée dans la chambre de Serge. Grâce à vous, monsieur Mérignac, grâce aux explications que vous veniez de me fournir si généreusement, j'avais compris beaucoup de choses. C'était la première fois que j'aimais un homme. Votre image cocasse en kimono de soie venait de ternir quelque peu la vision que j'avais de l'amour. Et Serge, dont j'avais fait une sorte de héros moderne, un archange des casinos, je le haïssais en cet instant. Je le haïssais autant que je l'avais aimé une heure plus tôt. N'ayant pas pour habitude de faire l'amour avec un revolver à portée de la main, j'ai saisi un objet très lourd, un cendrier en albâtre, et avec cette arme improvisée, j'ai frappé, frappé de toutes mes forces et je croyais vraiment l'avoir tué !

Elle se tut, hors d'haleine.

— Vous avez bien failli le tuer, c'est exact, dit posément Mérignac.

Christine le dévisagea, incrédule.

— Vous... vous étiez au courant ?

Il se leva, contourna son bureau et rejoignit Christine, les mains enfouies dans les poches de son veston de chez le bon faiseur. Il se tenait très droit afin de paraître plus grand qu'il n'était. En fait, il avait la même taille que Christine.

— Bien entendu, j'étais au courant, dit-il. Il m'a appelé à une heure avancée de la nuit, dans ma chambre. Je ne dormais pas. La petite séance de... heu... de tendresse entre vous et moi m'avait mis les nerfs en boule. Il m'a donc appelé. Il avait une drôle de voix et il paraissait avoir beaucoup de mal à formuler une phrase qui tenait debout. Il me demanda d'aller le retrouver. J'étais très monté contre lui, contre vous, et j'ai failli lui raccrocher au nez. Moi, en affaires, je suis très net. Et le cours qu'avait pris notre... heu... notre conversation, chez moi, ne m'avait pas plu du tout. Mais la voix de Serge était si étrange que... voyez-vous, je ne me suis jamais dégonflé quand je sentais quelqu'un en danger. Et j'avais l'impression que Serge était en danger. Je fonce donc en pyjama jusqu'à l'autre bout du couloir et je trouve mon copain en piteux état, tout barbouillé de sang, l'air hagard. Ce n'était pas joli à voir, je vous prie de le croire. Les draps... Les serviettes de toilette... Du sang partout. Et une blessure assez vilaine au front. Je fais ce que je peux en essayant de me souvenir de ce qu'on avait oublié de nous apprendre pendant la guerre.

« Qui t'a arrangé comme ça, je lui demande. Un créancier ? »

Christine imaginait la scène. Elle savait que Mérignac disait la vérité. Et le personnage de Serge, au fur et à mesure que le producteur de *La Femme-Fauve* le ressuscitait avec ce langage très quotidien qui était le sien, le personnage de Serge, aux yeux de Christine, était bien le même que celui qui avait pris la fuite lors de son irruption dans l'atelier du prince Alexis Solokoff.

— Il avait du mal à parler, votre ami Serge, parce qu'il pleurait comme un môme... Oui, madame, ce superbe jeune homme en était là, parce que vous lui aviez fichu une frousse mortelle et qu'il se demandait s'il n'était pas en train de rendre l'âme ! Il hoquetait de rage impuissante : « Cette fille est complètement folle ! J'aurais dû m'en débarrasser tout de suite... Tu sais, Mérignac, qu'elle est capable de recommencer ? » Et moi, très sérieux, de lui répondre : « Je n'en doute pas une seconde ! » Il perdait du sang, il s'affolait. Je lui ai fait un pansement après avoir désinfecté la plaie, je l'ai rassuré et, comme il ne voulait pas rester une heure de plus au Normandy, je l'ai aidé à s'habiller. Il reprenait du poil de la bête. J'étais retourné chez moi pour y prendre une bouteille. Je lui ai remonté le moral. A la fin, on était saouls l'un et l'autre. Moi, ça me rendait plutôt rigolard, lui, ça le rendait sentimental. Il versa encore quelques larmes sur lui-même, se qualifiait de mal-aimé et de paria. A la fin, il commanda un taxi. Je tombais de sommeil. Je lui ai demandé où il comptait se rendre. « Là où la folle ne me retrouvera pas ! A Paris, chez un ami sûr ! »

Mérignac se tenait les bras croisés, appuyé contre son bureau monumental. Il avait abandonné le ton légèrement ironique qu'il avait adopté et paraissait sérieux, sinon grave.

— ... Je me mêle de ce qui ne me regarde pas, mais je crois ne pas me tromper. Vous êtes une fille assez exceptionnelle et vous valez cent fois mieux que ce type qui est très beau, très racé, très... enfin, tout ce que vous voulez. Grattez un peu le vernis et qu'est-ce que vous trouvez ? Un personnage assez ignoble, pourri de vices, qui vit du jeu, des femmes et de petits trafics plus ou moins louches... Grattez encore un peu et qu'est-ce que vous voyez ? Un enfant de trente ans qui n'arrive pas, qui n'arrivera jamais à être un homme, un vrai, malgré sa belle gueule et ce qui va avec pour plaire aux dames !

Christine savait à quel point Mérignac avait raison. Elle se détourna, alla vers la fenêtre donnant sur une cour. Tous les immeubles étaient à usage commercial. A travers les vitres on voyait des dizaines de têtes penchées sur des machines à écrire, des hommes au téléphone, avec leurs faux cols et leurs cravates, mais sans veston, à cause de la chaleur. Mérignac vint la rejoindre. Dans la vitre, elle voyait le reflet de leurs deux silhouettes. A présent, ce qu'elle avait vécu avec Serge lui paraissait déjà très loin et irréel.

— Moi, ma chère murmura l'homme, l'idée d'être attaqué par vous m'exciterait plutôt. Au fond, je raffole des tigresses. Vous êtes belle, vous êtes dangereuse, vous avez tout, mais absolument tout ce que j'attends des femmes. Je n'ai jamais considéré l'amour comme un sport de tout repos. J'ai l'impression que vous et moi, nous sommes faits pour nous entendre.

Christine se retourna :

— Non, dit-elle. Je ne crois pas. Je sais que vous ferez tout, absolument tout, pour m'avoir. Seulement, voilà : vous ne m'aurez jamais !

Ils se mesurèrent du regard. Il voulut répliquer. La porte du bureau voisin s'ouvrit en trombe sur François-Paul Lamiran.

— Kauffmann arrive de Berlin ! Je vais pouvoir résoudre le problème du survol de la maquette !

Christine se trouva soudainement isolée, car d'autres personnages envahirent le bureau, assiégeant Lamiran et Mérignac. Personne ne prêta plus la moindre attention à Christine. Marc, l'assistant, revenait avec des photographies sous le bras, ayant choisi plusieurs candidates parmi les postulantes pour le rôle de Norma, qui remplissaient encore l'antichambre.

Christine observa François-Paul au moment où Marc fit entrer une comédienne. Le metteur en scène se concentra. Au bout de quelques minutes d'entretien, ayant bien pris soin de les placer en pleine lumière, les ayant regardées évoluer, il les raccompagnait lui-même jusqu'à la porte.

« Elles doivent se croire pour ainsi dire engagées pour le rôle ! » se dit Christine qui ne savait s'il fallait louer ou blâmer le metteur en scène de leur donner cet espoir.

— Très bien, dit-il, lorsque la porte se fut refermée sur la dernière des élues, très bien. Vous serez d'accord avec moi, Mérignac, pour affirmer qu'aucune ne correspond vraiment au personnage, mais que deux ou trois sont intéressantes... Avec le visage de celle-ci (il exhiba une photographie) et le corps de celle-là (il en désigna une autre), nous ne serions pas loin de la perfection... De toute façon, nous allons faire des essais avec les deux et naturellement avec la petite Américaine, l'amie de Christine...

Il lui cligna de l'œil joyeusement. Peu après, il se leva.

— Nous partons ! lança-t-il en direction de sa collaboratrice.

Elle serra la main de Mérignac.

— J'espère avoir l'occasion de mieux vous connaître, murmura celui-ci.

— Vous la verrez tous les jours pendant les prises de vues, dit Lamiran.

Un peu plus tard, ils roulaient sur les Champs-Élysées. Silencieux tous les deux. Elle observa François-Paul à la dérobée. Lorsqu'ils traversèrent la Seine par le pont de la Concorde, Lamiran desserra enfin les lèvres.

— Crois-tu qu'on puisse voir ton amie Arielle ce soir?

— Dépose-moi au carrefour Vavin. Je monterai chez Arielle. Je ne pense pas qu'elle soit chez elle, mais je lui laisserai un mot.

— Parfait, dit François-Paul. Je vous attends toutes les deux au bar du Dôme, disons... à partir de 10 heures ce soir. Je ne serai pas libre plus tôt. Je dois finir le montage de *La châtelaine*.

En la quittant, il l'attira à lui. Il serra son visage entre ses deux grandes mains, l'approcha du sien et l'embrassa très délicatement, presque du bout des lèvres.

— Merci, lui dit-il.

Rien d'autre. Elle se dirigea vers la maison qu'habitait Arielle. Dans l'entrée elle se retourna. La voiture était toujours là et François-Paul, au volant, lui souriait.

Pendant le jour, la petite cour sur laquelle donnait l'atelier d'Arielle avait un charme désuet et provincial grâce aux herbes folles qui poussaient entre les pavés et cet arbre aux branches maigres appuyé au mur de la voisine. La porte était fermée et Christine avait beau frapper, personne ne vint lui ouvrir. N'ayant pas de quoi écrire, Christine se promit de repasser chez son amie dans l'après-midi, puis elle rentra à son hôtel.

Elle ressentit une grande lassitude. Elle s'allongea sur son lit. Le jour baissait. Les yeux ouverts, Christine regardait en elle-même sa vie défiler, puis se casser comme il arrivait parfois que les films se cassent au cours d'une projection cinématographique... Elle avait demandé qu'Arielle vînt la rejoindre à l'hôtel avant 10 heures. Il était presque l'heure, et point d'Arielle.

Très inquiète, Christine se rendit au Jockey après avoir laissé la consigne à la réception de l'hôtel : au cas où Arielle se présenterait, il fallait la retenir jusqu'au retour de Christine. Celle-ci eut droit au sourire de connivence du portier du night-club, trouva la salle aux affiches suspendues au plafond à demi vide, car il était bien trop tôt pour les habitués. Il n'y avait que deux consommateurs juchés sur les tabourets du bar : Arielle et une dame d'un certain âge à la nuque rasée, engoncée dans un veston d'homme qui lui faisait des bourrelets à la taille. Grâce aux tabourets indiscrets, on pouvait voir les pieds de la dame chaussés de mocassins à semelle de crêpe, amoureusement emmêlés autour des escarpins vernis d'Arielle qui arborait son uniforme du soir : smoking et plastron blanc.

Christine imagina avec effroi la réaction de François-Paul devant une telle apparition. Elle surgit derrière son amie.

— Arielle !

La jeune Américaine se retourna.

Visiblement, Arielle avait fumé du hachisch. Elle avait le regard vague.

— Viens... C'est très important.

— Écoutez, mon petit...

La dame d'un certain âge essayait d'intervenir. Elle avait une voix de sergent de ville. Christine lui coupa la parole.

— Si vous vous occupiez de vos oignons ? (Et tournée vers Arielle :) Si tu ne viens pas immédiatement, tu le regretteras toute ta vie ! Lamiran veut te rencontrer... maintenant... tout de suite... au Dôme. Il t'a vue avec moi ce matin. Il croit que tu es le personnage de son film.

— Moi ?

Arielle tombait des nues.

— Oui, toi, espèce d'idiote ! Mais pas toi déguisée en gigolo, en train de se faire conter fleurette par mémère-fort-des-halles. Alors, tu viens oui ou non ? Il faut te changer à toute allure...

La dame que Christine venait de traiter de « mémère-fort-des-halles » prit un air menaçant, mais Christine n'était pas d'humeur à se laisser faire. Elle fit descendre Arielle de son tabouret. La sentant indécise, elle trouva l'argument susceptible de la réveiller.

— Travailler dans le cinoche, Arielle, tu te rends compte ? Tu n'auras jamais gagné autant d'argent de toute ta vie !

Elle l'entraîna vers la sortie après avoir réglé les consommations.

— Comme cela, dit-elle à la dame en tussor, vous n'aurez pas tout perdu !

Elle enrageait de voir Arielle dans cet état et en cette compagnie. Elle la saisit par le bras et l'emmena au pas de charge vers son atelier, heureusement tout proche. Il y régnait le désordre habituel. Christine pêcha dans un amoncellement de vêtements la robe-chemise violine, retrouva une sandale, puis une autre.

Il n'était pas loin de 11 heures lorsque les deux filles firent leur entrée au bar du Dôme. A une table le metteur en scène attendait en fumant cigarette sur cigarette.

— J'ai eu bien du mal à mettre la main sur Arielle, expliqua Christine. Elle a travaillé toute la journée, sans rentrer chez elle.

François-Paul leva sur Christine un regard qui, dans son genre, lui parut tout aussi embrumé que celui d'Arielle. Elle crut naïvement que leur retard l'avait indisposé. Mais ce n'était pas de cela qu'il s'agissait. François-Paul broyait du noir. Au lieu d'expliquer son rôle à celle qu'il voyait comme la parfaite incarnation du personnage de Norma, il parla de lui-même, soliloquant, un peu tassé, subitement vieilli, mais infiniment attendrissant aux yeux de Christine. Lamiran était saisi de doutes.

— Je panique, dit-il. Je n'arrive pas à faire mon travail d'artisan. Je n'arrive plus à enchaîner les situations de mon film. Est-ce que tu me comprends, Christine ?

Elle secoua la tête.

— Non, dit-elle. Voulez-vous que je vous récapitule votre scénario ?

Il leva les bras au ciel.

— Surtout pas ! En vous attendant, toutes les deux, je me suis raconté l'histoire plusieurs fois et de façon différente sans jamais arriver au bout. Et ce qui est grave, voire tragique, alors que j'essaie désespérément d'attraper mon film par la queue, c'est que tout est déjà déclenché. Comme une guerre que les généraux regrettent alors qu'ils ne peuvent plus reculer et qu'ils sont acculés à se battre. Je suis acculé au tournage. A Joinville on achève la construction des décors. La maquette attend son magicien, Kauffmann, qui vient d'arriver de Berlin. Tout à l'heure j'ai choisi l'acteur qui jouera Marco, l'homme du film... l'homme que vous aimez, Norma !

Il s'était adressé à Arielle qui tressaillit. Elle fit :

— Oh !...

Et rien d'autre, alors que Lamiran continua son monologue.

— Je l'ai emmené dîner à la campagne pour le convaincre. Demain matin, il ira chez Mérignac signer son contrat. Je ne pourrai plus changer d'avis. C'est définitif. Tout s'enchaîne de manière inexorable.

Il soupira. Il portait une chemise de sport largement échancrée. Christine voyait des touffes de poils sombres et les prémices d'un double menton quand il réfléchissait. Mais c'était un homme. Ses doutes, ses hésitations, ses paradoxes n'étaient pas un signe de faiblesse, Christine en avait la certitude. Il accouchait de son film. Dans la douleur.

— Ce matin, murmura-t-il, j'ai failli demander à Mérignac de tout arrêter.

Christine, à son tour, était saisie de panique. Brusquement, elle se rendit compte que le cinéma était devenu sa vie. Le film et son auteur l'habitaient; c'était un véritable amour, une passion toute nouvelle.

— ... Cet été, à Deauville, à Honfleur, rien n'était encore définitif. Je tournais autour du scénario. J'inventais une situation, puis une autre sans être vraiment heureux. Je faisais un peu l'amour avec mes personnages pour mieux les connaître. J'avais encore la possibilité de reculer, de trouver un prétexte pour que Mérignac arrête les frais. Tu te souviens du matin où tu m'avais demandé de t'accompagner à l'hôtel Normandy?

Christine détourna les yeux.

— Vaguement...

— Tu ne le croiras pas : j'ai pris ça pour un signe du destin. Là veille encore j'avais vu Mérignac qui était là depuis quelques jours pour discuter du film avec moi. Il venait de trouver l'argent qui lui faisait défaut auprès d'un industriel en textiles qui avait aimé mon dernier film. Il devait rentrer à Paris ce matin-là. J'avais dîné avec lui la veille et puis, comme c'est un joueur invétéré, il s'était enfermé dans son appartement pour un poker qui avait dû durer toute la nuit, je suppose, car j'avais décliné son invitation...

Christine écouta, effarée. Elle avait été, à ce moment-là, si préoccupée d'elle-même, qu'elle n'avait en rien soupçonné le problème de Lamiran. Elle s'en voulut.

— ... Pendant que tu te trouvais à la réception, Christine, j'ai fait un pari avec moi-même : si Mérignac était encore à l'hôtel je lui dirais de tout arrêter, de passer l'éponge, de changer de film et de metteur en scène. Je me suis renseigné : il avait quitté le Normandy le matin de bonne heure... Plus d'issue possible. J'allais faire *La Femme-Fauve!* Le piège s'était refermé. Tout en attendant au bar, je ruminais des pensées contradictoires...

Arielle, le menton sur ses mains croisées, écoutait Lamiran avec une courtoisie étonnée. Christine savait ce que son regard signifiait : dans la panoplie des mâles connus d'Arielle et rejetés par elle, aucun ne devait ressembler à François-Paul. Christine crut lire un peu de pitié amusée sur le visage de son amie.

— Je croyais, dit celle-ci, que le cinéma, c'était très gai !

— C'est très gai, en effet, répliqua François-Paul avec beaucoup de sérieux. Et amusant une fois que les dés sont jetés et qu'on ne peut vraiment plus reculer. Mais avant, Arielle, avant, c'est sinistre. Sauf évidemment quand on a pris ses précautions en s'entourant bien.

Il passa son bras autour des épaules de Christine assise à côté de lui.

— ... Et je me suis bien entouré, je crois.

Christine avait l'impression qu'Arielle n'appréciait que médiocrement cette déclaration. Elle se mordait les lèvres.

— Alors, qu'est-ce que vous attendez pour être un peu plus réjouissant que vous ne l'êtes ?

Lamiran éclata de rire.

— Tu as cent fois raison, Arielle.

Et tourné vers Christine :

— Je crois qu'elle sera divine dans le rôle de Norma...

— J'en suis convaincue, murmura Christine.

Mais elle pressentit des complications d'un genre très particulier directement dérivées du climat passionnel cher à la douce Arielle.

Elles se firent jour dès le lendemain aux studios de Joinville où devaient commencer incessamment les prises de vues de *La Femme-Fauve*. Acculé, comme il le disait lui-même, Lamiran, entouré d'un véritable état-major, y procédait aux fameux « essais » qui devaient décider de l'attribution du rôle de Norma. L'acteur pressenti pour interpréter le personnage de Marco était déjà sur place lorsque Christine arriva avec Arielle qu'elle avait dû tirer de son lit. C'était un grand premier rôle, adulé des foules, que Christine avait eu l'occasion d'admirer maintes fois. Très beau, athlétique, il était devenu célèbre grâce à une série de films où il avait fait preuve d'un courage indomptable, se battant à poings nus contre d'innombrables adversaires, accomplissant maintes acrobaties au mépris de tout sentiment de vertige. Cet être mythique se nommait Jacques Carnot.

Christine ne put s'empêcher d'être un peu émue lorsqu'elle se trouva devant lui, ce qui agaça prodigieusement Arielle.

— Je vous ai beaucoup aimé dans *La poursuite diabolique,* bredouilla-t-elle.

Il lui décocha un sourire que l'écran avait rendu fameux et qui lui creusait une adorable fossette au menton. Il voulut répondre, mais n'y parvint pas; au lieu de quoi un formidable éternuement secoua sa grande carcasse. Il se moucha bruyamment.

— 'demande pardon, mademoiselle, mais mon ami Lamiran, pour me convaincre d'accepter de jouer Marco, m'a emmené dîner hier soir dans son espèce de cercueil ambulant qu'il appelle automobile et, bien entendu, j'ai attrapé la crève!

Il éternua à nouveau et ajouta d'une voix un peu geignarde d'enfant trop gâté :

— ... Il sait pourtant que je ne supporte pas les courants d'air !

Christine essayait de réaliser que celui qui se plaignait de la sorte était bien le chevalier sans peur et sans reproche qui l'avait enchantée dans tant de films. Elle sentit le regard chargé d'ironie d'Arielle s'appesantir sur Jacques Carnot. Celui-ci, nullement gêné, chaussa des lunettes pour se plonger dans la lecture du scénario de *La Femme-Fauve.* Christine évita de regarder du côté d'Arielle, sachant que l'une et l'autre seraient gagnées par le fou rire devant ce surhomme enrhumé et myope.

François-Paul avait-il deviné les pensées de Christine ? Il la prit à part.

— Ne vous trompez pas au sujet de Jacques, lui glissa-t-il à l'oreille. C'est un acteur remarquable qui a tout joué au théâtre sans jamais devenir célèbre. Le jour où, dans un film de troizième zone, on l'exhiba torse nu, une épée à la main, toutes les chaumières de France se mirent à rêver de lui... C'est ça, le ciné, Christine ! Vous savez ce qu'il aime, Jacques ? Lire un bon livre au coin du feu, les pieds chaussés de pantoufles, une camomille à portée de la main... Et dans ses films il vide une bouteille de champagne après l'autre et trousse toutes les filles qu'il rencontre.

Une fois de plus, Christine se rendit compte du singulier pouvoir que détenait le metteur en scène, capable de créer un héros de toutes pièces ou d'inventer une héroïne... Elle ne put s'empêcher de sourire en regardant le couple, en vérité magnifique, que formaient Jacques et Arielle. Qui aurait pu se douter que cet athlète aux muscles d'acier craignait les courants d'air ? Qui aurait deviné que cette ravissante Américaine, si délicieusement féminine, avait une véritable aversion pour les hommes ? Et Christine éprouva comme un sentiment de tristesse devant ce spectacle qui était, en somme, un mensonge destiné à tromper les spectateurs crédules.

Lamiran avait demandé, pour les essais, un silence que tous ses collaborateurs mettaient un point d'honneur à respecter. Même les charpentiers semblaient avoir mis une sourdine à leur activité. Quant aux électriciens, ils se déplaçaient sans aucun bruit, chaussés d'espadrilles. Le décor représentait le minable intérieur où vivait Marco avec sa maîtresse, Norma, à l'extrémité de la plage. Quelques projecteurs éclairaient le coin-cuisine, sordide, où, dans un désordre savamment composé, traînait de la vaisselle sale. L'une des jeunes femmes, choisie par Lamiran dans le bureau de Mérignac, essuyait un verre. Au pied de la caméra, sur un escabeau, était assis le metteur en scène. A côté de l'appareil se tenait Marco.

Le jeune femme qui était en train de tourner son bout d'essai braquait sur lui son regard humide, outrageusement souligné par le maquillage.

— Je veux de l'adoration! expliquait François-Paul, de l'adoration et de la soumission.

La jeune femme, sans pour autant cesser de frotter le verre qu'elle tenait à la main, obéit non sans talent aux injonctions du metteur en scène. Elle regardait amoureusement Marco qui avait une figure charmante, un petit peu poupine, voire enfantine, mais un menton volontaire et, d'une façon générale, belle allure, quoiqu'il eût une légère tendance à l'empâtement, ce qui ne convenait pas tout à fait à son personnage de musicien famélique.

— Sois méchant avec Norma, tu veux bien, Marco?

L'acteur, à l'ombre de la caméra, se mit à improviser.

— J'en ai soupé de toi, dit-il méchamment. Je ne peux plus te supporter. Tes faux airs de madone florentine m'agacent. Fais ta vaisselle, mais ne me fais pas de reproches. Je suis libre, tu entends? Libre!

Pendant qu'il parlait de la sorte, la jeune femme devant la caméra, ayant posé le verre, couvrit le bas de son visage de ses mains, alors que ses yeux écarquillés d'horreur exprimaient la souffrance la plus pathétique. Il ne manquait que la musique d'accompagnement.

— C'est très bien, dit François-Paul, on va le tourner.

Arielle approcha sa bouche de l'oreille de Christine.

— Il faudra que je fasse ça, moi aussi, quand ce sera mon tour?

— Certainement, murmura Christine.

— Mais voyons, c'est impossible... Ce type, je suis incapable de le regarder avec « adoration » et « soumission »! Et, si jamais il m'insulte, je lui jette à la figure tout ce que j'ai sous la main!

220

Christine éclata de rire. Décidément la jeune Américaine avait une forme d'humour très personnelle !

Arielle, livrée aux soins du maquilleur, un aristocrate russe chassé par la révolution, n'était pas tout à fait prête lorsque Lamiran la fit chercher par son assistant pour lui faire subir à son tour l'épreuve du jeu face à la caméra.

Le metteur en scène, au lieu d'attendre que le maquilleur en eût terminé avec Arielle, tournait autour de Marco, l'examinait sous toutes les coutures comme s'il se fût agi d'un cheval que l'on regarde dans la bouche. L'acteur, nullement gêné par cet examen minutieux, s'y prêta même avec complaisance.

— Qu'est-ce que tu en penses, Christine ? demanda François-Paul. Est-il le personnage ou est-ce que je suis en train de faire une erreur de distribution ?

L'acteur cligna de l'œil à Christine.

— Il fait toujours ça, vous savez... Un jour, c'est oui, le lendemain, c'est non. J'ai tourné quatre films avec lui et chaque fois il m'a engagé à la dernière minute, faute de mieux. Je devrais le détester, ce type. Mais je ne peux pas. Vous pouvez, vous ?

Christine ne put s'empêcher de rire.

— Non. Et puis moi, il ne m'a pas engagée à la dernière minute !

— Je sais ! s'écria subitement François-Paul. Il n'est pas assez diabolique ! Tu es trop bon, comprends-tu ? Trop gentil. Il a le visage trop gai. C'est un bon acteur, mais... il faut lui tirer les sourcils vers les tempes, à la Méphisto... Où est le maquilleur ?

— Il s'occupe d'Arielle, murmura Christine.

— Très bien. Dès qu'il en aura fini avec elle, je veux qu'il prenne Marco. Il y a aussi le problème de ton nez, mon pauvre vieux...

— Mon nez ? Qu'est-ce qu'il a, mon nez ?

— Trop gai parce que trop carré à la racine. Avec des ombres là... et là... nous arriverons peut-être à le rendre plus tragique. Alors, le maquilleur, ça vient?

L'assistant repartit en courant et revint avec Arielle et le Russe furieux d'avoir été harcelé de la sorte.

— Il ne faut jamais agir ainsi avec un artiste, monsieur Lamiran! dit-il avec un fort accent. Je ne peux pas créer un chef-d'œuvre avec une épée dans les reins!

Le metteur en scène exigea que Marco se livrât sur-le-champ aux mains du Russe afin que celui-ci transformât cet ange en démon. De ce fait, l'acteur ne pouvait plus se tenir à côté de la caméra afin d'être l'objet des regards passionnés d'Arielle qui allait tourner son essai.

— Il faut quelqu'un pour la direction du regard, ordonna Lamiran.

Christine eut une idée de génie :

— Moi! s'écria-t-elle.

Et, de façon péremptoire, elle prit la place précédemment occupée par Marco. Par bonheur, François-Paul ne protesta pas.

— Arielle, mon petit, regardez Christine et imaginez que c'est votre amant que vous regardez, l'homme que vous adorez!

Arielle obtempéra. Et comme elle avait une vraie passion pour Christine, elle exprima à la perfection les sentiments exigés par la situation. Tout le monde la trouva excellente et belle à pleurer. Christine savait à quel point Arielle était sincère lorsqu'elle la regardait avec tant de ferveur et d'émotion.

A cet instant, dans le feu de l'action, oubliant que c'était Christine qui se trouvait près de l'appareil de prises de vues, le metteur en scène lança un ordre :

— Insulte-la, Marco! Vexe-la!

Christine s'acquitta de son mieux d'une tâche difficile :

— Norma, je ne veux plus te voir, je ne peux plus te supporter... Tu me sors par tous les pores de la peau. Tu me fatigues. Je pousse un soupir de soulagement dès

222

que tu as le dos tourné. Qu'est-ce que nous faisons ensemble, toi et moi? Je te fais du mal et toi, tu m'ennuies... Tu m'ennuies, Norma! Séparons-nous!

Et les yeux d'Arielle se remplissaient de larmes, de vraies larmes et elle paraissait bouleversée par tout ce que lui disait Christine avec l'accent de la sincérité. François-Paul exultait.

— Arielle mon petit, c'est ça, c'est tout à fait ça! Surtout, n'essuie pas tes larmes... laisse-les couler! Coupez!

Christine ramena Arielle, bouleversée, dans sa loge.

— Tu as très bien joué, tu sais...

Arielle la regarda, ahurie.

— Joué? Mais je n'ai pas joué! Tu m'as dit des choses abominables que tu pourrais me lancer à la figure demain et j'ai réagi.

— Mais, chérie, dès demain tu te trouveras face à Marco et tu devras faire exactement le même travail.

Arielle n'avait pas l'air de comprendre.

— Quel travail, Christine?

— Ne joue pas les imbéciles, je t'en supplie! Tu es en train de faire du cinéma, tu joues un rôle, le rôle d'une femme qui aime un homme qui ne l'aime plus... Ce que tu viens de faire, et très bien, il faudra que tu le fasses avec l'acteur qui joue Marco. Tu comprends?

Arielle prit un air buté.

— J'en suis parfaitement incapable. Tu me vois me traîner aux pieds d'un homme, moi, Arielle Sullivan? Mais je l'écraserais du talon, je lui cracherais mon mépris à la figure plutôt que de jouer les amoureuses larmoyantes quêtant ses baisers dégueulasses et ses caresses de brute!

Christine, abasourdie devant cette explosion, comprit qu'Arielle allait poser un problème à François-Paul. Il fallait prendre les devants, instruire Arielle, la préparer.

« Après tout, cela fait certainement partie de mes fonctions », songea Christine.

— Écoute-moi, Arielle. Tu possèdes, sans le savoir, des qualités qui peuvent faire de toi une actrice. Mais tu refuses de réaliser un effort pourtant très simple. Tu as horreur des hommes, soit. Alors, chaque fois que Marco te prendra dans ses bras, imagine que ce n'est pas Marco, mais...

— ... mais toi, Christine !

— Si tu veux. Ce qui est important, c'est de donner l'impression que tu aimes, que tu souffres...

Arielle ferma les yeux. Elle paraissait excédée.

— Tout cela est très joli, ma chérie, mais tu oublies une chose essentielle : ce type, cet acteur qui joue Marco, il se tiendra contre moi. Je sentirai son corps collé au mien, sa respiration mêlée à la mienne. Il m'embrassera, c'est dans ton scénario ! Il m'embrassera, chérie ! Tu sais que je suis capable de le mordre s'il le fait pour de vrai ?

— Je sais que tu en es capable, soupira Christine, découragée. Et tout ce que je peux te dire, c'est ceci : si tu n'arrives pas à te convaincre que tu joues un personnage qui se nomme Norma et non point Arielle, si tu n'arrives pas à exprimer des sentiments qui ne sont pas les tiens, mais ceux de Norma, ta carrière d'actrice, elle est morte dans l'œuf, fichue, ma vieille !

Elle sortit de la loge, ne voulant pas se laisser gagner par la colère.

Dans la soirée, après une journée des plus fatigantes, Christine se trouva assise près de son amant dans une petite salle des studios de la rue Francœur, où l'on projetait habituellement les rushes, c'est-à-dire les scènes tournées la veille, ce qui permettait au réalisateur de choisir parmi les prises (il lui arrivait parfois de tourner dix fois la même scène) celle qui lui convenait. Les acteurs, généralement conviés à ces projections privées, pouvaient se faire une idée très précise, ou parfaitement imprécise, de leurs qualités ou défauts. Ce soir-là, l'on projetait les essais réalisés dans la matinée avec les trois candidates au rôle de Norma. A la surprise de tous, le producteur, Mérignac, n'y assista point.

— Je n'aime pas ça, murmura François-Paul, sa main posée sur celle de Christine dans un geste très tendre.

Le test d'Arielle fut projeté en dernier. Il remporta tous les suffrages.

Mérignac arriva enfin. Toujours très sûr de lui, dégageant toujours ce magnétisme qui faisait qu'il pouvait difficilement passer inaperçu où qu'il se trouvât, il paraissait néanmoins en proie à la plus vive inquiétude.

— Qu'est-ce qui vous arrive, Mérignac ? interrogea François-Paul.

Ils se parlèrent à voix basse avec fièvre. Un peu plus tard tous les collaborateurs du film étaient au courant : Pola Negri ne reviendrait pas d'Hollywood pour tourner *La femme-Fauve !* La star n'avait pu se dégager du contrat qui la liait à une grande compagnie américaine. Mérignac avait engagé des capitaux assez considérables, fait construire les décors et se trouvait à présent dépossédé de son atout maître : la vedette !

François-Paul dit sur un ton très calme et désabusé :

— Vous avez joué et vous avez perdu ! Vous basiez votre opération financière sur le prestige mondial de Pola Negri et au lieu d'attendre d'avoir un contrat signé d'elle dans la poche, vous avez monté toute l'affaire et dépensé de l'argent qui ne vous appartient pas. Qu'avez-vous l'intention de faire à présent ?

Christine qui avait été témoin, ces derniers jours, des hésitations du metteur en scène, était convaincue que celui-ci n'aurait pas été fâché de voir tomber à l'eau *La Femme-Fauve*. La réponse du producteur fusa :

— Ce que j'ai l'intention de faire ? un film intitulé *La Femme-Fauve,* réalisé par François-Paul Lamiran !

— Sans vedette ? Vous croyez que les Américains vont vous acheter un film sans star ?

Mérignac le gratifia d'un curieux regard où se lisait

la ruse, le défi et un certain désir d'épater son public.

— Vous me prenez vraiment pour un enfant, Lamiran? Cet industriel qui a voulu à tout prix investir de l'argent dans un film de vous a pour maîtresse Liliane Melchior... Elle rêve de tourner avec vous!

Comme tout le monde, Christine connaissait Liliane Melchior, qui était une grande vedette en Allemagne et en Europe, sans avoir encore gagné ses galons de star mondiale, sans doute parce qu'elle n'avait tourné jusqu'à ce jour qu'avec des réalisateurs honnêtes, mais de second plan.

— J'aime bien Liliane, mais elle n'est pas le personnage de *La Femme-Fauve,* déclara François-Paul sans ambages.

Les deux hommes debout, face à face, se mesuraient du regard. Il y avait de l'électricité dans l'air. La tension ne provenait pas seulement de la défection de Pola Negri, Christine en avait la certitude. Le comportement du producteur vis-à-vis de la collaboratrice du metteur en scène agaçait prodigieusement ce dernier. Christine vivait dans la crainte de ce que Mérignac pouvait révéler à François-Paul. Celui-ci se doutait-il que sa maîtresse avait déjà rencontré Mérignac et ce, dans des circonstances très particulières? Tel que Christine le connaissait, le producteur de *La Femme-Fauve* devait se délecter de cette situation, conscient de pouvoir faire planer sur la tête de Christine une menace permanente...

Ayant quitté la salle de projection, ils s'étaient isolés tous les trois dans une loge d'artiste proche du plateau où l'on avait édifié la maison habitée par Marco et Norma. La loge était, en fait, une pièce luxueusement meublée, destinée à la vedette du film, avec des miroirs gigantesques surmontés de guirlandes d'ampoules électriques. Mérignac pointa le doigt sur Christine qui recula d'un pas. La discussion entre le producteur et son metteur en scène risquait de dégénérer.

— Liliane Melchior ne serait donc pas le personnage? Vous l'avez entendu comme moi, mademoiselle Decruze. Puisque Lamiran a la chance de vous avoir pour co-scénariste, qu'est-ce que vous attendez pour vous mettre au travail, pour retailler le rôle aux mesures de Liliane?

Il se retourna à nouveau vers François-Paul :

— ... C'est bien pour collaborer à votre scénario que vous la payez, mon vieux? Alors qu'elle justifie son salaire en faisant travailler ses méninges!

Lamiran le saisit par le revers de son veston, mais sans perdre son calme.

— Je n'aime pas, mais alors pas du tout, le ton que vous employez lorsqu'il est question de Christine!

— Je vous en prie, François-Paul, murmura celle-ci.

Elle sentait que Mérignac était prêt à dire n'importe quoi, tant était grand son désir d'humilier Christine.

— J'ajouterai, poursuivit Lamiran, que je n'œuvre pas plus que Mlle Decruze dans la confection pour dames et que nous n'avons pas du tout envie de retailler pour Dupont ce qui a été écrit pour Durand!

Mérignac se calma. Il avait retrouvé son sang-froid. Il regarda Christine, l'air ennuyé.

— Dans ce foutu métier, dit-il, on s'attache très vite aux gens qui travaillent sur le même film. Je ne connais Christine que depuis... depuis hier et déjà je la rudoie comme si nous avions fait dix films ensemble. Pardon, Christine...

Il paraissait si sincère qu'il en devenait presque sympathique.

— ... Il est clair que je vais faire faillite. Ce ne sera pas la première fois...

Christine intervint :

— C'est bizarre, dit-elle, s'adressant à François-Paul, mais j'ai l'impression que le rôle de Norma a pris, dans ton film, une singulière importance. Je me demande si Pola Negri, en fin de compte, aurait accepté d'avoir à

227

ses côtés une femme belle, plus jeune qu'elle, avec un rôle en or. Si Mme Melchior acceptait le rôle, le film serait peut-être davantage équilibré, à condition évidemment qu'elle n'exige pas que nous fassions des coupures dans le rôle de Norma !

Mérignac reprit du poil de la bête.

— Elle acceptera. J'en fais mon affaire. Pour travailler avec François-Paul Lamiran, elle fera taire son orgueil de star allemande, je vous en fiche mon billet ! Est-ce que vous ne pensez pas que votre... heu... collaboratrice a raison, Lamiran ?

On frappa à la porte. L'assistant fit irruption.

— Monsieur Lamiran, il faut prendre une décision pour la figuration du thé dansant au Palace... La régie a convoqué cent cinquante artistes de complément.

— J'arrive...

Il se retourna vers Mérignac et dit :

— Christine est peut-être dans le vrai !

Déjà il était sorti de la loge.

« Et dire qu'il y a cinq minutes il était tout prêt à abandonner le film... » se dit Christine, ahurie.

Mérignac venait de pousser le verrou de la porte et se retourna vers la jeune fille.

— Rien ne m'excite autant que les emmerdements ! dit-il.

Il avança vers elle avec ce petit air de triomphateur que Christine avait déjà eu l'occasion d'apprécier en d'autres circonstances. Avant qu'elle eût le temps de réaliser ce qui arrivait, il l'avait prise par les épaules et attirée vers le canapé qui occupait un angle de la loge. Il lui pétrissait la poitrine, l'embrassait dans le cou et se comportait avec cette fougue impatiente dont il avait fourni un échantillon quelques semaines plus tôt, à l'hôtel Normandy de Deauville.

— Depuis que je sais que t'es une intellectuelle, je ne me sens plus, tu sais... J'ai toujours rêvé d'associer le goût que j'ai pour la fesse avec l'admiration sincère que je porte aux filles intelligentes. Mais généralement, celles qui ont de l'esprit n'en ont pas du tout là où je pense! Et l'amour triste, très peu pour moi...

L'attaque avait pris Christine au dépourvu. Mais à présent elle se défendait avec acharnement.

— Lâchez-moi ou j'ameute tout le studio!

Elle le repoussa de toutes ses forces, se leva d'un seul bond, courut jusqu'à la porte qu'elle ouvrit en grand après avoir libéré le verrou. Mérignac reboutonna son veston strict et se contenta de rire.

— Votre seul défaut, Christine, c'est de ne pas comprendre la plaisanterie. Et puis vous attachez trop d'importance à ce qui n'en a aucune. J'adore qu'on me résiste. Et le jour viendra où vous ne me résisterez plus. C'est infaillible. Répondez-moi franchement : est-ce que Lamiran est votre amant?

Christine voulut répondre, mais un homme surgit dans le couloir.

— Monsieur Mérignac, monsieur Mérignac...

— Qu'est-ce qu'il y a?

— M. Lamiran vous attend en projection...

— J'arrive...

Il se tourna vers Christine :

— Alors, il paraît qu'elle est sensationnelle, votre petite Américaine?

Une heure plus tard le producteur se rallia à l'avis général. Arielle surclassait ses concurrentes. Il voulut l'inviter à dîner sur-le-champ, mais Arielle refusa, ce qui fit sourire François-Paul.

— Alors, je vous attends demain matin à 10 heures dans mon bureau pour discuter des conditions de votre contrat...

Arielle, promue au rang de future star en l'espace d'une journée, impressionna beaucoup Christine par son aisance et le plaisir évident qu'elle prenait à se montrer sous toutes les faces, supportant avec stoïcisme, et — du moins c'est l'impression qu'avait Christine — avec une certaine délectation l'examen perpétuel auquel on semblait la soumettre. Tous les gens du studio venaient la regarder sous le nez. Surtout les hommes, évidemment. Christine se dit qu'Arielle, posant à longueur de journée pour des peintres, devait être tant soit peu exhibitionniste. Elle paraissait donc ravie, mais, et c'est cela qui troubla Christine, elle manifestait en même temps une fureur qu'elle n'exhala que lorsqu'elle se trouva seule avec son amie.

— Je les tuerais tous avec le plus grand plaisir, chuchota-t-elle à l'oreille de cette dernière qui crut avoir mal entendu.

— Mais pourquoi donc, juste ciel ? Voilà des gens qui te trouvent belle, photogénique et talentueuse.

Arielle haussa les épaules.

— Des marchands de chair fraîche et rien d'autre... Tu n'as pas vu comment ils nous regardaient, toi et moi ? Ce que je lis dans leurs yeux me révulse. Cet homme, Lamiran, il est fou de toi. Ça se sent à tel point que j'ai envie de lui crier : bas les pattes ! Quant à l'autre, celui qui vous détaille comme si on était toute nue, il appartient à une espèce d'homme qu'il faudrait exterminer. L'autre, au moins, a un côté artiste qui le rend supportable, ou presque. Mais Mérignac...

Elle frissonnait de dégoût. Cela se passait à l'entrée des studios. On avait appelé un taxi pour ramener Arielle chez elle et Christine, qui attendait « son » metteur en scène, l'avait raccompagnée jusqu'à la grille.

— Je t'aime trop, je crois, dit la jeune Américaine. Tous ces types autour de toi... Si seulement j'avais beaucoup d'argent, je t'emmènerais très loin, tiens, pourquoi pas à Venise ? Et on s'aimerait...

— Arielle, tu es complètement folle. Tu sais bien que

je suis amoureuse de François-Paul... Et tu sais aussi que son film est devenu pour moi très important !

Arielle s'apprêta à monter dans le taxi lorsque Lamiran parut, son scénario sous le bras, comme toujours suivi d'une demi-douzaine de personnes. Il serra la main d'Arielle :

— Contente ?

— Je ne croyais pas que c'était si facile de jouer...

— Ce n'est pas facile du tout, mais vous avez de la chance de bien prendre la lumière, d'être sensible et de bouger avec naturel. C'est suffisant. Mais les vrais acteurs, vous ne l'ignorez pas, disent un texte. Le cinéma, qui est muet, se moque de votre voix. Et si vous parlez faux, cela n'a aucune importance puisque tout le monde voit vos lèvres remuer alors que personne ne vous entend...

Rentrant avec Christine à Monptarnasse assez tard dans la soirée, François-Paul paraissait préoccupé. Il ne parla qu'une fois arrêté devant l'hôtel.

— Tout le monde est d'accord sur le choix d'Arielle. Je devrais donc dormir sur mes deux oreilles. Pourtant...

Elle se tourna vers lui, interdite.

— ... pourtant, Christine, je me demande si nous n'avons pas commis une erreur !

— Je ne comprends plus...

Lamiran passa une main dans ses cheveux déjà ébouriffés.

— En apparence, poursuivit-il, elle correspond au personnage, elle a des qualités exceptionnelles, elle possède un visage et un corps à faire rêver les quatre continents.

— Que veux-tu de plus, François-Paul ?

Leurs visages tournés l'un vers l'autre, éclairés par un bec de gaz, chacun cherchait dans les yeux de l'autre une réponse aux questions qu'il se posait.

— Je ne suis pas amoureux d'elle, dit enfin le metteur en scène.

— Est-il indispensable que tu sois amoureux de toutes les actrices qui jouent dans tes films ?

— Non. Mais si je ne suis pas amoureux de Norma, je serai incapable de la diriger. Je tirerai le maximum de Liliane Melchior, sans être le moins du monde épris d'elle. Mais Norma, c'est autre chose...

Christine fut prise d'une envie irrésistible de lui crier :

« Mais alors, pourquoi ne pas m'avoir proposé le rôle ? Quant tu es venu me voir ce matin-là, à Trouville, c'était bien parce que déjà tu pensais à moi pour ce personnage ?

Chaque nuit, tu me balbuties ton amour, tu me le prouves... Si tu avais tant besoin d'être amoureux de celle qui jouera Norma, il aurait suffi d'un mot... » Mais elle ne dit rien. En silence, ils regagnèrent leur chambre.

# 5

## NORMA DÉSIR

A la veille du premier tour de manivelle de *La Femme-Fauve,* aux studios de Joinville, l'été finissant roussissait le feuillage des arbres et Paris regorgeait à nouveau de ses Parisiens, sans que Christine s'en aperçût.

Pieuvre tentaculaire, *La Femme-Fauve* avait pris possession d'elle. Christine vivait pour le film et pour son amant au sein de l'équipe entourant François-Paul Lamiran. Elle avait discuté avec celui-ci de chaque séquence et, à l'intérieur de chaque séquence, de chaque plan. Le plan était la scène enregistrée par la caméra, d'une traite. Il pouvait durer une seconde, le temps de happer l'expression d'un visage, ou plusieurs minutes, le temps de développer une action interrompue à son tour par un autre plan, celui-ci étant rendu nécessaire par un changement de position de la caméra par rapport aux acteurs et au décor. Il y avait tout un langage technique que Christine avait assimilé très vite, ce qui lui permettait de ne plus faire figure de néophyte au milieu d'un groupe d'initiés.

Christine était heureuse. Le temps passait à la vitesse d'une comédie ou d'un drame, les genres se mélangeant au fil des jours. La défection de la super-star Pola Negri laissait planer sur la production une inquiétude très nette quant aux possibilités financières du producteur,

Mérignac. Celui-ci menait tambour battant des pourparlers ultra-secrets pour aboutir à un accord avec Liliane Melchior.

Quelques jours avant le début prévu des prises de vues du film, il y eut un dîner chez Maxim's qui réunit la vedette d'Outre-Rhin, son amant, un financier cosmopolite, autant berlinois que parisien ou new-yorkais, Jacques Carnot, vedette masculine du film, Mérignac, Lamiran et son inséparable collaboratrice, Christine... Cette dernière, avec l'argent gagné en travaillant sur le scénario de *La Femme-Fauve,* s'était offert une robe du soir courte chez le couturier dont le Paris de l'automne 1925 raffolait : Cheruit. La robe était en satin jaune brodé or avec une ceinture de lamé or et argent. Elle rappelait vaguement, mais très vaguement, la tenue qu'arborait Christine la nuit de sa rencontre avec François-Paul, entre Deauville et Trouville. Elle rendait Christine éblouissante et lorsqu'elle précéda François-Paul sous le dais de Maxim's, rue Royale, elle fit taire les conversations aux tables du célèbre établissement.

Liliane Melchior, une très belle femme brune d'une trentaine d'années, eut un sourire un tout petit peu forcé lorsqu'on lui présenta Christine. Elle parlait un français mitigé d'anglais et d'allemand, comme son amant, d'ailleurs, un énorme personnage chauve qui se nommait Leonard Sims. Mais ce qui frappa surtout Christine, qui l'avait vue maintes fois dans les films à grand spectacle de la U.F.A., c'était sa voix, en désaccord total avec son allure sculpturale, une voix de petite fille qu'un zozotement léger, mais insidieux, rendait vaguement comique. Dans l'esprit de Christine, la star allemande était de ces femmes que suivait partout un dogue danois tacheté de noir et de blanc. Elle devait aimer les bottes et manier le fouet dans l'intimité. Penchée sur le menu, elle égrenait la liste des plats de sa voix d'enfant, posa la carte, coula un regard de déesse vers François-Paul et zozota :

— Si vous venez chez moi, *at home,* à Berlin Grune-wald, je vous mijoterai un pied de porc panné dont vous me direz des nouvelles...

Leonard Sims, en extase, se tourna vers Christine :

— Ma petite caille fait la cuisine mieux que personne. *Wunderbar!*

Liliane Melchior et Jacques Carnot, les deux vedettes, étaient assis côte à côte sur la banquette de velours, monopolisant la curiosité pourtant blasée de l'assistance. Liliane et Jacques offraient une image plausible du couple rêvé par Lamiran, la femme-fauve et le beau musicien sans le sou de quelques années son cadet. Christine constata que l'acteur évitait de chausser ses lunettes pour parcourir le menu, dans le but manifeste de rester fidèle à l'idée qu'on se faisait de lui. Ce détail l'amusa et elle dut se cacher un peu derrière sa serviette, car, par-dessus le marché, la conversation entre les deux stars lui parut des plus réjouissantes. Mal remis de son chaud et froid (à moins qu'il ne se trouvât constamment entre deux rhumes), Jacques Carnot essayait vainement de retenir ses éternuements. Finalement sa future partenaire posa l'index, à l'horizontale, sur la fine moustache du jeune premier. Et, ô miracle, celui-ci n'eut plus envie d'éternuer.

— Un vieux truc ! zozota Liliane.

Ils entrechoquèrent leurs coupes de champagne.

— Je vous ferai du bon café chaud pendant les extérieurs, glissa-t-elle, bonne camarade, à son futur partenaire.

— S'il lui répond qu'il ne boit que de la tisane, je déchire son contrat, murmura François-Paul à l'oreille de Christine qui luttait contre le fou rire.

Ce petit incident lui révéla brusquement à quel point elle se trouvait accordée à son amant, jamais dupe de l'envers du décor et auquel rien n'échappait. Il enregistrait les détails de la vie comme si son œil était l'objectif d'une caméra. A cet instant, la complicité avec François-Paul, complicité évidente, paraissait à Christine un trésor dont ils étaient seuls à connaître l'existence. Elle le regardait à la dérobée : il avait quarante ans, le front ridé et un regard où se reflétait sa vraie jeunesse.

« Je crois, se dit Christine je crois que, s'il devait sortir de ma vie, il me manquerait cruellement... »

Brusquement, les choses devenaient sérieuses. Leonard Sims, qui avait mis à la disposition de Mérignac la majeure partie des capitaux dont celui-ci avait besoin pour le financement de *La Femme-Fauve,* s'était tourné vers François-Paul et prononça une phrase qui stoppa net les conversations en cours.

— Dites-moi, cher ami, j'ai lu et relu la version définitive de votre scénario et, bien entendu, je ne me permettrai pas d'énoncer la moindre critique, mais...

Lamiran secoua la cendre de sa cigarette.

— Mais ? fit-il.

Sous la table sa main se posa sur le genou de Christine, puis il la retira aussitôt. Ce bref attouchement signifiait sans doute : attention... Danger !

Sims avait la formidable assurance de ses millions.

— Mais, poursuivit-il, je trouve que le personnage de l'autre femme... Quel est encore son nom ?

— Norma, dit Christine.

— Mais oui... Norma... Eh bien, cette Norma exigerait, pour être mise en valeur, une actrice consacrée. Or, d'après ce que m'a dit Mérignac, vous avez engagé pour ce rôle une débutante ?

Lamiran acquiesça de la tête, évitant de regarder le gros homme. Christine le savait capable des réactions les plus inattendues. Le regard de Mérignac ne quittait pas son metteur en scène. Christine devinait ce qu'il pensait : « Lamiran, vous n'allez pas faire le c...? »

— Mlle Arielle Sullivan sera très bien dans Norma, se hâta-t-il d'assurer à son commanditaire.

Et François-Paul, imperturbable, ajouta :

— Et croyez bien, cher monsieur Sims, que si elle

devait me décevoir je n'hésiterais pas à diminuer l'importance de son rôle !

Le financier rayonnait en direction de Liliane Melchior. Pour Christine, il ne faisait aucun doute que c'était là un numéro mis au point entre eux, Liliane Melchior étant désireuse de ne pas avoir de rivale dangereuse dans un film où son amant investissait des capitaux.

— Seulement, voilà, conclut Lamiran : je ne pense pas qu'Arielle me décevra !

Le dîner suivit alors son cours. Vers minuit tout le monde se sépara dans l'euphorie générale. Sur le trottoir de la rue Royale s'attroupaient déjà quelques badauds qui avaient reconnu les visages popularisés par l'écran de Liliane et de Jacques. Mérignac serra la main de François-Paul :

— ... Au fait, comment se porte Elvira ?

Il ne faisait pas l'ombre d'un doute qu'en posant cette question il espérait embarrasser le metteur en scène. Christine sentait pour ainsi dire physiquement la jalousie de l'odieux personnage qui supportait mal la présence continuelle de Christine aux côtés de Lamiran.

Ce dernier fronça les sourcils. Il sentait sur lui le regard des autres. Christine savait que certaines gens du cinéma avaient une curiosité infinie pour la vie privée de leurs congénères, glanant toujours potins et ragots, ravis d'en être eux-mêmes l'objet.

— Elvira se trouve dans le Midi, murmura François-Paul. Elle a été très éprouvée dans le tournage de *La châtelaine.*

Trois jours plus tard, à 8 heures du matin, Christine se trouvait avec François-Paul à Joinville où, en début d'après-midi, le metteur en scène devait donner le premier tour de manivelle de *La Femme-Fauve.* Mais auparavant on allait essayer de « mettre en boîte » le fameux survol de la maquette pour lequel l'opérateur, fraîchement débarqué de Berlin, avait trouvé une astuce technique.

Sur le terrain vague se déployait déjà une grande activité, car le tournage des aventures de l'Émir Abdul avait repris et les arcs gigantesques inondaient de lumière les coupoles et les minarets du palais des Mille et Une Nuits qui avait servi de cachette à Théo, le déserteur. Christine suivait à quelques pas son metteur en scène entouré des mouches du coche attachées à la production et qui se saisissaient de lui dès qu'il apparaissait : chefs de publicité, assistants et deux ou trois dames volubiles aux fonctions indéterminées. Trottant aux côtés de son dieu, Lolita, la script-girl, son crayon entre les dents.

Christine s'arrêta à proximité du palais, espérant vaguement apercevoir parmi les figurants costumés en Bédouins du désert la silhouette dégingandée de l'homme au poignard. Mais point de Théo. Le déserteur de l'armée d'Afrique avait peut-être trouvé du travail dans un autre studio. A moins qu'il ne se fût fait ramasser. Christine secoua la tête. Elle se demandait ce qui lui avait tellement plu chez ce garçon aux manières plutôt brutales. Et elle se rendit compte qu'elle n'avait jamais parlé de son aventure à François-Paul que cela aurait certainement beaucoup amusé. Lamiran n'était pas homme à dénoncer un déserteur, bien au contraire. Mais depuis plusieurs semaines son univers se réduisait aux proportions du scénario de *La Femme-Fauve*. Elle pressa le pas pour rejoindre l'équipe du film agglutinée à l'entrée du hangar.

L'atelier de construction avait été transformé en studio de prises de vues, équipé de projecteurs. Tous les plateaux étant occupés par des films en cours de tournage, il avait fallu choisir cette solution pour satisfaire ce que certains considéraient comme un caprice coûteux de Lamiran.

Christine retrouva les machinistes et électriciens

dont les visages lui étaient à présent familiers et qui la saluaient amicalement. Ils déployaient leur activité dans ce silence cher à François-Paul. Livrée à elle-même, Christine erra autour de la maquette balayée par les arcs électriques. Une étroite passerelle de plâtre avait été construite; elle surplombait la maquette longue d'une dizaine de mètres et rappelait à Christine les montagnes russes de Luna-Park. En effet, l'étrange boyau de plâtre montait et descendait exactement comme cette attraction fameuse.

— Vous venez avec moi là-haut?

Un géant aux cheveux filasse venait de s'adresser à elle dans un français guttural :

— Je m'appelle Fritz Kauffmann.

C'était donc lui l'homme sans lequel Lamiran prétendait ne pas pouvoir faire son film. Il avait un sourire d'ogre et des yeux délavés. Il montrait à Christine un chariot muni de roues en caoutchouc sur lequel était fixée la caméra.

François-Paul s'approcha :

— Alors, vous avez fait connaissance?

Il passa son bras sous celui de Christine.

— Je l'emmène sur le chariot si tu es d'accord, s'écria l'opérateur.

— Pas d'accord, mon petit père. Je tiens trop à elle...

— Et à moi, homme de génie, tu ne tiens pas à moi?

Sans attendre la réponse, Kauffmann, qui était l'inventeur du système et qui, Christine en était certaine, n'aurait laissé sa place à personne, se coucha à plat ventre sur le chariot.

— Let's go!

Un machiniste se hissa jusqu'au sommet du toboggan et tendit devant l'objectif de la caméra un petit tableau noir sur lequel Christine pouvait lire : *La Femme-Fauve, Maquette 1.*

— Partez! hurla Lamiran.

Un autre machiniste donna une légère poussée au

chariot qui s'élança sur le circuit vertigineux. Kauff-mann était accroché à sa caméra, comme un noyé à sa bouée, ne cessant de tourner la manivelle, l'œil collé au viseur. Christine en eut le souffle coupé. Le chariot, dans sa course folle, tombait à pic, puis s'élevait pour retomber à nouveau.

Christine imagina fort bien qu'à l'image on devait retrouver, grâce aux montagnes russes, les effets du vol aérien, avec ses hauts et ses bas. Pendant de longues heures le chariot et son infatigable cavalier évoluèrent ainsi autour de la maquette. Les éclairages chan-geaient : tantôt c'était le plein jour avec de savants effets d'ombres portées et des nuages en coton de verre qui flottaient au-dessus de la station; tantôt c'était la nuit avec mille petites lumières, le Palace, le Casino, les lieux de plaisir brillant de tous leurs feux. L'effet était saisissant. Le metteur en scène, avant chaque prise de vues, faisait lui-même le parcours sur le chariot en folie quoiqu'il fût plus gros et moins agile que son opérateur.

Christine comprit que François-Paul, qui savait être d'une délicatesse infinie avec les acteurs, patient et tenace, capable de comprendre leur complexité et cette sorte d'ingénuité qui les assimilait à un troupeau d'en-fants attardés, avait aussi l'estime de ses techniciens et des ouvriers du studio. Il était en mesure de mettre la main à la pâte en toutes circonstances, se saisissait de la caméra avec des gestes d'expert, se penchait sur les esquisses du décorateur avec un œil d'architecte.

Les prises de vues pseudo-aériennes au-dessus de la maquette n'étaient pas tout à fait du goût de Mérignac qui estimait que l'on dépensait beaucoup de temps et d'argent pour pas grand-chose, une lubie de metteur en scène! Mais Christine savait bien que pour François-Paul elles revêtaient une singulière importance, servant de liaison aux grandes séquences de l'œuvre, montrant de façon saisissante que les quelques centaines de mètres qui séparaient la bicoque du musicien désar-

240

genté du Palace où vivait la femme-fauve étaient, en fait, un fossé qui séparait deux mondes différents, vertigineusement éloignés l'un de l'autre.

Vers midi, les projecteurs autour de la maquette s'éteignirent et la cohorte de techniciens quitta le hangar pour se rendre sur le plateau A où s'édifiait un gigantesque décor : le hall du Palace avec ses colonnes et ses balustrades, sa profusion de plantes vertes et de palmiers nains. Kauffmann, entouré de ses assistants, tous allemands comme lui, et attachés généralement à la célèbre compagnie U.F.A. dont les films inondaient l'Europe, commençait aussitôt à disposer les arcs au sol et les projecteurs installés en bataillons serrés sur des passerelles, numérotés et desservis par les acrobates silencieux et compétents qu'étaient les électriciens.

— Le dix-neuf... le vingt-trois... le trente...

Les projecteurs s'allumaient, s'éteignaient, changeaient de position, faisant surgir de l'ombre tel ou tel détail du décor, mettant en valeur les frises des parois avec leurs fleurs stylisées et les femmes drapées de voiles, couronnées de pampres. Dans ce palace, un peu délirant, le décorateur avait semé une profusion d'asphodèles, d'atums, de tulipans, de feuilles d'acanthe et de glycines, sans oublier les inévitables nœuds de serpents...

Convoqués depuis le matin, une cinquantaine de figurants, triés sur le volet par les assistants de François-Paul, attendaient le bon vouloir du metteur en scène qui attachait à ces silhouettes une importance que Mérignac qualifiait de « maniaque ».

Christine avait été trop prise par son travail de « scénariste » pour se pencher sur le choix des « acteurs de complément » qui incombait à Marc, le premier assistant, dont l'œil avait été formé par le maître. Répandues sur des sièges baroques, comme on en trouvait dans les hôtels de l'époque 1900, les figurantes avaient de faux airs de duchesses et agitaient de grands éventails en plumes d'autruche. Elles arboraient en guise de coiffures des casques de jais et de plumes que Paul Poiret avait inventés tout exprès pour *La Femme-Fauve.*

— Et alors, môme, on ne reconnaît plus ses amis ?

Christine qui se promenait, émerveillée, curieuse de tous les détails, serrant sous son bras l'épais scénario auquel elle avait collaboré, s'immobilisa sur place. Cette voix un peu grasseyante, juvénile et gaie... Elle se retourna. Accoudé contre un pilier en staff qui imitait le marbre de Carrare, un superbe jeune homme au cheveu calamistré, la raie bien droite sur le côté, l'œil de braise ombragé de longs cils bruns... Il avait tout du gigolo, avec son veston cintré, son gilet en piqué blanc et sa rose à la boutonnière. Mais c'était tout de même Théo.

— Vous... vous avez changé d'adresse ? bredouilla-t-elle. Vous n'habitez plus le palais de l'émir Abdul ?

Il posa un doigt sur ses lèvres maquillées.

— J'ai changé de film et j'ai changé d'emploi. Je ne donne plus dans les fantasias, mais je danse le tango avec des rombières !

Il esquissa quelques pas de danse qui pouvaient laisser croire que le déserteur de l'armée d'Afrique était un habitué des cinq à sept de l'hôtel Ritz ! Christine n'en crut pas ses yeux.

— A propos, poursuivit-il, j'te remercie pour les œufs durs et le sauciflard... Ça ne vaut pas le champagne et le caviar, mais le geste m'a touché... Je t'observais en haut du minaret où je faisais le muezzin, histoire d'éviter les vétérans de 14 et leur chien policier. Tu me rappelles la mère que j'ai jamais connue, la frangine que j'aurais voulu avoir et la maîtresse que j'aurai un jour ! Et ton boulot ?

Christine désigna son scénario.

— Je n'ai pas à me plaindre... Il y a là-dedans au moins une idée ou deux qui sont de moi !

— J'suis prévu pour trois jours dans le décor, mais, si t'as de l'influence, essaie de m'avoir quelques cachetons de rab'...

— C'est promis, Théo. Je ferai l'impossible...

— Prenez vos places, les mecs ! s'égosillait un assistant dans son mégaphone.

Théo, à contrecœur, quitta son pilier et se dirigea avec nonchalance vers une plante verte au pied de laquelle une belle créature s'éventait avec art, répandue dans une bergère.

— Alors quoi, tu me lâches, petit con ? brailla la pseudo-duchesse d'une voix tellement vulgaire que Christine en frémit.

— Écrase, tu veux ? lui jeta Théo avec hargne.

Christine savait que les artistes de complément ne se recrutaient pas dans le faubourg Saint-Germain. Mais elle trouva que Théo possédait une élégance naturelle inimitable. Elle se demanda subitement s'il ne lui avait pas raconté une histoire à dormir debout au sujet de sa campagne d'Afrique. Cela ressemblait étrangement à un scénario de film... Elle n'eut guère le temps de trouver une réponse aux questions qu'elle se posait, car Kauffmann avait fini d'éclairer l'immense décor et Lamiran demanda qu'on fît venir les protagonistes qui attendaient dans leurs loges d'être mandés sur le plateau. Ils avaient droit à des « doublures » qui avaient leur taille et prenaient leur place pendant que le chef opérateur réglait ses lumières. Peu après, une véritable petite procession fit son entrée entre une double haie de techniciens, de machinistes et d'électriciens. En tête, Liliane Melchior qui se jeta aussitôt dans les bras de François-Paul comme une enfant qui chercherait un refuge sur le sein de son papa... Elle jeta un regard un peu crispé vers Christine.

— Hello darling...

— Hello !... fit Christine qui se dit qu'il fallait bien qu'elle s'habitue au manège des stars.

Liliane était suivie dans tous ses déplacements par son habilleuse, son coiffeur personnel qui sentait le patchouli et le maquilleur russe. Elle avait aussi une secrétaire que l'on disait rétribuée grassement par Leonard Sims auquel elle devait rendre compte de tous les faits et gestes de Liliane. Celle-ci, pour tromper son amant avec ses partenaires, devait déployer des ruses de Sioux. Du moins c'est ce que Lolita, chronique vivante des coulisses du cinéma, avait confié à Christine avec des gloussements excités qui en disaient long sur ses propres problèmes.

Emboîtant le pas à Liliane Melchior et sa petite cour, deux hommes grands, forts, d'âge mûr et dont les visages étaient familiers à Christine, car ils avaient joué l'un et l'autre dans beaucoup de films un éventail de rôles allant de l'officier supérieur au magistrat et à l'homme du monde. Étant cette fois l'un, ambassadeur, l'autre, millionnaire, ils étaient parfaitement à leur affaire. Ils avaient le verbe haut et le geste rond. Ils affichaient un léger mépris pour le cinéma, évoquant volontiers leurs triomphes à la scène.

Christine trouvait qu'ils appuyaient un peu leurs effets, roulaient par trop des yeux furibonds et avaient une certaine tendance à serrer la mâchoire pour faire « viril ». Par la suite, elle put constater que François-Paul menait une lutte sournoise pour que ces grands acteurs fissent moins « acteurs », mais c'était un travail épuisant. Ils avaient aussi la fâcheuse tendance, au cours d'une scène, de projeter de l'ombre sur le visage de leur partenaire. Ce qui obligeait le metteur en scène à dire :

— C'était parfait, mais nous allons le refaire quand même... Monsieur Dumoulin, un peu plus à gauche !

Mais pour l'instant on n'en était qu'au premier tour de manivelle. On se congratulait, on s'étreignait, on s'adorait.

Christine, abasourdie, fut embrassée de tous les

côtés. Venant on ne savait d'où, de Londres ou de Deauville, Mérignac parut comme le bouquet peu sympathique de ce feu d'artifice. Il s'intéressa surtout à Christine, voyant François-Paul aux prises avec les techniciens, les acteurs et la figuration...

— Alors, toi et moi, c'est pour quand ? lui glissa-t-il à l'oreille.

— Pour jamais, monsieur Mérignac ! Et si vous continuez, je vous envoie ma main dans la figure...

Elle s'éloigna, essayant de se rapprocher de François-Paul. Elle entendit tout près de son oreille :

— Il t'emmerde, cet affreux ? Tu veux que je le pique, mine de rien, entre deux prises ?

— Surtout pas, Théo. C'est le producteur !

— Tiens, tiens... Le producteur ? Vraiment ?

Il y eut un remue-ménage général, car Jacques Carnot venait de faire une entrée remarquée, un énorme cachenez noué autour du cou.

— Salut, tout le monde ! croassait-il, arborant le sourire légendaire qui creusait une fossette au milieu de son menton. J'ai failli déclarer forfait pour le film, car figurez-vous que j'ai eu le malheur de faire l'ouverture de la chasse en... en...

Il partit d'un énorme éternuement, se moucha et ajouta enfin :

— ... en Sologne ! Une pure folie lorsqu'on est aussi sensible que... que...

Il éternua encore, mais réussit tout de même à finir sa phrase :

— ... que moi aux brumes matinales ! Sans oublier que je n'étais pas seul et que, bien entendu, c'était fatal, pendant toute la nuit la couverture n'a cessé de glisser ! Ce qui fait que... que...

Il éternua trois fois. Son habilleuse, en adoration, lui tendit un grog fumant. Tout le monde se pressa autour de lui. La voix de François-Paul domina le brouhaha, imposant un silence presque immédiat :

— Et notre Norma? Je ne vois pas miss Arielle Sullivan!

Il y avait une pointe d'impatience dans la voix de Lamiran. Le maquilleur russe brandissait au bout de son bras la houpette de poudre qu'il tenait en permanence à la disposition du nez de Liliane, qui avait tendance à briller sous les feux des sunligths.

— Mlle Sullivan est dans sa loge, monsieur...

— Qu'on aille la chercher... J'ai pourtant demandé que tous les acteurs soient présents!

L'un des assistants s'élançait déjà en direction des loges. Christine le rattrapa. Mue par un pressentiment, elle le retint.

— Laissez-moi y aller, Marc. Vous êtes davantage utile sur le plateau.

Ce qui était vrai.

Elle trouva Arielle, les yeux mi-clos, affalée sur le divan qui meublait sa loge. Elle était maquillée et portait la petite robe à deux sous de Norma. L'odeur caractéristique prit Christine à la gorge dès la porte. La fumée de la cigarette au hachisch stagnait dans l'air. Elle secoua son amie, durement :

— Qu'est-ce qui te prend, Arielle? Tu es folle?

— Laisse-moi tranquille... Je ne me suis pas couchée de la nuit...

Mérignac, à la signature de son contrat, lui avait remis la somme, fantastique pour elle, de dix mille francs. Christine avait été catastrophée, mais le mal était fait. Modèle devenu artiste de cinéma, Arielle était chaque nuit au Jockey, un objet de curiosité. Entourée d'une cour exclusivement féminine, elle trônait au bar de l'établissement jusqu'à l'aube.

Christine était hors d'elle.

— Idiote! Imbécile! Si j'avais su, je t'aurais laissée mijoter dans ta petite vie... Tu ne te rends pas compte que ce film va te permettre de t'évader d'une médiocrité qui ne te convient pas du tout?

Arielle se souleva :

— Et qui te dit que je veux m'en évader, de ma petite vie médiocre ? Et si elle me plaît, à moi, telle qu'elle est ?

— Ce n'est pas le moment de nous disputer...

Elle força la jeune Américaine à se lever.

— Allons, dit-elle très gentiment, fais-le pour moi alors, cet effort... Tout est de ma faute. J'ai vraiment pensé que ce rôle serait pour toi une aventure merveilleuse...

Arielle, qui semblait avoir le vertige, se retenait à Christine.

— Tu sais, chérie, l'aventure merveilleuse, pour moi, c'est d'être avec toi tous les jours !

Sa sincérité était évidente.

« Voilà qui résume tout le personnage d'Arielle, pensa Christine. Et voilà aussi sans doute la raison pour laquelle j'ai pour cette fille une vraie tendresse. Elle ne vit que pour la passion. Au fond, c'est très bien même si, parfois, c'est un peu agaçant ! »

Elle la conduisit jusque sur le plateau où le metteur en scène la plaça devant la porte-tambour qui ouvrait sur le hall du Palace et qui était actionnée par un figurant gigantesque, au ventre impressionnant, revêtu d'un uniforme de portier d'hôtel, chamarré d'or. Il y avait aussi un bout de trottoir où allaient et venaient des passants. Christine ne perdait pas des yeux Arielle qui titubait un tout petit peu, mais personne n'y prêta attention, au grand soulagement de Christine.

Pauvrement vêtue, presque misérable, elle devait essayer de pénétrer à l'intérieur du Palace où son amant, Marco, jouait du piano de cinq à sept. Mais le portier géant devait la refouler...

Pendant la répétition, l'air égaré d'Arielle ne choqua personne, bien au contraire, puisqu'elle était, comme disait François-Paul, « en situation ». Christine seule, et fort inquiète, savait que son amie était dans un état physiologique déplorable.

Satisfait des mouvements de la caméra, du va-et-vient des passants sur le trottoir et de l'agitation à l'intérieur de l'hôtel, en « back ground » comme on disait, Lamiran cria :

— Nous allons le tourner ! Tout le monde au départ... Mes enfants, nous allons donner le premier tour de manivelle de *La Femme-Fauve !*

Machinistes, électriciens, opérateurs, figurants et acteurs se figèrent, chacun à sa place. Christine, saisie d'une émotion qu'elle ne s'expliquait point, n'entendit plus que le grésillement des arcs. Elle était prise à la gorge par ce parfum très particulier d'ozone, de staff et de peinture encore fraîche... parfum inimitable et qu'elle retrouverait chaque matin en pénétrant, aux côtés de l'homme qu'elle aimait, sur le plateau A des studios de Joinville.

— O.K. pour la caméra ?
— O.K., répliqua Kauffmann.
— Action !

Sans le secours du mégaphone, Lamiran faisait agir acteurs et figurants.

— Un peu plus vite, le vieux monsieur qui passe sur le trottoir. Bombez le torse, portier... Très bien. A toi, Arielle... Tu entres dans le champ... Voilà. Tu ne la perds pas, Fritz ?

— Mais non.

— Tu hésites, Arielle... Tu n'oses pas t'approcher... Le portier te fait peur... A vous, le couple de jeunes mariés qui sortez de l'hôtel !... Amoureux ! Soyez amoureux ! Regarde-les, Arielle... Tu les envies... Ils sont riches... Obséquieux, le portier... Claquez les doigts pour appeler le taxi !... A toi, Arielle... Tu essaies de profiter de ce que le portier est occupé pour te glisser dans la porte-tambour ! Mais il t'a vue...

Christine était subjuguée par le calme prodigieux du

metteur en scène. Là, sur le plateau, il était lui-même. Quelqu'un surgit à ses côtés, une présence insinuante : Mérignac.

— Alors, tu aimes, ma toute belle ?

— J'aime infiniment, murmura Christine.

— Tu peux. Il y en a pour plusieurs millions !

Il avait, comme par inadvertance, posé sa main sur la hanche de Christine. Elle fit un écart brusque.

— ... le portier bloque la porte du pied ! Voilà, c'est bien... Et toi, Arielle, humiliée, honteuse, tu sors de la porte-tambour... Mais tu as eu le temps d'apercevoir une femme merveilleuse penchée sur ton amant qui joue du piano... Elle lui parlait... Viens vers moi, Arielle... Je veux voir sur ton visage la souffrance, le désarroi... Tu voudrais mourir... Vers moi, Arielle...

Le visage d'Arielle traduisait fort bien ce que le metteur en scène lui indiquait. Christine seule savait que son amie avait abusé des stupéfiants. Arielle se trouvait en état second. Les paroles lui parvenaient, mais les comprenait-elle seulement ?

— Magnifique ! hurlait Lamiran. Ça tourne toujours ?

— Toujours.

— Coupez tout !

Kauffmann cessa de tourner. Les arcs s'éteignirent.

L'après-midi se déroula sans incident notable, au grand soulagement de Christine. En début de soirée, alors que François-Paul travaillait dans le grand hall du Palace avec toute la figuration et les interprètes principaux, à savoir Liliane Melchior et Jacques Carnot, le metteur en scène prit Christine à part.

— Je vais faire les gros plans de Liliane et elle va être furieuse...

Christine avait appris que les gros plans montraient le visage des acteurs vu de très près, au point de remplir l'écran tout entier. Elle avait découvert que plus l'acteur était important, plus le metteur en scène lui ménageait de gros plans.

— Pourquoi serait-elle furieuse? s'étonna Christine. Elle devrait être ravie...

— Non, mon amour. Pas en fin de journée. Elle est exténuée, car elle est sous les projecteurs depuis le début. Regarde comme elle a les yeux cernés... D'autant plus que je la soupçonne d'avoir violé Jacques pendant la pause du déjeuner où personne ne les a vus, ni à la cantine, ni ailleurs... Mais je la veux justement un peu ravagée par rapport à Norma rayonnante de jeunesse. Tu comprends?

Comme prévu, Liliane protesta avec véhémence et en allemand. Mais Lamiran se montra intraitable. Sa douce autorité l'emporta; il sécha lui-même les larmes de sa star germanique.

— Allons-y, dit-il. On va le mettre en boîte du premier coup!

Christine consulta le scénario : la femme-fauve écoutait Marco jouant du piano au « five o'clock tea » de l'hôtel. Puis, sans quitter du regard le beau musicien, elle devait murmurer une phrase à l'intention de ses deux chevaliers servants. Le texte du sous-titre était : « Ce jeune musicien a vraiment beaucoup de talent! »

— Vous êtes prête, Liliane?

— Non. Je sens que j'ai le nez qui brille! s'exclama celle-ci.

— Maquilleur!

Le Russe accourut avec sa houpette et sa boîte de fards.

— Tout le monde en place, ordonna le metteur en scène quelques secondes plus tard.

Liliane se trouvait face à la caméra, à moins d'un mètre. Kauffmann avait placé des petits projecteurs qui sculptaient le visage de l'actrice, créant des zones d'ombres et de lumière.

— Musique... Action!

Lolita, crayon entre les dents, actionna la manivelle

du phonographe et l'air fameux de « Tea for two » se déversa sur l'assistance.

— Regarde le beau pianiste, Liliane... Je veux voir dans tes yeux que tu as envie de coucher avec lui... Oui... C'est ça... Très bien, Liliane... Tu es insatiable... Tu vois un type qui te plaît, il te le faut dans l'heure... Tu échafaudes des projets dans ta petite tête... Pas mal, ça... Et maintenant tourne-toi un tout petit peu vers la gauche... A peine... Dis ta phrase...

Liliane, parfaitement docile, entrouvrit les lèvres :

— Toute ma carrière d'actrice pour une saucisse de Francfort, soupira-t-elle.

Christine réprima un fou rire.

— Coupez ! hurla François-Paul.

Kauffmann cessa de tourner sa manivelle et rejeta le drap noir dont il se couvrait durant les prises de vues.

— C'est bon. *Erstklassig !* dit-il.

Lamiran était rouge de colère.

— Non. C'est à refaire.

Il avança vers Liliane.

— Madame, dit-il, faisant de son mieux pour se dominer, madame, selon une habitude chère aux acteurs de cinéma, vous avez prononcé n'importe quelle phrase en vous disant : comme tout ceci est muet, il suffit que j'exprime avec mon visage ce que je ressens ; quant au texte, il peut être de mon cru, absurde, idiot, peu importe puisqu'on ne verra bouger que mes lèvres et qu'aussitôt le public déchiffrera un carton joliment illustré avec, au milieu, le sous-titre.

— En effet, murmura Liliane.

Lamiran la prit par les épaules et la regarda dans le blanc des yeux.

— Erreur, *Liebling.* J'ai reçu il y a moins d'une semaine une circulaire émanant de la Fédération Française des Sourds-Muets, lettre dans laquelle le président attire l'attention des cinéastes sur le fait que ses adhérents lisent sur les lèvres des acteurs toutes les c... que ceux-ci ont l'habitude de dire au moment du tournage !

Christine discerna sur les visages des assistants un certain désarroi.

— Zut ! commenta Lolita. Personne n'y a jamais pensé, aux sourds-muets !

— Nous allons le refaire, décréta François-Paul. Et cette fois, Liliane, tu diras ton texte correctement !

La scripte tendit le scénario à la vedette. Celle-ci ânonna la phrase : « Ce jeune mucisien a vraiment beaucoup de talent ! »

— Veux-tu mon opinion, môme ?

C'était Théo, toujours déguisé en gentleman, qui avait surgi près de Christine. Pourtant les figurants avaient fini leur journée.

— Eh bien, à mon avis, votre star à la mie de pain, elle parle faux !

François-Paul n'attaqua les grandes scènes avec Arielle que lorsqu'il estima que celle-ci s'était familiarisée à la fois avec le tournage et l'équipe du film. Comme elle aimait être l'objet de tous les regards et de toutes les attentions, elle se montra fort docile.

La veille du jour où elle devait tourner les scènes importantes avec son partenaire, celui-ci parut sur le plateau plus charmant, plus ensorceleur que jamais. Il distribua des poignées de main, embrassa Christine, Lolita et ses deux partenaires féminines. Puis il s'excusa de s'être enrhumé en faisant du cheval au Bois de Boulogne et promit d'être guéri le lendemain. Ensuite, il chaussa ses lunettes afin d'étudier son scénario, car il était la conscience professionnelle faite homme.

Les séquences qu'allait tourner François-Paul se déroulaient dans un décor représentant l'intérieur de la maison vétuste où vivaient Marco et Norma. La scène la plus importante montrait les amants allongés côte à côte, dans les bras l'un de l'autre, mais déjà profondément séparés. Car Marco venait de rencontrer celle qui

allait lui ouvrir les portes de la gloire et de la richesse :
la femme-fauve !

Il n'était pas tout à fait 9 heures du matin lorsque
François-Paul demanda à l'un de ses assistants d'aller
prévenir Arielle qu'on avait besoin d'elle sur le plateau.

— J'y vais, dit Christine.

Elle trouva son amie allant et venant dans sa loge,
entièrement nue, chaussée de mules, avec un long
fume-cigarette au bout des doigts. Christine vit tout de
suite le verre à moitié rempli au bord de la table de
maquillage.

— Si tu commences à boire du whisky dès l'aube,
qu'est-ce que ce sera ce soir... François-Paul a besoin de
toi pour répéter la scène.

Muette, et apparemment préoccupée par son rôle (du
moins, c'est ce que se disait Christine), elle se dirigea
vers le plateau, les pans de son peignoir lui battant les
flancs.

François-Paul était en train de parler avec Jacques,
couché dans un lit à deux places, son torse musclé et
bronzé émergeant des draps qui n'étaient pas blancs, ce
qui était mauvais à l'image, mais bleu ciel. Le metteur
en scène bouleversait les couvertures et les oreillers
afin de donner l'impression d'un lit défait. L'opérateur,
avec sa minutie habituelle, réglait les lumières, créant
ces clairs-obscurs qui faisaient sa gloire.

— Arielle, mon petit, dit le metteur en scène, très
paternel, nous allons tourner ce matin l'une des scènes
les plus importantes du film : tu es couchée près de
Marco ; vous venez de faire l'amour, mais tu sens que
ton amant n'est plus le même, qu'il y a quelque chose
de changé... Tu sais bien : la fameuse intuition féminine ! Décontracte-toi, mon enfant. Un scène comme
celle-ci, réussie, peut permettre à une inconnue de
gagner ses galons de star.

Christine avait l'impression qu'Arielle était mal assu-
rée sur ses jambes. L'alcool devait être en train de pro-

duire son effet. Carnot se souleva dans le lit et tendit ses bras en direction d'Arielle :

— Alors, darling ? On se lance dans la bagarre ? Je ne suis plus enrhumé, tu sais... Pas de risque de contagion !

Tout le monde riait.

— Répétition pour la caméra, dit Lamiran.

Il guida « Norma » vers le lit. La voix de l'opérateur se fit entendre :

— J'aimerais qu'elle enlève son peignoir.

Arielle arborait la chemise de nuit transparente prévue. Elle était affriolante au possible. Tout le monde attendait qu'elle se couchât près de Marco, mais elle resta immobile au pied du lit.

— Non, dit-elle, non, je ne peux pas !

Christine ferma les yeux.

« Juste ciel ! pensa-t-elle. Elle a dû boire du whisky pour se donner du courage, mais voilà qu'elle cale ! »

Elle perçut à son oreille la voix du metteur en scène :

— Je rêve ou quoi ? Elle pose nue pour des peintres... Alors, que signifie cet accès de pudeur ? Est-ce qu'elle veut nous faire croire qu'elle n'a jamais partagé le lit d'un homme ?

Il remit lui-même le peignoir sur les épaules de son interprète.

— ... Mon petit, lui dit-il, je vous supplie de croire qu'aucune des partenaires de Jacques Carnot ne s'est jamais plainte de son... heu... de son absence de délicatesse dans un plumard. C'est un acteur en train de faire son métier. Comme vous... Nous faisons un film qui n'a rien de vulgaire ou d'avilissant. Quand vous vous verrez à l'écran, plus tard, vous comprendrez que des êtres jeunes et beaux, couchés l'un près de l'autre, et qui s'aiment ou qui se sont aimés, c'est très esthétique. Voilà tout. Il n'y a pas de sous-entendus graveleux dans mes films. Alors, on se le tourne ce plan ?

— Non ! dit Arielle.

Elle fit volte-face de manière à se trouver nez à nez avec lui.

— *I hate you!* Je vous hais! Je me f... de vos histoires d'amour. Je les trouve écœurantes. Je ne supporterai pas de me trouver avec ce monsieur peau contre peau, bouche contre bouche, comme vous l'écrivez dans votre scénario.

Christine écouta cette sortie, abasourdie. Jacques, lui, s'était dressé dans le lit.

— Mais qu'est-ce que je t'ai fait, Arielle?

— Rien du tout, heureusement. Il ne manquerait plus que ça!

— Je te dégoûte à ce point?

Arielle le regardait comme s'il se fût agi d'un monstre, de Nosferatu le Vampire qui faisait les beaux jours d'un cinéma des Boulevards.

— François-Paul, dit le jeune premier, s'adressant à son metteur en scène, il faut regarder la vérité en face : je la dégoûte!

Il descendit du lit, très digne, attrapa le peignoir de bain que son habilleuse portait sur le bras, l'enfila et lança à la cantonade :

— Faites-moi signe, les amis, quand vous aurez trouvé une Norma que je ne dégoûte pas!

Là-dessus, il quitta le plateau. François-Paul était devenu tout blanc. Christine imaginait ce qu'il était en train d'éprouver. Elle prit Arielle par les épaules, essaya de la calmer, mais elle se dégagea violemment.

— Toi aussi, je te hais, Christine. Je croyais que tu étais mon amie. Mais non. Il n'y a que ce foutu film qui t'intéresse. Le reste... Ah, et puis... *shit! shit!*

En quelques enjambées elle sortit à son tour du cercle lumineux où s'inscrivaient près du lit défait, le metteur en scène, le chef-opérateur et Christine...

— Adieu tout le monde! jeta-t-elle par-dessus l'épaule, adieu et bon vent! Vous m'avez vue ici pour la dernière fois.

— Non! s'écria Christine, se lançant à la poursuite d'Arielle.

Elle se sentait responsable de ce qui arrivait. Arielle, se sachant poursuivie, commença à courir le long des couloirs, telle quelle, en chemise, pieds nus, car elle s'était débarrassée de ses mules. Elle avisa un escalier, l'emprunta. Les gens qu'elle croisait, ahuris par cette apparition, s'effacèrent. Rapide, agile, elle déboucha dans la cour des studios de Joinville. Un taxi G7 venait d'y pénétrer. Un monsieur très chic, canne, œillet à la boutonnière, guêtres grises, en descendit : Mérignac !

Christine arriva à son tour dans la cour. Arielle bouscula le producteur, sauta dans le taxi, claqua la portière. Le chauffeur, obéissant sans doute aux injonctions de cette passagère peu ordinaire, accomplit un demi-tour et gagna en pétaradant le portail monumental que surmontait le coq triomphant, emblème de la maison « Pathé ».

— Arielle ! Arrêtez-vous, chauffeur ! Arielle !

Elle poursuivit sa course, rejoignit le taxi qui venait de s'immobiliser. Arielle se pencha à la portière :

— Je t'aime, ma Christine, mais n'essaie pas de me convaincre... Je suis incapable de faire ce qu'on me demande... Il ne faut surtout pas m'en vouloir. Je t'adore, tu sais, mais...

Lamiran venait de déboucher dans la cour :

— Qu'est-ce qui se passe ? hurlait Mérignac. Vous êtes devenus fous, tous tant que vous êtes, ou quoi ? Vos acteurs se baladent à poil en taxi au lieu d'être sur le plateau ! Je n'ai jamais vu ça... Au prix où se paie la journée de tournage en studio, c'est un comble !

— Ça va, Mérignac. Ce n'est pas le moment de faire votre numéro ! lui lança le metteur en scène.

Il rejoignit Christine qui parlementait avec l'interprète défaillante du rôle de « Norma ». Celle-ci avait sorti son bras nu par la glace baissée du taxi et serrait la main de son amie.

— N'essaie pas de me convaincre. Je ne peux pas, chérie. C'est au-dessus de mes forces... Imagine-toi la réaction de mes amies quand elles me verront sur l'écran dans les bras d'un homme, couchée près de lui, en train de mimer l'extase! Essaie d'imaginer, Christine...

François-Paul avait attrapé au vol ces dernières phrases.

— Arielle, descends immédiatement de ce taxi! hurlait-il.

Avec dextérité, la petite Américaine de Montparnasse remonta la vitre en criant au chauffeur :

— Foncez, mon vieux! Ce type est capable de me ramener de force dans son plumard!

Interprétant cette phrase à sa manière, voyant sans doute en François-Paul une sorte d'obsédé qui poursuivait de ses assiduités cette ravissante jeune femme en chemise, le chauffeur donna les gaz. Le taxi fit un bond en avant et disparut dans le nuage de poussière qu'il soulevait... Pendant tout ce temps Christine avait tremblé en pensant qu'Arielle aurait pu révéler par une parole imprudente à François-Paul les rapports qui avaient existé entre elles. Son amant l'avait prise par le bras; il la secouait durement.

— Je te croyais tout de même plus évoluée que ça...

Elle le regardait sans comprendre.

— Enfin, est-ce que tu te rends compte, Christine, que pour jouer Norma tu m'as présenté une lesbienne? Car, manifestement, ton amie Arielle éprouve une aversion insupportable pour les mâles! Toi qui la connais mieux que moi, tu ne t'es donc jamais doutée de cela.

Dans un brusque accès de tendresse, il la serra contre lui.

— ... Tu es encore bien naïve, tu sais...

Christine aurait donné cher pour se trouver ailleurs en cette minute.

— En attendant, murmura François-Paul, nous sommes dans les enquiquinements jusqu'au cou...

Christine se sentait très coupable.

— Pardon, chéri... pardon... Elle l'aurait merveilleusement joué, le rôle, tu sais...

Elle pleurait doucement, consciente d'avoir été à l'origine de ce désastre qui compromettait *La Femme-Fauve*. Elle se blottit contre son amant.

Mérignac s'avança vers eux. Il paraissait hors de lui, ivre de rage.

— Vous rendez-vous compte, Lamiran, que des acteurs de premier plan et une armée de techniciens et d'ouvriers sont en train d'attendre que vous consentiez à bien vouloir reprendre le travail ? Je vous demanderai à l'avenir de consoler Christine en dehors du tournage et de préférence pendant le week-end !

Il était comme un coq dressé sur ses ergots. Christine voulut retenir François-Paul, mais celui-ci bondit sur son producteur, le prit à la gorge.

— Écoute-moi bien, bonhomme...

La voix de Lamiran était d'une douceur empoisonnée.

— ... Écoute-moi bien, Mérignac : tu te seras permis une seule fois ce que tu viens de te permettre. Une seule fois, tu entends ? Si tu recommences, tu te souviendras du tournage de *La Femme-Fauve* sur un lit d'hôpital, car je ne t'aurai pas lâché avant de t'avoir réduit à l'état d'éclopé !

Pour toute réponse, Mérignac se secoua comme un chien sortant de l'eau afin de se débarrasser de l'emprise de François-Paul, mais celui-ci tenant bon, il lui martela l'estomac à coups de poing. Christine était effarée de voir les deux hommes s'empoigner. Lamiran répliqua avec vigueur aux attaques de son producteur, râblé, mais plus petit que lui. Il l'envoya à un mètre après l'avoir touché à la pointe du menton. Un peu secoué, mais courageux, Mérignac se rua sur le metteur en scène au moment où arrivait, au pas de course, Marc, l'assistant, qui s'immobilisa sur place, interloqué, ne sachant quelle attitude adopter.

Christine trouvait tout cela absurde, vaguement comique. Somme toute, ces deux hommes, qui avaient largement dépassé l'âge où l'on en venait aux mains pour une fille, étaient en train de se battre pour elle. Mais ce qu'elle admira, ce fut leur attitude commune face au jeune assistant dont l'arrivée les sépara d'un accord tacite. Ils se tenaient côte à côte, un peu essoufflés, comme si rien ne s'était passé.

— Qu'est-ce qu'on fait, monsieur ? questionna l'assistant, s'adressant au metteur en scène.

Il portait sous son bras, comme une relique, le scénario de *La Femme-Fauve.*

Lamiran hésita. Il échangea un regard rapide avec Mérignac. On aurait pu croire qu'ils étaient à nouveau unis comme des marins sur la passerelle du même rafiot. Et Christine, qui s'était reprise, pensait qu'il y avait un peu de cela.

— Si j'ai bien compris, il semble exclu qu'Arielle reprenne le film, dit Mérignac d'une voix sourde. Dans notre malheur, nous avons une chance : elle n'a pour ainsi dire rien tourné d'important, ce qui ne nous oblige pas à reconstruire des décors pour refaire ses scènes avec une autre actrice... Ce truc-là, mes enfants, m'aurait mis sur la paille définitivement ! Seulement voilà : il nous la faut immédiatement, notre Norma, si nous ne voulons pas interrompre le tournage. Prenons une décision, Lamiran...

La cour du studio devenait pour un instant l'endroit où se jouait le sort d'une entreprise qui avait mobilisé beaucoup d'idées, de temps, d'efforts et d'argent. Christine sentait fixé sur elle le regard de François-Paul. Qu'attendait-il de sa co-scénariste ?

— Je suis désolée, murmura-t-elle. Arielle était vraiment le personnage...

— Allons revoir immédiatement tous les essais et choisissons la meilleure des filles ! trancha Mérignac.

Lamiran avait pris le scénario des mains de son assistant et le feuilletait comme s'il se désintéressait de la question. Soudain, il releva la tête. Il semblait à Christine qu'il évitait à présent de la regarder.

— Inutile, Mérignac.

— Alors, que proposez-vous ?

Au lieu de répondre, le metteur en scène s'adressa à Christine :

— Attends-moi à la cantine, veux-tu ?

Un peu surprise, n'ayant pas été habituée à être écartée de la sorte, Christine quitta les deux hommes. Elle se demandait si François-Paul n'était pas sérieusement fâché avec elle.

« J'ai certainement pris des risques en lui donnant l'idée d'engager Arielle, se dit-elle. Mais qui aurait pu prévoir qu'elle abandonnerait le film ? »

Elle était, en fait, atterrée. Elle resta un long moment assise au coin d'une table dans la cantine déserte à cette heure, devant un café. Puis Marc fit irruption, sous pression comme à l'accoutumée.

— Christine ! On a besoin de toi.

— Qui a besoin de moi ?

— Lamiran, bien sûr. Il vous attend dans le décor.

Elle se leva. Elle était lasse. La vie était bien compliquée.

« J'aime François-Paul, pensa-t-elle. Il a besoin de moi ? Allons-y ! »

Dans le couloir menant au plateau, elle se heurta au gigantesque caméraman qui se dressait devant elle, souriant de toutes ses dents.

— On n'attend plus que vous, Fräulein Christine !

Déjà il l'entraînait vers la double porte menant au studio A.

— On m'attend, moi ? Mais... pour quoi faire ?

Il la poussait devant lui d'une bourrade affectueuse.

Elle s'était intégrée à l'équipe, à cette fraternité d'hommes qui parlaient un même langage et qu'unissait, malgré les différences de nationalité, de caractère ou de culte, une passion commune. Rien ne comptait pour eux en dehors du film qu'ils étaient en train de réaliser. Était-il possible que l'incident dramatique de tout à l'heure fût déjà oublié? Dans l'immense décor du Palace vidé de ses acteurs, de ses figurants et de la cohorte des participants à titres divers, il n'y avait que François-Paul, nerveux, préoccupé et quelques électriciens autour des rares projecteurs qui éclairaient encore un coin du décor. Tous les regards se tournaient vers Christine lorsqu'elle pénétra dans le cercle enchanté délimité par la lumière, poussée par Kauffmann. Pourquoi la regardait-on ainsi?

— Ne bouge pas, Christine! hurlait François-Paul. Avance vers la caméra... Tu peux la cadrer sur la frise, Kauffmann?

— O.K.

— Maquilleur!

— Le 14... le 17 sur Christine!

Elle ferma les yeux, aveuglée par la lumière. Mais pourquoi tout ceci? Elle sentait braqués sur elle les objectifs de la caméra. François-Paul ne cessait de la regarder à travers le viseur qu'il portait autour du cou, suspendu à un fil, comme une sorte de collier barbare. Un autre personnage entra dans le cercle lumineux : Jacques Carnot. Il ne s'était pas démaquillé, mais il arborait une tenue décente.

— Je te dis : merde! fit-il entre ses dents.

— ...?

François-Paul les rejoignit. Il se mit entre eux, passa ses bras autour de leurs épaules dans un geste d'affection.

— Christine, écoute-moi. Nous sommes mal partis; nous ne pouvons pas arrêter le film. Tu es le personnage de Norma pour la bonne raison qu'en travaillant avec moi tu y as mis beaucoup de toi-même. Je ne sais pas si tu es une actrice, mais une chose est certaine : tu es Norma ! Nous allons faire des essais de photo et de maquillage, tu vas bouger, marcher, parler avec Marco. Je te demanderai d'être amoureuse, jalouse, vindicative, désespérée. Marco t'aidera en te donnant la réplique, en te donnant son regard. Je sais d'avance que tu peux jouer le rôle. Ce n'est pas moi qu'il s'agit de convaincre, mais ce crétin de Mérignac qui ne veut à aucun prix de toi dans le personnage de Norma, sans doute parce qu'il a une petite amie à caser... Pourquoi me regardes-tu ainsi ? Tu te dégonfles ?

Christine, au fur et à mesure qu'il parlait, avait d'abord été stupéfaite. Ensuite une sorte de colère l'avait gagnée, sentiment qu'elle ne connaissait que trop bien.

— Écoute-moi, toi aussi, François-Paul. Pour qui te prends-tu ? Pour Dieu le Père ? Ainsi tu disposes de moi comme d'un objet dans ton décor ? Ainsi tu as décidé que j'étais Norma, comme ça, sur un coup de tête, après avoir recherché dans tous les azimuts l'interprète idéale du rôle ? Tu ne crois pas que tu aurais pu y penser plus tôt ? Est-ce que tu aurais oublié, par hasard, que le lendemain de notre première rencontre, tu as fait irruption chez moi en affirmant devant mes parents abasourdis que j'étais le personnage rêvé de ton prochain film ? Et depuis ce jour, plus rien... Pas un mot, jamais. Tu as fait de moi ton assistante, ta co-scénariste, ta collaboratrice... J'avais fini par croire que tu avais changé d'opinion à mon sujet, que tu me croyais incapable de jouer la comédie !

Lamiran se rebiffa.

— Ça, c'est la meilleure ! Il te manque certainement une qualité indispensable aux actrices : la mémoire. C'est toi, toi et personne d'autre qui as refusé le rôle que je voulais t'offrir et qui était précisément celui de Norma dans *La Femme-Fauve* ! Je te connaissais depuis quelques heures seulement, tu m'as bien regardé en face et tu m'as dit : « Non, monsieur, votre proposition ne m'intéresse en rien ! » Je ne suis jamais revenu à la charge parce que je t'avais sentie plus que réticente, presque... oui, presque horrifiée de ma proposition !

Christine se rappela les circonstances tout à fait particulières, la nuit de cauchemar qu'elle venait de vivre, l'arrivée chez elle de Lamiran alors qu'elle pensait que c'était la police qui venait l'arrêter pour le meurtre de Serge Massey ! Elle se dit que le malentendu était impossible à éclaircir. Elle pouvait difficilement révéler à son amant là, devant tous ces gens qui l'entouraient, ce qu'elle lui avait caché jusqu'alors. Il avait dû se méprendre sur · la signification de son regard qui embrassait le décor, les ouvriers, les techniciens, les habilleurs, Jacques...

— Chérie, dit-il presque à mi-voix, je comprends très bien que tu sois prise de panique à la pensée de te déshabiller l'âme devant ces types qui sont mes amis, et qui sont aussi les tiens, aussi bizarre que cela puisse te paraître. Moi, tu vois, je ne suis pas un acteur, mais ça ne me fait rien de me montrer devant eux tel que je suis. A moi ça ne me fait rien de dire devant eux : « Regardez cette fille, elle a vingt ans de moins que moi et j'en suis amoureux fou. » A moi, ça ne me fait ni chaud ni froid de leur dire que je sais ce que je peux faire pour toi, parce que je t'aime comme un type qui aimerait une fille pour la première fois. Si tu veux bien m'écouter, si tu veux bien faire ce que je te demanderai de faire, si tu veux bien une fois dans ta vie oublier que tu es farouche, autoritaire, que tu as une personnalité, que tu as horreur de recevoir des ordres, de te sentir dominée, alors tu seras la meilleure, la seule Norma. Tu auras un succès considérable et il y a de fortes chances pour que tu ne recommences jamais parce que je t'aurai dégoûtée d'un métier où la première règle est l'obéissance. A moi, en tout cas, tu auras sorti une fichue épine du pied. Alors, tu acceptes ou tu refuses ? Si tu dis non, je ferai mon film et je continuerai quand même de t'aimer, tu sais... Le cinéma et l'amour sont des maladies dont on ne guérit pas si facilement. Tu en sais quelque chose, non ?

Bouleversée par ce qu'elle venait d'entendre et qui avait été dit avec tant de simplicité, Christine avait soutenu son regard jusqu'au bout. Elle pensait à ce qui l'attendait dans les heures, les jours et les semaines à venir.

— Faisons ces essais, dit-elle enfin, et j'aimerais les réussir, ne serait-ce que pour enquiquiner Mérignac !

Elle s'était pliée de façon exemplaire à la discipline du plateau, changeant plusieurs fois de robe, de coiffure et de maquillage. Jacques l'avait beaucoup aidée avec son métier d'acteur, de véritable acteur qui avait joué les classiques au début de sa jeune carrière. Les émotions de Norma devenaient les siennes, sans qu'elle dût fournir un effort pour les extérioriser. Les semaines de discussion avec François-Paul autour de ce personnage et autour de l'histoire de la femme-fauve l'avaient familiarisée avec toutes les situations évoquées dans le film. Elle retrouva un curieux plaisir qu'elle n'avait éprouvé qu'une seule fois dans sa vie : cet été, à l'hôtel Normandy, lorsqu'elle avait joué la jeune femme ivre qui venait se renseigner près du portier de nuit au sujet de Serge... Guidée, conseillée, parfaitement malléable entre les mains du metteur en scène, Christine avait abdiqué sa vraie personnalité pour endosser celle de Norma. Elle n'avait jamais eu l'impression de « jouer ».

— Maintenant tu vas dormir dans ta loge, lui dit François-Paul. Je viendrai te chercher pour la projection des rushes. Je ne connais pas une comédienne capable de vivre le rôle mieux que toi. Mérignac devra en convenir et tout sera dit. Repose-toi, Christine...

Il frôla, de sa grande main, le visage maquillé d'ocre de sa nouvelle « Norma ».

Christine était tellement fatiguée qu'elle s'endormit comme une masse. Dans l'après-midi, François-Paul l'emmena à la salle de projection où se trouvaient déjà Mérignac et Fritz Kauffmann. Celui-ci vint carrément s'asseoir à côté de Christine, dans le fond de la petite salle, alors que metteur en scène et producteur occupaient le premier rang. L'un et l'autre avaient un air vaguement cérémonieux et Christine comprit à quel point ils attachaient de l'importance aux images qui allaient être projetées pour eux. La lumière s'éteignit et un visage occupa l'écran tout entier, un visage mangé par le regard prodigieusement vivant et expressif. Christine, fascinée par sa propre image, ne se reconnut point. Elle était même un peu effrayée par le creux de ses joues et l'infinie tristesse de son sourire. Elle se souvenait des indications de Lamiran alors qu'elle tournait la tête à droite, à gauche, se montrant de face, de profil et de trois quarts à la caméra.

Dans la salle régnait le silence le plus profond. Ni François-Paul ni Mérignac ne prononcèrent un mot. Christine, obéissant au metteur en scène, marchait vers Marco qui se trouvait en amorce à gauche de l'écran. Elle s'accrochait à lui, suppliante. Il la repoussait. Elle le dévisageait ; ses yeux exprimaient à la fois de l'adoration et de l'horreur. C'était évident. Si le cinéma avait été un art parlant, ce qui n'était pas le cas (pas encore), elle n'aurait pas eu besoin de mots pour s'exprimer.

— Fantastique ! hurlait Kauffmann. C'est un vrai petit animal de cinéma ! Non, mais tu as vu ça ?

— J'ai vu, dit Lamiran.

Mérignac ne dit rien. Leur laconisme à tous deux fit que Christine éprouva un vague malaise d'autant plus que leur absence de réactions contrastait avec l'excès d'enthousiasme de l'opérateur. Elle aurait été désolée de décevoir François-Paul. Oui, c'était là ce qui la navrait. Il avait compté sur elle, s'étant sans doute persuadé qu'elle pouvait être en mesure de reprendre le flambeau qu'Arielle avait dû abandonner. Lamiran devait trouver, comme elle, que la Christine sur l'écran n'avait qu'un rapport lointain avec la Christine assise dans la salle.

« Je ne suis pas la même », se dit-elle, un peu effrayée en constatant combien l'objectif de la caméra pouvait changer un être humain, lui donner une autre épaisseur, pour ne pas dire : une autre dimension.

Lorsque la lumière revint, le producteur se leva le premier, le metteur en scène restant assis. Kauffmann bondit sur François-Paul.

— Une trouvaille, papa, une vraie trouvaille! Non, mais tu as vu comment elle prenait les créneaux?

Christine avait entendu cette expression « prendre les créneaux » à plusieurs reprises sur le plateau. C'était la manière plus ou moins adroite dont les acteurs jouaient dans les lumières réglées à leur intention par l'opérateur.

L'assistant fit irruption dans la salle.

— Tout est prêt pour les gros plans de Liliane, monsieur Lamiran.

François-Paul se leva et s'apprêta à regagner le plateau suivi de son opérateur. A la porte il s'immobilisa et regarda Christine qui n'avait pas bougé.

— Si tu es d'accord avec moi et... et avec mon producteur, je te demanderai d'être habillée et coiffée dans une heure. Nous referons les scènes d'Arielle avec le portier du Palace!

Christine jaillit de son fauteuil. Ainsi il l'avait trouvée acceptable, susceptible de reprendre le rôle!

Le producteur desserra enfin les lèvres.

— Bien entendu. Mais auparavant j'aimerais avoir une petite conversation avec... avec votre nouvelle découverte, Lamiran.

— Tout ce que je demande c'est qu'elle soit prête à tourner à 5 heures.

Il quitta la projection, suivi de l'opérateur et de son assistant. Mérignac se dirigea lentement vers Christine qui faisait mine de se lever.

— Je suis pressée, monsieur Mérignac.

Il posa les deux mains sur les bras du fauteuil-club, comme pour l'empêcher de s'en aller.

— Tu es pressée, mon petit, terriblement pressée. Tu as hâte de devenir célèbre, n'est-ce pas ? Tu veux brûler les étapes ? Mais dans un monde où tout se paie, toi, tu refuses de payer !

— Je ne comprends pas très bien, bredouilla Christine, surprise et interloquée.

— Moi, je comprends très bien, en revanche. J'ai même tout compris. Je ne t'avais jamais sous-estimée, mais je n'avais pas vu assez grand en ce qui te concernait. Et comme j'apprécie le travail bien fait, je ne peux que m'incliner. J'en ai vu de toutes les couleurs, des filles qui voulaient devenir stars. Je les ai vues dans toutes les positions, même les moins recommandables. Elles auraient fait n'importe quoi pour le moindre petit bout de rôle. Mais toi, tu t'y es prise avec une sorte de génie. L'idée de devenir la collaboratrice de ce brave couillon de Lamiran pour te mijoter un rôle sur mesure, c'est déjà du grand art. Même si tu n'avais aucun talent, les efforts déployés par toi pour réussir mériteraient un grand coup de chapeau.

Christine se rebiffa. Elle repoussa Mérignac et se dressa.

— Mais vous êtes complètement fou ! Il faut avoir votre vulgarité d'âme pour me prêter des mobiles sordides et des calculs machiavéliques dont je suis incapable !

Il éclata de rire. Joyeusement.

— Je t'adore... Christine, je t'adore ! Tu as toujours de la classe, dans toutes les circonstances. Toutes sans exception. C'est ce qui t'explique pourquoi je te trouve tellement excitante.

— C'est insupportable, dit Christine entre ses dents. Mérignac, vous êtes insupportable. Si c'est tout ce que vous avez à me dire, je m'en vais...

— Cinq minutes.

Il l'avait prise par le bras.

— Cinq minutes, ma belle. J'ai promis à Lamiran d'engager sa découverte pour le rôle de Norma, pas vrai ? Alors, discutons du contrat, si tu le veux bien.

— Je vous écoute.

Elle avait fait un effort pour se calmer.

— Tu seras très bien dans le rôle, j'en conviens. Mais en tant que producteur, si j'oppose mon veto formel et si je mets dans le coup Leonard Sims qui commandite le film, ton engagement est dans le lac et Lamiran devra se rabattre sur une quelconque théâtreuse, que cela lui plaise ou non. Il sera furieux, vexé, désespéré et, s'il lâche le film, je lui fais un procès qu'il perdra et qui le mettra sur la paille. Alors, je vais te dire quelles sont mes conditions : je t'engage, je te paie, je te fais un lancement digne de Hearst, en Amérique, qui a pour petite amie la belle Marion Davis... Je fais mon métier de producteur et nous signerons le contrat, ce soir, chez moi, en tête à tête.

Christine le regarda avec une pitié infinie. La façon méchante du personnage et le désir manifeste qu'il avait d'elle constituaient un curieux mélange.

— Vous n'oubliez qu'une chose, Mérignac : le seul contact de votre peau me fait trembler de dégoût et je suis au regret de ne pouvoir accepter votre invitation, si tentante fût-elle... Mais je suis convaincue que les candidates aux signatures de contrat sur l'oreiller ne manqueront pas de se présenter en foule au pied de votre lit !

Elle allait quitter la salle lorsque François-Paul y pénétra. Christine avait la conviction qu'il avait fait tout exprès de revenir sur ses pas; il détestait la savoir seule avec Mérignac, même pour ce qui aurait dû être une discussion d'affaires.

« Mérignac est-il seulement capable de parler affaires avec une femme? » se demanda Christine.

— Bon. Alors? Où en êtes-vous tous les deux? demanda Lamiran.

Christine s'approcha de lui.

— Votre ami Mérignac est en train de me proposer un marché odieux, inacceptable. D'ailleurs, je ne sais pas ce qui me retient encore ici.

Elle voulut s'en aller, mais Lamiran l'en empêcha.

— Un instant, Christine...

Il était blanc de rage.

— Bon sang, Mérignac, ça va vraiment mal finir entre vous et moi. Je suppose que vous avez fait à Christine votre numéro habituel de satrape? Je l'avais senti...

Le producteur, debout au pied de l'écran, croisa les bras et prit un air méchant. Il jaugea du regard à la fois Christine et son metteur en scène.

— S'il est une chose, Lamiran, que je n'arrive pas à digérer, c'est de voir un type pour lequel j'ai de l'estime se conduire comme le dernier des idiots pour les beaux yeux d'une poupée qui le fait marcher! Que dis-je? Qui le fait courir.

Il y avait dans sa voix un tel désir de convaincre que Lamiran, impressionné malgré lui, l'écouta sans l'interrompre, les sourcils froncés. Christine ne comprit pas tout de suite où voulait en venir le diabolique personnage. Sûr de son public, Mérignac prenait son temps afin de mieux préparer ses effets. La fréquentation des acteurs avait quelque peu déteint sur lui.

— Mais comment la voyez-vous donc votre découverte? Comme un ange de pureté? Une petite déesse qu'on a envie de respecter à cause de ce fameux mystère qui la nimbe, comme on dit, et qui lui donne sa petite auréole? Mon pauvre Lamiran, vous grisonnez aux tempes, tout comme moi, mais vous êtes toujours l'incorrigible collégien amoureux, le meilleur spectateur de vos propres films où l'on raconte des histoires à dormir debout... Ouvrez les yeux, mon cher, et, pour une fois, voyez les choses comme elles sont et Mlle Christine comme elle est... Ne m'interrompez pas, s'il vous plaît. Il est important que vous sachiez que je connais Christine bien mieux que vous, que je l'ai connue avant vous et dans des circonstances que je me permettrai de qualifier de croustillantes !

Cette fois le doute n'était plus permis. Christine avait compris où il voulait en venir. Elle ferma les yeux. Cela devait arriver un jour ou l'autre. Elle en fut presque soulagée, mais elle n'osa regarder François-Paul, cloué sur place par les paroles du producteur de *La Femme-Fauve*.

— ... La fille qui est là, devant nous, belle, lointaine et distinguée, vous savez combien elle coûtait il y a un mois de cela, à Deauville ? Cent louis. Oui, mon cher Lamiran, cent louis la nuit ! Son type... son « ami », si vous préférez... concluait le marché : pour deux mille francs, il vous l'expédiait franco de port tout droit dans votre appartement, nue sous sa robe pailletée ! Qu'est-ce que vous dites de ça, monsieur le metteur en scène ?

Le silence était effrayant. François-Paul était devenu statue de sel, le regard absent. Soudain il paraissait son âge et même davantage. Christine savait ce qu'il pouvait éprouver en ce moment. Elle eut conscience, là, dans ce lieu clos où elle devait subir l'épreuve la plus avilissante de son existence, que Lamiran l'aimait profondément et qu'il souffrait mille morts.

— ... Pour tout vous dire, poursuivait Mérignac, impitoyable, Christine, je l'avais gagnée au poker. Nous avions dîné ensemble, vous et moi, ce soir-là, et nous avions parlé du scénario de *La Femme-Fauve*. Je vous avais même invité à vous joindre à la partie. Vous auriez pu gagner la fille, vous aussi, Lamiran, ce qui vous aurait épargné la déconvenue de ce soir... Son ami, un dénommé Serge Massey, me devait cent louis qu'il ne possédait pas. Mais j'avais vu Christine avec lui, la nuit précédente, et j'avais tout de suite eu l'impression que cette petite-là, ce devait être une affaire ! Nous nous sommes mis d'accord en moins de temps qu'il ne faut pour vous le raconter. Une heure après, on frappe à ma porte et qui entre ? Mlle Christine que voici, dûment chapitrée par son... son...

Il ne put achever sa phrase, car Lamiran hurla :

— Ta gueule, Mérignac !

— Écoutez, mon cher...

— Tu vas la fermer, non ?

Lamiran marchait sur lui, les poings dressés, ivre de fureur et de désespoir. Christine se dit que le pire pouvait arriver. Elle voulut à tout prix l'éviter. Elle s'interposa entre les deux hommes.

— Il s'agit de moi, François-Paul, de moi et de personne d'autre. Oubliez un instant tout ce que vous ressentez et écoutez ce que j'ai à vous dire. Je... je vous en prie !

Il y avait une telle ferveur dans sa voix et elle paraissait si étrangère au personnage évoqué par Mérignac, que Lamiran, revenant à lui, devait se dire que rien de ce qu'il venait d'entendre ne pouvait correspondre à la réalité.

— Rappelez-vous, François-Paul... La nuit qu'évoque pour vous l'homme qui est là, c'est la nuit où nous nous sommes rencontrés, où vous m'avez ramassée sur le pont, entre Deauville et Trouville, le fameux pont sur la Touques, rappelez-vous... J'étais comme hallucinée, n'est-ce pas ? Je venais d'ailleurs et je me suis confiée à vous... Je vous ai parlé, François-Paul, parlé de moi, de Serge, de notre amour qui venait de finir... Je ne vous ai pas tout dit parce que c'était trop horrible, trop moche, trop sordide...

Christine réussit à tenir sous l'emprise de sa voix

l'homme auquel elle s'adressait, alors que Mérignac devait se demander comment elle allait bien s'y prendre pour réfuter ce qui était la vérité pure, du moins aux yeux de Mérignac.

— Cette nuit-là, mon amant voulait se tuer. Il n'avait plus un sou en poche et rien ne le retenait, même pas l'amour que j'avais pour lui. Il n'y croyait guère, à cet amour. Et comme chaque nuit, il m'emportait progressivement dans son monde à lui, son univers qui sentait le soufre, où rien n'était impossible, où la pureté rachetait tout, même l'impur. Souvenez-vous dans quel état je me trouvais, François-Paul... dépossédée de ma propre personnalité, entièrement soumise à Serge, lui obéissant en tout, et convaincue que j'étais seule capable de l'empêcher de se tuer à l'aube. Alors, quand il m'a demandé de me rendre dans un appartement situé au bout du couloir où m'attendait un inconnu qui, d'après Serge, était tombé amoureux de moi, je n'ai pas protesté, je ne me suis pas enfuie. Il me présenta les choses sous un certain jour, m'expliquant qu'il devait à cet homme beaucoup d'argent, que l'autre accepterait d'effacer la dette si je venais le rejoindre... Et il y avait cette affirmation calme de Serge : « Si tu ne le fais pas, si tu ne vas pas rejoindre cet homme, je me tue ! » La porte était entrouverte, je suis entrée et je l'ai découvert, lui, Mérignac ! Et là, en quelques secondes, devant le spectacle qu'offrait ce type horrible, je suis redevenue moi-même, je me suis retrouvée... Mérignac a essayé de me violer lorsque je lui opposai une résistance désespérée. Je l'ai frappé. J'ai réussi à m'enfuir et je suis retournée dans la chambre que je partageais chaque nuit avec mon amant et... il dormait ! Parfaitement, François-Paul : Serge dormait ! Je l'ai assommé avec le premier objet lourd qui m'est tombé sous la main. Une rage insensée m'avait saisie. J'ai cru qu'il était mort. Il y avait du sang partout. Je me suis enfuie et... et je vous ai rencontré !

Lamiran, livide, avait écouté sans broncher la confession de Christine. Derrière les terreurs, les réticences et les angoisses de l'étrange jeune fille qu'il avait arrachée à la mort certaine nuit sur un pont désert, il y avait donc tout cela. Cette aventure frelatée, ces personnages sans grandeur, ce monde en vase clos qui vivait la nuit dans des lieux qu'évoquaient, poétisés, les décors de *La Femme-Fauve*.

Christine baissa la tête. En racontant à François-Paul ce qu'elle lui avait toujours caché, elle s'était débarrassée du dernier fardeau qui l'encombrait encore. Cette fois, elle se sentait vraiment libérée. Ce qu'elle avait vécu auprès de Serge n'était plus une réalité obsédante, mais une sorte de rêve vécu qui, comme tous les rêves, devenait trouble au contact de la mémoire, se dissolvait progressivement, comme le brouillard à la fin d'une matinée d'automne. Lorsqu'elle s'adressa au producteur, sa voix devint impersonnelle, sèche et coupante :

— J'aurais été folle de joie de jouer le rôle de Norma, mais vous me dégoûtez trop ! Je fais une licence de lettres, j'ai une famille que j'aime, un père qui ferait n'importe quoi pour me voir heureuse. Deux hommes ont bouleversé mon existence : Serge et François-Paul. Vous, monsieur Mérignac, vous n'existez même pas. J'ai beau me forcer, je n'arrive pas à vous trouver une vraie saveur, un vrai pittoresque. Si, un jour, j'écrivais un roman sur... sur toute cette période de ma vie, j'évoquerais peut-être votre visqueuse personne. Ne vous plaignez pas trop, cher monsieur, vous aurez alors le rôle le plus payant : celui du salaud !

D'un pas ferme, elle se dirigea vers la porte de la petite salle. Sur le seuil elle se retourna :

— ... Bonne chance, François-Paul. Je... je crois que je t'aime et... et je suis désolée de t'avoir fait de la peine. J'espère de tout cœur que M. Mérignac trouvera la Norma de ses rêves. Et j'espère aussi qu'il a compris que je n'ai aucun besoin de lui, que j'aurais voulu ne jamais le rencontrer parce qu'il est ce que j'ai connu de plus moche et de plus vulgaire au monde!

Elle poussa la double porte et se précipita au-dehors.

Lamiran la rattrapa au moment où elle s'engageait, au hasard, dans l'un des couloirs qui s'ouvraient devant elle.

— Christine, tu es folle! Moi, j'ai besoin de toi, terriblement besoin... Si tu pars maintenant, j'abandonne le film après avoir démoli Mérignac... Christine, il faut rester! Sans toi, je... je ne saurais plus comment vivre ma vie. Si tu t'en vas, je suis foutu, lessivé.

Elle hésita.

— Dix minutes, chérie... Donne-moi dix minutes! Tu n'es peut-être pas une actrice, mais tu es autre chose. Tout ce que tu es dans la vie et qui te rend follement attachante se retrouve comme par miracle sur l'écran. C'est très rare, tu sais, exceptionnel. Si tu as confiance en moi, si tu m'écoutes, si tu m'aimes tant soit peu à ta manière, je te promets une vie fantastique, prodigieuse. Ton histoire d'amour ratée, c'était le désir d'évasion, le départ. Je t'offre tout cela, chérie, et mieux, parce que ce sera du cinéma, donc jamais vraiment sérieux! Dix minutes, tu veux bien?

— Je veux bien, murmura Christine.

Elle avait obéi d'instinct. Elle ne pouvait abandonner ainsi l'homme qu'elle avait appris à aimer, qui faisait à présent partie de sa vie, qu'elle le voulût ou non.

— Dix minutes, François-Paul, mais pas une seconde de plus!

Christine resta seule. Ce qu'elle venait d'entendre par la bouche de François-Paul l'avait décontenancée. Du petit hall faiblement éclairé, partaient une multitude de couloirs.

« Cet endroit est comme un symbole, se dit Christine. Je suis à un carrefour de ma vie. Plusieurs voies partent d'ici dans des directions différentes. Laquelle choisir? »

Elle pensa à ses études, à sa famille... Mais sa

réflexion fut interrompue par des aboiements furieux, des cris et une cavalcade insensée qui se rapprochait, puis s'éloignait pour se rapprocher à nouveau.

— Au pied! J'ai dit : au pied! hurlait une voix à laquelle répondait le gémissement significatif d'un berger allemand rompu à la discipline, mais souffrant de devoir s'y soumettre.

Puis, débouchant soudain de l'un des couloirs, une petite troupe surexcitée composée de vigiles, d'une secrétaire apeurée qui poussait des cris d'effroi et d'un jeune homme que les uns et les autres tiraient par la manche, alors que le chien policier, retenu difficilement par celui qui le tenait par son collier, abreuvait le prisonnier d'aboiements rageurs qui étaient autant d'insultes à son égard. Le jeune homme avait la beauté ténébreuse de certains héros de l'écran, la rose à son revers était fanée, mais il conservait tout de même le chic inimitable qui caractérisait « l'artiste de complément » qui s'était présenté à Christine comme déserteur de l'armée d'Afrique, puis comme gigolo au *five o'clock* du Palace.

Le groupe s'immobilisa devant Christine.

— Ne t'affole pas, môme, déclara le jeune homme qui la découvrit avec un sourire un peu crispé, tout ceci c'est ce qu'on appelle dans les comédies filmées un quiproquo!

Il avait la langue pâteuse.

— Enfin, messieurs, lâchez-le! s'écria la jeune fille.

— Vous connaissez ce voyou? s'étonna le vigile qui tenait le chien.

— Très bien, dit avec assurance Christine.

— Monsieur Mérignac! Monsieur Mérignac! glapissait la secrétaire qui voulait s'élancer vers la porte close de la salle de projection.

— Je crois que M. Mérignac est en conférence avec M. Lamiran, dit Christine doucement. Il n'aimerait peut-être pas être dérangé.

— Ah...

La secrétaire s'immobilisa. Les verres de ses lunettes étincelaient. Elle pointa un doigt menaçant vers Théo.

— Vous ne perdez rien pour attendre, jeune homme !

Tournée vers Christine, elle ajouta :

— Nous l'avons découvert dans le bureau particulier de M. Mérignac. Il dormait profondément sur le canapé où M. Mérignac fait habituellement passer des auditions ! Non, mais vous vous rendez compte ?

— Voyons, ce n'est pas un crime, murmura Christine. Et après tout, il avait peut-être rendez-vous.

— Rendez-vous ? s'exclama la secrétaire. Vous croyez que M. Mérignac fixe des rendez-vous à un monte-en-l'air pour qu'il vienne lui ouvrir son coffre ?

Christine pâlit. Elle regarda Théo.

— C'était pour récupérer mon scénario ! déclara celui-ci. J'avais confié à ce fumiste une histoire du tonnerre de foutre, un truc à mouiller la culotte à toutes les âmes sensibles et rien à faire pour le récupérer... « Demain » il disait... Ou « J'suis en train d'étudier l'affaire, petit... ».

— Voyou ! hurlait la secrétaire scandalisée. Et la fine Napoléon Trois Étoiles de M. Mérignac ? Où est passée la bouteille ?

— Là, fit Théo, désignant son estomac et faisant claquer sa langue contre le palais.

— Tout ça va te coûter cher, mon garçon, dit lugubrement le vigile qui retenait son chien.

— Et votre scénario ? Vous l'avez retrouvé ? demanda Christine qui pensait, elle aussi, que cette fois Théo ne couperait sans doute pas à la correctionnelle.

— Figure-toi que non. Même, je me demande si ce salaud-là ne l'a pas vendu ailleurs en gardant tout le pognon pour lui !

La porte de la salle de projection s'ouvrit brusquement, le chien recommença à pousser des grognements peu rassurants, alors qu'autour du prisonnier se resserrait le cercle de ceux qui l'avaient pris la main dans le sac. Lamiran se dressa devant eux, mais il n'avait d'yeux que pour Christine :

— Tu sais ce que c'est, Christine ?

Il brandit deux feuilles de papier au-dessus de sa tête.

— Mais non.

Elle se demandait si François-Paul ne pouvait pas venir en aide à Théo.

— Un projet de contrat et un chèque ! exulta Lamiran.

Christine n'y comprenait rien. Un chèque ? Pour quoi faire ?

— Tu sais ce qu'il t'offre ? Cent mille francs ! Cent mille francs pour jouer le rôle de Norma !

— Bravo, môme, fit une voix dans le fond. Bravo ! Je pourrai te taper les jours de dèche !

Lamiran cherchait des yeux celui qui venait de prononcer ces fortes paroles.

— Qui êtes-vous ? Et qu'est-ce qui se passe ici ?

La secrétaire, comme une flèche, était passée devant pour s'engouffrer dans la salle de projection.

— Monsieur Mérignac ! Monsieur Mérignac !

Christine était abasourdie par ce que Lamiran venait de lui dire.

« Ce n'est pas possible, pensa-t-elle. Cent mille francs... Je pourrai m'offrir un roadster. Et beaucoup d'autres choses. Christine, tu es affreuse. Pourquoi ne penses-tu pas au bien que tu pourrais faire autour de toi avec cent mille francs ? Tiens... par exemple, aider ce jeune dévoyé, Théo, à devenir un honnête homme... »

François-Paul l'avait prise par les épaules.

— Tu ne vas pas refuser, Christine ?

Refuser ? Tout ce qu'elle avait rêvé si souvent pouvait devenir une réalité. Ce goût qu'elle avait toujours eu pour le spectacle, cette fascination qu'exerçait sur elle depuis toujours le cinématographe... Être actrice, changer de peau, de visage, de personnalité...

— Quoi ?

Un hurlement s'était élevé en provenance de la salle de projection. Mérignac en jaillit, le visage décomposé par la fureur.

— Où est-il ?

Les vigiles portèrent la main à la casquette :

— C'est lui, monsieur Mérignac.

Le producteur saisit Théo par les revers de son veston ajusté.

— Je t'ai déjà vu quelque part, toi.

— Je suis l'auteur de Schéhérazade et le Chasseur d'Afrique !

Christine se retourna vivement.

— Alors, c'était un scénario de film, l'histoire de votre vie ? s'écria-t-elle. Je m'en doutais...

— Dites plutôt que ma vie, c'est un vrai scénario ! déclara Théo avec dignité.

Lamiran, ahuri, avait suivi ce bref échange.

— Tu le connais ?

— Je pense bien : il a fait six cachets dans ton film !

Tout le monde se mit à parler en même temps, alors que le chien policier ne cessait d'aboyer. François-Paul entraîna Christine vers une table basse. Comme toujours, lorsque la folie devenait générale, il gardait son sang-froid.

— Tu vas signer le projet de contrat que voici... Et tu vas le signer de ton nom d'actrice !

Christine crut avoir mal entendu :

— Mon nom d'actrice ?

Elle venait de réaliser à la seconde qu'elle s'appelait Decruze et elle imaginait avec terreur la réaction de son père si jamais un jour il devait voir flamboyer ce nom au frontispice d'une salle de cinéma... Pendant ce temps, Mérignac, dressé sur ses ergots, invectivait Théo qu'immobilisaient les vigiles.

— Tu oses prétendre que mon coffre était ouvert ?

— Parfaitement. Il était ouvert. Ouvert et vide ! C'est bien ce qu'on m'avait dit.

— Qu'est-ce qu'on t'avait dit ?

— Que vous n'aviez pas un fifrelin et que vous faisiez tous vos films avec l'argent des autres ! Et puis, votre fric, je m'en tape ! Ce que je veux, c'est mon scénario. Qu'est-ce que vous en avez fait ?

— Je m'en suis servi pour me...

Mérignac allait dire une énorme grossièreté, mais il s'arrêta devant le regard effaré de sa secrétaire.

— Mérignac est un type impossible, glissa François-Paul à l'oreille de Christine, mais il a tout de même, quand il le veut bien, des éclairs grandioses. C'est lui qui t'a trouvé un nom !

— Mérignac ? s'étonna Christine.

— Comme prénom tu prendras celui du rôle que tu vas jouer dans mon film : Norma !

— Norma... répéta Christine, docile.

— Et Mérignac y a ajouté un nom de son cru : Désir !

— Désir ? fit Christine en écho.

— NORMA DÉSIR !

Il tendit son stylographe à Norma Désir.

— Signe là, chérie.

Les lettres du contrat dansaient devant ses yeux. Elle allait apposer sa signature, tracer les lettres de « Norma Désir », mais elle n'en fit rien.

— Non, murmura-t-elle.

Elle se tourna vers le producteur, mais celui-ci était tout à sa fureur.

— Vous avez prévenu la police ? demandait-il aux vigiles.

— On attendait vos ordres, monsieur.

— Vous avez tort. Appelez le commissariat.

Christine avança de deux pas :

— Dans ce cas, dit-elle, je ne signerai pas votre contrat.

François-Paul la prit par le bras.

— Tu es folle!

— Lâchez ce garçon immédiatement! ordonna Christine à Mérignac.

Elle regarda Lamiran et lui dit très vite :

— Tu ne peux pas comprendre, mais... mais c'est à cause de mes frères. Ça te paraît absurde, je suppose?

— Non, murmura le metteur en scène.

Il alla jusqu'aux vigiles.

— Allons, dit-il, laissez-le partir.

Mérignac voulut s'interposer. Mais François-Paul l'en empêcha.

— Toi, Mérignac, ça suffit! Je sais que tu ne fermes jamais ton coffre pour la bonne raison que c'est là que tu mets la fine Napoléon que tu m'offres chaque fois que je viens te voir dans ton bureau! Alors, pas d'histoire, laisse tomber... Messieurs, je paie une tournée générale à la cantine!

Les gardiens du studio lâchèrent Théo qui se frottait le bras.

— Allez, tire-toi, lui dit très vite Lamiran.

— J'espère qu'on se reverra, m'sieu Lamiran, murmura le jeune homme.

Il envoya un baiser dans la direction de Christine... pardon : de Norma Désir... puis il s'éloigna, pas très sûr de ses jambes, les mains dans les poches en sifflotant « Ramona ». Ses pas s'éloignèrent, sa chanson aussi.

— Un physique superbe de jeune premier! marmonna le metteur en scène.

Surgissant au détour d'un couloir, survolté comme de coutume, arriva Marc, l'assistant.

— Liliane Melchior est furieuse parce qu'on la fait attendre!

Au pas de course parut l'opérateur, portant une boîte ronde en métal qui contenait de la pellicule.

— Les prises de vues de la maquette sont ratées, François-Paul, mais alors complètement ratées!

— Merde! Tu as une idée?

La voix de Christine se fit entendre :

— J'y ai pensé, moi.

Tout le monde regarda Norma Désir.

— Je crois que vous avez eu tort de placer la maquette à l'intérieur; il aurait fallu la disposer en plein air et se servir d'une voiture de pompier. En haut de l'échelle se tiendrait Kauffmann avec sa caméra qui tournera pendant que la voiture se déplacera tout autour de la maquette...

— Elle a raison! s'écria l'opérateur. Nous tournerons de jour les effets de jour et de nuit les effets de nuit !

— A mon avis, dit Mérignac, cette fille-là ne sera jamais une star !

— On peut savoir pourquoi ? demanda le metteur en scène.

— Elle n'est pas assez bête.

Christine pensait exactement le contraire. Il lui semblait que pour rendre célèbre le nom de « Norma Désir », il ne fallait surtout pas trop compter sur l'intelligence et le savoir-faire des autres. Mais elle eut la sagesse de garder cette réflexion pour elle.

# LITTÉRATURE GÉNÉRALE

# ÉDITIONS J'AI LU

*31, rue de Tournon, 75006-Paris*

*diffusion*

*France et étranger : Flammarion - Paris*
*Suisse : Office du Livre - Fribourg*
*Canada : Flammarion Ltée - Montréal*

IMPRIMÉ EN FRANCE PAR BRODARD ET TAUPIN
7, bd Romain-Rolland - Montrouge.
Usine de La Flèche, le 20-03-1979.
1352-5 - Dépôt légal 1er trimestre 1979.
ISBN : 2 - 277 - 11932 - 6